Philippe Nasr

LA GESTION DE PROJET

gaëtan morin éditeur

CHENELIÈRE ÉDUCATION

La gestion de projet

Philippe Nasr

© 2009 Les Éditions de la Chenelière inc.
© 2006 Les Éditions de la Chenelière inc.

Édition : Sylvain Ménard
Coordination : André Paquet
Révision linguistique : Jacques Audet
Correction d'épreuves : Sarah Bernard
Conception graphique et infographie : Fenêtre sur cour

Tableau de la couverture :
Sans titre
Œuvre de **Dimitri Loukas**

Né dans l'île de Chio, en Grèce, Dimitri Loukas a passé son enfance en France ; il est maintenant citoyen canadien.

Peintre autodidacte intéressé par le postcubisme et la géométrisation du gestuel, Dimitri Loukas produit des œuvres contenant de multiples déformations spatiales et chromatiques des objets et des personnages à travers une organisation logique de lignes fluides.

On trouve ses toiles dans plusieurs musées et collections privées et publiques, tant en Amérique du Nord qu'en Europe. Elles sont présentées à la galerie Michel-Ange de Montréal.

Dans cet ouvrage, le masculin est utilisé comme représentant des deux sexes, sans discrimination à l'égard des hommes et des femmes, et dans le seul but d'alléger le texte.

Ce livre contient des saisies d'écran réalisées à partir du logiciel *Microsoft Project*.

**Catalogage avant publication
de Bibliothèque et Archives nationales du Québec
et Bibliothèque et Archives Canada**

Nasr, Philippe

La gestion de projet

Comprend des réf. bibliogr. et un index.
Pour les étudiants du niveau collégial.

ISBN 978-2-89632-074-5

1. Gestion de projets. 2. Microsoft Project. 3. Gestion de projets –
Problèmes et exercices. I. Titre.

HD69.P75N37 2008   658.4'04   C2008-941596-5

**gaëtan morin
éditeur**

CHENELIÈRE ÉDUCATION

7001, boul. Saint-Laurent
Montréal (Québec) Canada H2S 3E3
Téléphone : 514 273-1066
Télécopieur : 450 461-3834 / 1 888 460-3834
info@cheneliere.ca

ISBN 978-2-89632-074-5

Dépôt légal : 1er trimestre 2009
Bibliothèque et Archives nationales du Québec
Bibliothèque et Archives Canada

Imprimé au Canada

1 2 3 4 5 ITM 13 12 11 10 09

Nous reconnaissons l'aide financière du gouvernement du Canada par l'entremise du Programme d'aide au développement de l'industrie de l'édition (PADIÉ) pour nos activités d'édition.

Gouvernement du Québec – Programme de crédit d'impôt pour l'édition de livres – Gestion SODEC.

DANGER

LE
PHOTOCOPILLAGE
TUE LE LIVRE

Table des matières

Chapitre 1
L'introduction à la gestion de projet

1.1	**L'étude de cas: bienvenue chez ABY inc.**	2
1.2	Qu'est-ce qu'un projet?	3
1.3	Les contraintes	4
1.4	Les intervenants	6
1.5	Le cycle de vie du projet	9
1.6	Résumé du chapitre	14
1.7	**L'étude de cas: de retour chez ABY inc.**	15
1.8	Questions de révision	16

Chapitre 2
La définition du projet

2.1	**L'étude de cas: la définition d'un projet chez ABY inc.**	18
2.2	La détermination du besoin	19
2.3	Le projet comme réponse au besoin	20
2.4	Les étapes de la définition du projet	20
2.5	Résumé du chapitre	32
2.6	**L'étude de cas: la définition d'un projet chez ABY inc.** (*suite*)	33
2.7	Questions de révision	34

Chapitre 3
L'analyse de faisabilité

3.1	**L'étude de cas: l'analyse de faisabilité chez ABY inc.**	36
3.2	Les éléments de la faisabilité	36
3.3	La gestion des risques	53
3.4	La conclusion de l'analyse de faisabilité	61
3.5	Résumé du chapitre	61
3.6	**L'étude de cas: l'analyse de faisabilité chez ABY inc.** (*suite*)	62
3.7	Questions de révision	63
	Annexe	65

Chapitre 4
La planification du projet

4.1   La détermination du travail à faire   72

4.2   La représentation graphique du projet   76

4.3   L'affectation des ressources   88

4.4   Résumé du chapitre   92

4.5   **L'étude de cas: la planification d'un projet chez ABY inc.** . . .   93

4.6   Questions de révision   94

Chapitre 5
L'exécution du projet

5.1   Le but de la phase d'exécution   98

5.2   Le rôle du chef de projet   98

5.3   Les compétences du chef de projet   104

5.4   L'éthique   105

5.5   La gestion d'équipe   107

5.6   Le suivi du projet   111

5.7   Résumé du chapitre   118

5.8   **L'étude de cas: l'exécution d'un projet chez ABY inc.**   119

5.9   Questions de révision   121

Chapitre 6
La clôture du projet

6.1   **L'étude de cas: la clôture d'un projet chez ABY inc.**   124

6.2   L'importance de clore le projet pour les intervenants   125

6.3   La clôture du projet chez le promoteur   126

6.4   La clôture du projet chez le mandataire   130

6.5   Résumé du chapitre   134

6.6   **L'étude de cas: la clôture d'un projet chez ABY inc.** (*suite*) . .   134

6.7   Questions de révision   135

Annexe   136

Chapitre 7
L'introduction à l'utilisation du logiciel Microsoft Project

7.1   L'utilité du logiciel 140

7.2   Les préalables en informatique et en gestion 140

7.3   L'interface graphique de MS Project 141

7.4   Un premier projet 146

7.5   Résumé du chapitre 158

7.6   Questions de révision 158

Chapitre 8
La planification de la structure du projet

8.1   L'étape 1 : saisir les tâches 166

8.2   L'étape 2 : créer les lots de travail 177

8.3   L'étape 3 : déterminer les prédécesseurs 179

8.4   Résumé du chapitre 185

8.5   Questions de révision 186

Chapitre 9
La planification de l'organisation du projet

9.1   L'étape 4 : déterminer les ressources 194

9.2   L'étape 5 : affecter les ressources 197

9.3   L'étape 6 : optimiser le calendrier d'exécution 213

9.4   Les améliorations de la présentation 225

9.5   L'impression des rapports 227

9.6   Résumé du chapitre 229

9.7   Questions de révision 231

Chapitre 10
Le suivi de l'avancement du projet

10.1 Les opérations préalables au suivi du projet   240

10.2 Les opérations de suivi du projet   244

10.3 L'impression des rapports de gestion   253

10.4 Résumé du chapitre   256

10.5 Questions de révision   258

Glossaire   265

Index   271

Avant-propos

Cet ouvrage s'adresse aux étudiants qui suivent un cours d'introduction à la gestion de projet. On y présente l'essentiel des notions fondamentales de gestion de projet et l'utilisation du logiciel Microsoft Project, outil technique incontournable dans le domaine.

Au terme de sa lecture, l'étudiant aura une connaissance des principes de la gestion de projet, des intervenants tels que le promoteur et le mandataire, du rôle de chacun des acteurs et des outils à maîtriser pour accéder à un poste de haut niveau. L'ouvrage n'a pas la prétention de permettre à l'étudiant d'occuper un poste de chef de projet. L'expérience et l'ambition lui permettront d'atteindre ses objectifs de carrière.

Le livre fait appel à une approche pédagogique innovatrice : le premier chapitre présente une vue d'ensemble de la gestion de projet et des phases du cycle de vie d'un projet. Ces phases sont ensuite expliquées en détails aux chapitres deux à six : la définition du projet, l'analyse de faisabilité, la planification, l'exécution et la clôture. Les chapitres sept à dix traitent de l'utilisation de Microsoft Project. Une introduction au logiciel est faite au chapitre sept à l'aide d'un exemple que l'étudiant peut reproduire au fil de sa lecture. Les chapitres huit et neuf traitent en détails des activités de planification réalisées à l'aide du logiciel, alors que le chapitre dix conclut sur les activités de suivi du projet supportées par le logiciel.

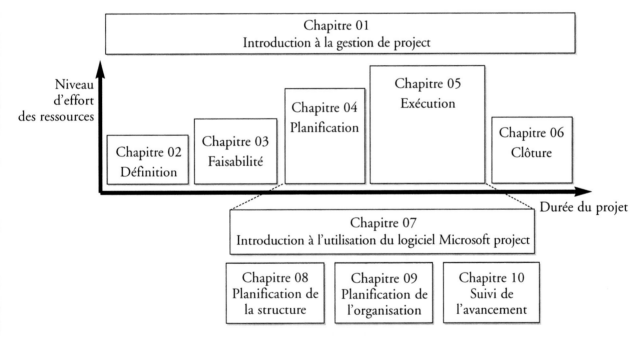

Le style d'écriture est épuré pour permettre à l'étudiant de se concentrer sur l'essentiel. Un cas continu permet également de se familiariser avec les tâches du chef de projet tout au long de l'ouvrage. De nombreux exemples, études de cas et exercices pratiques sont fournis pour illustrer les concepts.

Nous espérons que cette lecture vous permettra de vous familiariser avec les tâches du chef de projet et qu'elle vous donnera le goût d'en apprendre davantage sur la gestion de projet. Partout dans le monde, les grandes organisations ont pris le virage de la gestion de projet. Pour être compétitif dans un contexte de changements rapides et de rentabilité à tout prix, le gestionnaire se doit d'être au fait des dernières percées dans le monde de la gestion. Aujourd'hui, la connaissance des principes de la gestion de projet et l'expérience professionnelle sont les clés d'une carrière stimulante. Saisissez cette opportunité ! Bonne lecture.

Philippe Nasr

Chapitre 1

L'introduction à la gestion de projet

• • • • • • • • • • • • • • •

1.1 **L'étude de cas : bienvenue chez ABY inc.**

1.2 Qu'est-ce qu'un projet ?

1.3 Les contraintes

1.4 Les intervenants

1.5 Le cycle de vie du projet

1.6 Résumé du chapitre

1.7 **L'étude de cas : de retour chez ABY inc.**

1.8 Questions de révision

1.1 L'étude de cas: bienvenue chez ABY inc.

Depuis quelques mois, au travail, ça ne ralentit pas! Le patron, Stéphane Lapointe, vous affecte à plusieurs tâches d'importance et il semble avoir en vous une confiance hors de l'ordinaire. Les affaires vont bien, pour votre entreprise et pour vous, mais les signes d'essoufflement commencent à se faire sentir. Une pause serait bienvenue. Pourtant, impossible de ralentir le rythme: il semble que votre table de travail peine à supporter les documents qui s'y empilent. Vous n'avez pas le choix, il faut remplir ses engagements.

Vous mettez les bouchées doubles et vous demeurez, malgré cette somme de travail incalculable, à l'affût des nouveaux mandats. Sans que vous l'ayez remarqué, votre excellent travail des derniers mois a amené votre patron et la direction de l'entreprise à remarquer votre immense potentiel. La semaine dernière, lors d'une réunion de direction, il a été question de votre travail et de votre engagement envers l'entreprise. Satisfait de votre implication et de la qualité de votre travail, Lapointe a fait valoir à la direction de l'entreprise qu'il était maintenant temps d'envisager de vous accorder une promotion. Jacques Paiement, le directeur général de l'entreprise, a émis quelques réserves à ce sujet. Il croit que vous êtes bien jeune et qu'il vous manque de l'expérience pour accéder à un poste de niveau supérieur. Mais Lapointe tient à vous et il a su vendre votre candidature au comité de direction.

Aujourd'hui, Lapointe et deux autres directeurs vous convoquent pour une rencontre. Ne sachant pas ce qui vous attend, vous anticipez le pire, bien que vous ayez confiance en vos moyens. Ce n'est pas tous les jours qu'un employé est convoqué par trois directeurs, dont la directrice des ressources humaines, Mélanie Price, qui sera présente!

Lapointe, Price et Elsie Paoletti, la directrice de projet, vous accueillent d'un air sérieux dans la salle de réunion. C'est Stéphane Lapointe qui prend la parole en premier: «Vous savez, nous vous avons confié plusieurs mandats importants ces derniers mois et nous avons observé votre travail. Il est particulièrement important pour nous d'évaluer régulièrement le rendement de nos employés et de nous assurer que le poste qu'ils occupent leur convient vraiment. Nous croyons que vous êtes mûr pour un changement et c'est pourquoi nous vous avons convoqué aujourd'hui.» Vos mains sont moites, froides, et votre cœur bat à un rythme inhabituel. Vous aimeriez parler, mais vous choisissez de demeurer en mode d'écoute. Paoletti prend alors la parole: «Mon service est à la recherche de gens fiables, qui possèdent le sens des responsabilités et qui savent motiver une équipe de travail. Nous sommes à la recherche de chefs de projet et nous croyons qu'il serait intéressant que vous vous portiez candidat à ce poste. Vous disposez des qualités nécessaires pour y être nommé et les autres employés de la boîte ont confiance en vous. Votre expérience n'est pas très grande, mais nous savons que vous êtes avide de nouveaux défis.»

Vous êtes ébranlé. À votre entrée dans la salle, rien ne laissait présager une telle annonce. Soudainement, l'atmosphère vous paraît détendue et les visages affichent des sourires à peine voilés. Peut-être votre mine hébétée y a-t-elle contribué? Quoi qu'il en soit, vous voici avec une proposition inattendue. Pendant que Price vous présente la tâche associée à ce poste et les conditions d'emploi, votre esprit glisse vers un questionnement étrange. Vous vous demandez si vous allez être à la hauteur...

Le comité vous demande de lui rendre une réponse d'ici lundi. Ça ne vous laisse qu'une semaine pour découvrir ce que représente le poste qui vous est proposé. Vous décidez donc de ne pas perdre un instant et vous commencez vos recherches sur le travail effectué par un chef de projet. Mais par où commencer? D'abord, il faut essayer de comprendre ce qu'est un projet.

1.2   Qu'est-ce qu'un projet?

Avant de vous lancer dans l'aventure de la gestion de projet, il vous faut d'abord savoir déterminer ce qui constitue un projet. Selon le Project Management Institute (PMI), «un projet est une entreprise temporaire décidée dans le but de créer un produit, un service ou un résultat unique[1]».

Dans la pratique

Le PMI est un regroupement international de professionnels de la gestion de projet. Fondé en 1969, l'organisme, qui rassemble plus de 150 000 membres, s'occupe d'établir les standards en gestion de projet, procède à des recherches dans ce domaine, offre des formations et constitue un lieu d'échange pour les professionnels de la gestion de projet du monde entier. Le PMI est considéré comme l'autorité mondiale en gestion de projet. Sa mission est d'aider ses membres à faire progresser leur carrière en gestion de projet et d'aider les entreprises et les gouvernements à augmenter leur performance organisationnelle.

À l'instar d'un ordre professionnel, le PMI offre un certificat aux membres désireux de se prévaloir d'un titre de spécialisation: le Project Management Professional (PMP). Ce certificat, qui est reconnu dans le monde entier, garantit que son détenteur possède les qualités essentielles à la gestion de projet. Le PMP est un titre très recherché par les employeurs en gestion de projet puisqu'il exige une solide combinaison d'expérience professionnelle et de connaissances théoriques. Pour obtenir la certification PMP, un membre du PMI doit suivre une formation reconnue dans le domaine, détenir une expérience pratique suffisante et réussir les examens d'entrée.

Le PMI dispose de 236 chapitres régionaux répartis partout dans le monde. Ces chapitres sont des organisations membres du PMI qui dispensent localement les services de formation et qui font la promotion de la profession de chef de projet. Il existe 18 chapitres canadiens, dont 2 au Québec. Essayez de découvrir où sont situés ces 2 chapitres québécois. Visitez aussi les sites Web de ces deux organismes afin de mieux comprendre le rôle que jouent les chapitres du PMI.

Pour plus d'information sur le PMI, visitez le site Web de l'organisme.

---

1. Project Management Institute, *Guide du Corpus des connaissances en management de projet (Guide PMBOK®)*, 3e édition, Newton Square, PMI Standard, 2004, p. 5.

On dit d'un projet qu'il est une entreprise temporaire, c'est-à-dire qu'il doit comporter un début et une fin. Cette caractéristique permet de distinguer les projets des opérations régulières d'une organisation. Par exemple, l'implantation d'un nouveau logiciel comptable constitue un projet alors que son utilisation fait partie des opérations d'une entreprise. La construction d'une autoroute constitue un projet pour le ministère des Transports du Québec alors que son entretien et son utilisation font partie de ses opérations.

La définition du PMI indique aussi qu'un projet aboutit à un résultat unique. Ce résultat peut prendre la forme d'un produit ou d'un service, mais ce qui demeure essentiel dans la définition, c'est l'unicité du résultat. Celui-ci doit se distinguer des autres produits ou services de l'organisation. On emploie parfois, au lieu de « résultat », le terme « extrant ». Ce terme désigne l'ensemble des biens ou services qui résultent d'un processus de production ; dans le cas d'un projet, l'extrant est le produit final auquel aboutit le processus de gestion de projet[2].

1.3   Les contraintes

Réussir la gestion de projet est une question d'équilibre. Bien gérer un projet, c'est savoir maintenir l'équilibre entre les différentes contraintes imposées. Tout projet repose sur trois contraintes élémentaires :

- le coût ;
- le temps ;
- la qualité.

1.3.1   Le coût

Lorsque l'idée d'un projet est lancée, il faut d'abord déterminer l'envergure que l'on désire lui donner. Dans la pratique, cette envergure est souvent déterminée par le budget que l'organisation accepte de consacrer à la réalisation du projet. Le budget constitue la première contrainte à la réalisation du projet, et c'est le chef de projet qui est responsable de s'assurer qu'on le respecte.

1.3.2   Le temps

Lorsqu'on détermine les paramètres clés d'un projet, on doit fixer une date d'échéance. Cette date constitue la principale contrainte de temps du projet. Évidemment, des contraintes de temps intermédiaires peuvent surgir en

---

2. *Grand dictionnaire terminologique* de l'Office québécois de la langue française, article « extrant », [En ligne], [www.granddictionnaire.com] (16 novembre 2005).

cours de réalisation du projet, par exemple l'attente pour l'obtention d'un permis avant d'entamer la construction d'un bâtiment. Puisque l'obtention d'un permis demande habituellement un délai, il est essentiel de tenir compte de ce délai intermédiaire dans la planification du projet.

1.3.3 La qualité

Les contraintes de qualité reflètent le niveau de qualité du produit ou du service qu'on veut atteindre dans un projet. Dans le cas d'un système informatique, il est question de critères de performance à atteindre, alors que pour la construction d'un bâtiment, les contraintes de qualité prennent la forme de normes à respecter (par exemple les normes de la Régie du bâtiment du Québec).

Comme le montre la figure 1.1, la gestion des trois contraintes constitue le cœur de la gestion de projet. Les contraintes de coût, de temps et de qualité sont établies lors de la définition du projet et constituent les balises à l'intérieur desquelles le projet doit être réalisé. Il est essentiel de percevoir les liens qui existent entre ces trois contraintes. Par exemple, des retards dans la réalisation d'un projet ont inévitablement des répercussions sur les autres contraintes. Si on accumule du retard dans un projet, on doit choisir entre deux options pour rattraper le temps perdu : réaliser un produit de moindre qualité ou augmenter l'effort déployé. Dans les deux cas, il est nécessaire de

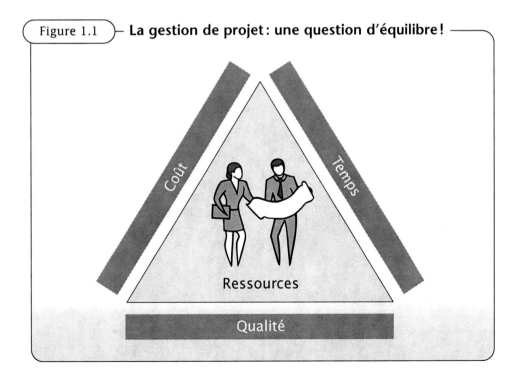

Figure 1.1)— **La gestion de projet : une question d'équilibre !**

Coût

Temps

Ressources

Qualité

ne pas respecter une des contraintes pour arriver à respecter la troisième. En effet, si on se refuse à réaliser un produit de moindre qualité, il faut alors engager plus de personnel ou accepter de payer des heures supplémentaires pour produire à temps. La contrainte budgétaire risque alors de ne plus être respectée.

Pour le chef de projet, il n'existe pas de solution miracle. Le succès d'un projet repose sur plusieurs éléments : une définition juste des contraintes de coût, de temps et de qualité ; une bonne planification initiale ; un suivi et un contrôle stricts des trois contraintes tout au long de la réalisation du projet.

1.4   Les intervenants

Durant les étapes de réalisation d'un projet, plusieurs individus et organisations sont impliqués à différents niveaux. Il importe de distinguer ces intervenants et de préciser leurs rôles dans le projet.

1.4.1   Le promoteur

Le promoteur est celui qui veut que le projet se réalise. Il s'agit généralement d'une organisation, d'une entreprise, d'un gouvernement, d'un organisme sans but lucratif ou même d'un individu. Le promoteur désire qu'un projet soit réalisé afin de profiter de l'extrant du projet, c'est-à-dire du produit ou service unique qui lui sera rendu. Par exemple, dans le cas du projet de construction du métro à Laval, c'est l'Agence métropolitaine de transport (AMT) qui en est le promoteur. L'AMT est l'organisme gouvernemental qui régit le transport public (autobus, trains de banlieue et métro) dans la grande région de Montréal. Cet organisme désire que le métro soit prolongé jusqu'à Laval afin d'y étendre son offre de services.

Le promoteur joue un rôle essentiel dans le projet : c'est lui qui conçoit l'idée et qui détermine les paramètres clés du projet. Il doit aussi déterminer les contraintes de coût, de temps et de qualité. Il établit le budget qu'il souhaite affecter à la réalisation du projet, il détermine la date à laquelle il désire disposer de l'extrant du projet et il définit les critères de qualité ou de performance que le produit ou service réalisé dans le cadre du projet doit atteindre.

Dans certains projets, le promoteur ne détient pas l'expertise pour réaliser lui-même le produit ou le service désiré. Dans une telle situation, il désigne une autre organisation qui peut réaliser le projet à sa place. Cette organisation s'appelle le mandataire.

1.4.2   Le mandataire

Le mandataire est la personne ou l'organisme qui réalise le projet. Il reçoit son mandat du promoteur, qui lui confie la réalisation et l'exécution du projet. Le mandataire peut être une organisation extérieure au promoteur ou une équipe de travail de son organisation. Dans un projet de développement d'un programme informatique, le mandataire externe est souvent un consultant spécialisé en implantation de systèmes d'information dans les entreprises, comme CGI, DMR ou EDS. Si le projet est réalisé à l'interne, le promoteur met sur pied une équipe de travail comprenant des programmeurs et des analystes travaillant déjà au sein de l'organisme. C'est cette équipe chargée de la création et du développement du nouveau programme qui constitue le mandataire du projet.

Il arrive aussi que l'équipe mandataire soit constituée de personnel travaillant pour le promoteur et de personnel associé à un consultant externe. Le consultant apporte alors l'expertise spécifique qui manque à l'équipe interne nommée par le promoteur. Ce type d'équipe est souvent mise sur pied lorsque le promoteur détient en partie l'expertise, mais que la disponibilité de ses ressources humaines est limitée.

1.4.3 Les utilisateurs

Les utilisateurs sont les bénéficiaires de l'extrant du projet. À la limite, ce sont eux qui déterminent si un projet a été réussi, car ils critiquent le produit ou le service qui leur est rendu. Dans le cas de la construction d'une route, les utilisateurs sont les automobilistes qui l'empruntent. Dans le cas de la création d'un logiciel, les utilisateurs sont ceux qui l'utilisent. Dans plusieurs cas, il est nécessaire d'impliquer les utilisateurs dans la définition même du projet, afin que le produit ou le service rendu réponde vraiment à leurs besoins.

1.4.4 Le chef de projet

Le chef de projet est celui qui le dirige. Il peut concevoir cette tâche comme celle d'un chef d'orchestre : il planifie, dirige, contrôle et apporte des ajustements lorsque c'est nécessaire. Le chef de projet est généralement employé par le mandataire et c'est lui qui établit le lien entre son équipe de projet et le promoteur. Une fois que le promoteur a remis le projet entre les mains du mandataire, celui-ci doit assigner à une personne la responsabilité de le mener à bien. Dans la littérature spécialisée et dans la pratique, on retrouve une foule d'expressions pour désigner le chef de projet :

- gestionnaire de projet ;
- manager de projet ;
- chargé de projet ;
- *project manager* ;
- *project leader.*

Quel que soit le nom qui lui est donné, le chef de projet demeure le point central du projet, son élément pivot. Son rôle est loin de se limiter à assurer les relations entre le promoteur et le projet lui-même. Le chef de projet doit établir la planification complète du projet :

- établir la liste des tâches à exécuter ;

- déterminer l'ordre de réalisation des tâches ;

- sélectionner et embaucher les ressources humaines du projet ;

- déterminer les ressources matérielles nécessaires au projet ;

- affecter les ressources aux différentes tâches ;

- diriger et contrôler la réalisation du projet ;

- coordonner l'exécution du projet ;

- assurer la remise du projet au promoteur dans le respect des contraintes de coût, de temps et de qualité.

L'ampleur et la diversité de ces tâches demandent une grande polyvalence de la part du chef de projet. Celui-ci doit posséder des compétences dans trois domaines :

- la gestion de projet ;

- la gestion organisationnelle ;

- le domaine d'affaires auquel se rattache le projet.

Ainsi, un chef de projet qui dirige un projet de construction immobilière se doit de détenir des compétences en gestion de projet, compétences qu'un cours en gestion de projet lui permet d'acquérir. Il doit aussi détenir des compétences en gestion organisationnelle, compétences qu'il peut acquérir en suivant un programme de formation en gestion. Finalement, il doit aussi posséder des compétences en construction : dans ce cas, seule l'expérience dans le domaine ou une formation spécialisée lui permettent d'acquérir cette compétence. La figure 1.2 présente l'éventail des compétences qu'un bon chef de projet doit posséder. Tout au long de votre apprentissage de la gestion de projet, gardez en tête qu'il existe des liens entre ces trois compétences. On ne peut diriger un projet sans avoir de compétences techniques dans le domaine, mais il faut aussi développer des habiletés propres à la gestion de projet, à la gestion de personnel et aux relations interpersonnelles.

Afin de mieux comprendre le rôle que joue le chef de projet, il importe de faire une analyse du cycle de vie du projet et d'y présenter la répartition des activités entre le promoteur, le mandataire et le chef de projet.

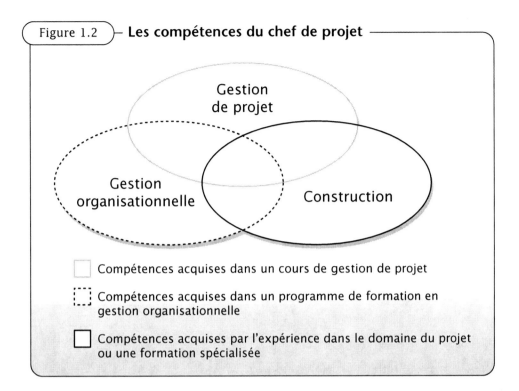

Figure 1.2 — **Les compétences du chef de projet**

Gestion
de projet

Gestion
organisationnelle

Construction

☐ Compétences acquises dans un cours de gestion de projet

⬚ Compétences acquises dans un programme de formation en
gestion organisationnelle

☐ Compétences acquises par l'expérience dans le domaine du projet
ou une formation spécialisée

1.5 Le cycle de vie du projet

Le projet est une entreprise temporaire qui comporte son propre cycle de vie.
Au cours de chacune des quatre phases du cycle de vie, le chef de projet et
son équipe sont responsables de plusieurs activités spécifiques qui permettent de produire l'extrant tout en respectant les contraintes de coût, de temps
et de qualité. Tout au long du cycle de vie du projet, le niveau d'effort
déployé par les ressources varie. La figure 1.3 présente graphiquement le
niveau d'effort et la progression des coûts d'un projet[3].

Définir avec exactitude les phases d'un projet est une activité périlleuse
puisque, chaque projet étant unique, aucun ne correspond à des standards
précis. Toutefois, le consensus chez les professionnels de la gestion de projet
est suffisamment large pour qu'on puisse définir les grandes lignes d'un projet, les phases de sa réalisation. Par ordre chronologique, ces phases sont :

- la définition ;
- la planification ;
- l'exécution ;
- la clôture.

---

3. Project Management Institute, *Guide du Corpus des connaissances en management de projet (Guide
PMBOK®)*, 3e édition, Newton Square, PMI Standard, 2004, p. 21.

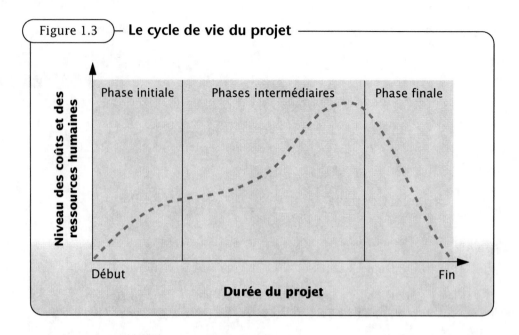

Figure 1.3 — **Le cycle de vie du projet**

Niveau des coûts et des ressources humaines

Phase initiale   Phases intermédiaires   Phase finale

Début   Fin

Durée du projet

1.5.1 La définition

Tout projet commence avec une idée. Celle-ci, souvent embryonnaire au début, doit être précisée et définie afin que tous les intervenants s'entendent sur les paramètres clés du projet. Ces paramètres sont les suivants :

- la description du projet ;
- le but du projet en rapport avec le besoin à combler ;
- les objectifs du projet ou les critères de performance à respecter ;
- l'extrant du projet (le produit ou le service qui sera rendu au promoteur) ;
- les intrants du projet (les ressources humaines et matérielles) ;
- les activités à réaliser pour mener le projet à bien.

Le promoteur a la responsabilité de définir le projet. C'est à lui qu'incombe la tâche d'établir les paramètres clés, mais aussi d'établir les contraintes de réalisation du projet. Le promoteur doit déterminer le budget à allouer au projet, la date à laquelle il désire que le projet soit terminé et le niveau de qualité que le mandataire doit atteindre. La détermination des trois contraintes (coût, temps et qualité) permet de préciser l'envergure du projet et la place qu'il occupe dans les activités du promoteur. L'envergure du projet, aussi appelée le contenu du projet, est l'importance d'une action, l'ampleur d'un projet. Elle est en partie déterminée par le budget qui lui est consenti, mais elle est relative, car elle dépend de la proportion qu'elle occupe dans l'ensemble des activités du promoteur. Par exemple, une PME dont le chiffre d'affaires est inférieur à 1 M$ et qui entreprend la construction d'un entrepôt au coût de 1,5 M$ peut considérer que ce projet est de grande envergure.

À l'opposé, la construction d'un bâtiment de 2 M$ représente, pour le gouvernement fédéral, un projet de petite envergure.

Le promoteur doit aussi déterminer les risques associés à la réalisation du projet et à l'exploitation de l'extrant. Lorsque le projet en est encore à l'étape de la définition, les risques sont nombreux et peu contrôlés. Lors de la définition du projet, le promoteur tente de déterminer les risques, et non d'en évaluer les coûts. Au départ, les risques sont donc élevés et les moyens de faire diminuer ces risques ne sont pas encore connus. Au fur et à mesure que le projet avance, on arrive à mieux contrôler les risques, et les coûts associés diminuent. La figure 1.4 présente l'évolution des risques au cours du projet. Il est question de la définition du projet et des risques qui y sont associés au chapitre 2.

L'étape de la définition se termine par une analyse de faisabilité. Cette analyse sert à déterminer s'il est possible de réaliser le projet en respectant les paramètres et les contraintes déterminés par le promoteur. Cette étape est cruciale, puisqu'une décision doit être prise à propos de la réalisation du projet. C'est à cette étape que plusieurs projets sont abandonnés, à cause d'un manque de financement ou d'une difficulté technique trop grande. Si, au terme de l'analyse de faisabilité, le promoteur considère que le projet est réalisable, un appel d'offres est lancé afin de choisir un mandataire pour le réaliser. Il est question de l'analyse de faisabilité au chapitre 3.

L'appel d'offres est la procédure par laquelle on invite des fournisseurs de biens ou de services concurrents (ou des entrepreneurs en construction concurrents)

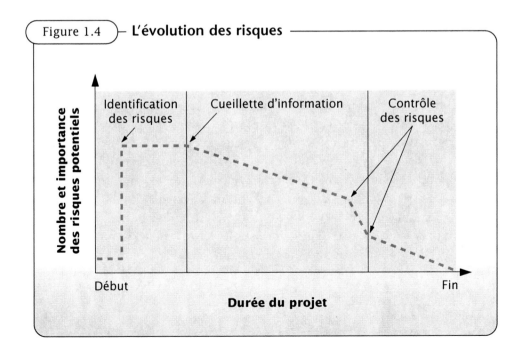

Figure 1.4 — **L'évolution des risques**

à présenter une offre détaillée en vue de se faire attribuer un marché, un contrat ou un mandat[4].

1.5.2 La planification

À l'étape de la planification, le mandataire vient de recevoir son mandat du promoteur. Il est maintenant temps de planifier le travail à faire avant de se lancer dans la réalisation du projet. Le mandataire doit d'abord déterminer le travail à faire : il dresse la liste détaillée des activités à réaliser pour mener le projet à terme. Il détermine l'ordre de réalisation des tâches et établit un diagramme de Gantt ainsi qu'un réseau du projet. Il est question de ces deux techniques de planification au chapitre 4.

Le mandataire répartit ensuite le budget qui lui est attribué par le promoteur, affecte ses ressources aux tâches et établit l'échéancier de réalisation du projet. Pour effectuer ces différentes tâches de planification, le mandataire se sert d'outils informatiques auxquels il est indispensable de recourir dans la gestion de projet. L'un des outils de planification et de gestion de projet les plus répandus en entreprise est le logiciel *Microsoft Project* ; la troisième section de ce livre (chapitres 7 à 10) est consacrée à son étude. Ce logiciel facilite la production du diagramme de Gantt et du réseau du projet, ainsi que l'affectation des ressources aux tâches et la répartition du budget. Les progiciels d'ordonnancement (c'est le nom donné aux logiciels de gestion de projet) constituent des outils essentiels au travail d'un chef de projet, qui doit compter parmi ses qualités la performance et la capacité d'adaptation aux nouvelles technologies.

1.5.3 L'exécution

L'exécution est sous la responsabilité du mandataire. C'est au cours de cette phase que le projet est réalisé : construction d'un bâtiment, lancement de produit, création ou développement d'un logiciel, etc. Durant cette phase, le chef de projet doit, pour sa part, diriger son équipe de projet et contrôler l'avancement. En théorie, le projet doit être exécuté tel qu'il a été planifié lors de la phase de planification. Dans la pratique, aucun projet ne se déroule exactement selon le plan initial ! Il peut arriver que des employés soient malades, que des délais de livraison imprévus surviennent, que les conditions météorologiques ralentissent le travail, que les coûts de certains matériaux fluctuent, qu'un employé soit plus productif que prévu, etc. Tous les éléments imprévus exercent une influence sur le déroulement du projet et peuvent empêcher qu'il soit exécuté selon les plans initiaux.

---

4. *Grand dictionnaire terminologique* de l'Office québécois de la langue française, article « appel d'offres », [En ligne], [www.granddictionnaire.com] (19 novembre 2005).

C'est durant la phase d'exécution que l'équipe de projet compte le plus grand nombre de membres. En début de projet, le promoteur dispose d'un groupe de personnes pour élaborer le projet et le définir. En phase de planification, le chef de projet s'entoure d'experts qui l'aident à définir avec précision les tâches à réaliser. C'est lors de la phase d'exécution que l'équipe de projet entre réellement en action et que la majeure partie des ressources humaines est affectée aux tâches de réalisation du projet. La figure 1.5 présente le nombre de membres dans l'équipe en fonction des phases du projet[5].

Le rôle du chef de projet dans la phase d'exécution consiste à ajuster sa planification initiale afin de produire l'extrant du projet tout en respectant les contraintes de coût, de temps et de qualité définies par le promoteur. Les changements constants de l'environnement rendent cet exercice particulièrement difficile. Pour y parvenir, le chef de projet doit s'assurer de bien contrôler l'avancement, les coûts et la qualité. À la fin de la phase d'exécution, l'extrant du projet est remis au promoteur par le mandataire. Cette fin de la phase correspond à la fin de la relation professionnelle qui unit le promoteur et le mandataire. Il est question de la phase d'exécution au chapitre 5.

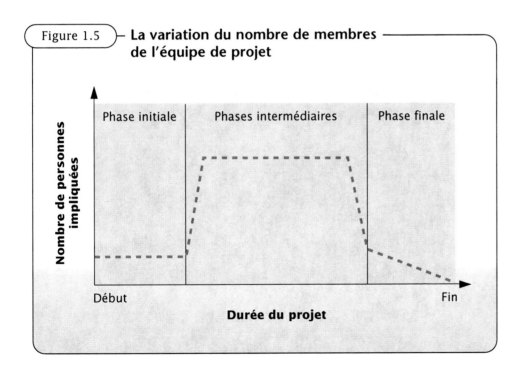

Figure 1.5 — **La variation du nombre de membres de l'équipe de projet**

Phase initiale   Phases intermédiaires   Phase finale

Nombre de personnes impliquées

Début   Fin

Durée du projet

5. Project Management Institute, *Guide du Corpus des connaissances en management de projet (Guide PMBOK®)*, 3e édition, Newton Square, PMI Standard, 2004, p. 21.

1.5.4 La clôture

La phase de clôture permet au promoteur et au mandataire de fermer les dossiers ouverts et d'archiver, parmi les documents relatifs au projet, ceux qu'il est important de conserver. Comme certains des projets futurs peuvent être de nature semblable au projet terminé, il est essentiel de faire un examen approfondi de la réalisation du projet.

Cet examen permet de tirer des leçons à propos de la réalisation du projet, des décisions de gestion prises en cours de projet et de l'exploitation de l'extrant. Il est question de la phase de clôture au chapitre 6.

La figure 1.6 présente l'évolution du niveau de ressources et de risques au cours des quatre phases d'un projet. On y constate que, dans les premières phases du projet, le niveau des coûts engagés est assez bas alors que les risques sont très élevés. Ce contraste permet de mieux saisir l'importance de l'analyse de faisabilité qui est conduite à la fin de la phase de définition du projet et qui permet au promoteur de prendre conscience des risques associés à la réalisation du projet.

1.6 Résumé du chapitre

Dans ce chapitre, vous avez découvert qu'un projet est une entreprise temporaire décidée dans le but de créer un produit, un service ou un résultat

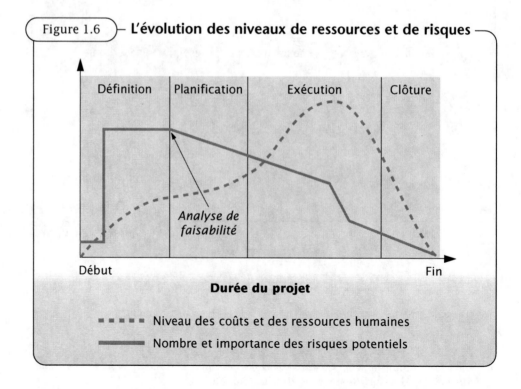

Figure 1.6 — **L'évolution des niveaux de ressources et de risques**

Définition   Planification   Exécution   Clôture

Analyse de faisabilité

Début   Fin

Durée du projet

▪ ▪ ▪ ▪ ▪ Niveau des coûts et des ressources humaines

———— Nombre et importance des risques potentiels

unique. Votre lecture vous a permis de constater que tout projet doit répondre à trois contraintes essentielles : le coût, le temps et la qualité. Le promoteur est celui qui veut que le projet se réalise. Il peut s'agir d'un individu ou d'une organisation. C'est le promoteur qui définit les trois contraintes de réalisation du projet. Il confie la réalisation du projet au mandataire, qui peut être un sous-traitant ou une équipe de projet dont les membres travaillent déjà pour le promoteur. Du côté du mandataire, c'est le chef de projet qui établit le lien entre l'équipe de projet et le promoteur. C'est aussi le chef de projet qui planifie et dirige les activités.

Le cycle de vie d'un projet se divise en quatre phases principales. La première phase est la définition du projet. Lors de cette phase, le promoteur tente de préciser l'idée qu'il se fait de son projet. Il définit les contraintes de coût, de temps et de qualité, et il établit les paramètres clés du projet. La phase de définition se termine par une analyse de faisabilité au terme de laquelle le promoteur doit prendre une décision à propos de la poursuite du projet. La seconde phase est celle de la planification. Le mandataire doit déterminer les activités à réaliser afin de mener le projet à bien, engager les ressources nécessaires et les affecter aux différentes tâches. La troisième phase, l'exécution, est la phase la plus longue du projet. C'est lors de cette phase que le mandataire réalise le projet et remet l'extrant au promoteur. La dernière phase est la clôture du projet. Tant pour le promoteur que pour le mandataire, cette phase permet de tirer des leçons du projet qui vient de se terminer.

1.7 L'étude de cas: de retour chez ABY inc.

Maintenant que vous comprenez mieux le rôle qui vous attend comme chef de projet, vous sentez qu'il est temps de mettre la main à la pâte. Pour bien faire les choses, il vous faut comprendre ce que chaque intervenant doit faire lors des quatre phases du projet. La deuxième section de ce volume (chapitres 2 à 6) vous présente en détail les quatre phases d'un projet et le rôle des intervenants.

Elsie Paoletti, la directrice de projet chez ABY inc., vous présente le mandat qu'elle désire vous confier en tant que nouveau chef de projet. Tout au long de cet ouvrage, nous allons vous accompagner dans la réalisation de ce mandat, en passant par chacune des quatre phases de la gestion de projet. Il faut d'abord rencontrer l'entreprise cliente et découvrir quel est ce mandat.

Votre mandat consiste à développer un système d'information d'aide à la décision pour le compte de la Société canadienne d'hypothèques et de logement (SCHL). La SCHL est l'organisme fédéral qui est responsable de l'habitation. Elle veille à ce que les Canadiens aient accès à un large éventail de logements de qualité, à coût abordable, et elle favorise la création de collectivités et de villes dynamiques partout au pays. Pour y parvenir, la SCHL mène ses activités dans quatre secteurs :

- le financement de l'habitation ;

- la recherche et la diffusion de l'information ;

- l'aide au logement ;

- le développement de relations internationales[6].

Parmi les activités de la SCHL, la plus connue des Canadiens est certainement l'assurance prêt hypothécaire. Pour obtenir une hypothèque d'une banque ou d'une caisse, un particulier doit fournir un montant de 25% de la valeur de la propriété. À défaut de fournir ce montant, le particulier doit fournir à la banque ou à la caisse une assurance contre les défauts de paiement. C'est cette assurance prêt hypothécaire que la SCHL offre. Les acheteurs qui obtiennent cette assurance peuvent acheter une propriété même si leur mise de fonds n'est pas de 25% (avec l'assurance de la SCHL, le minimum varie de 5% à 25%, selon le type de propriété). La SCHL offre aux banques et aux caisses une garantie en cas de défaut de paiement du particulier. Ce service lui permet de remplir l'un de ses mandats, celui de permettre à plus de Canadiens d'accéder à la propriété.

Pour effectuer ce mandat efficacement, la SCHL doit disposer d'outils de prise de décision afin d'accepter ou de refuser l'assurance prêt hypothécaire aux clients des banques et des caisses. Elle doit donc procéder à une enquête de crédit et vérifier les antécédents financiers des clients potentiels. Les employés responsables de ce processus sont appelés les souscripteurs. Dans le cadre de ce projet, la SCHL vous demande de l'aider à développer un système d'information qui permettrait d'assister les souscripteurs dans leur prise de décision. Elle a déjà donné au projet le nom d'ÉMILI.

1.8   Questions de révision

1   Quel est le rôle du promoteur ?

2   Quel est le rôle du mandataire ?

3   Énumérez les quatre phases de la gestion de projet et décrivez sommairement les activités réalisées par le promoteur, le mandataire et le chef de projet lors de chacune des phases.

4   Tout projet comporte des contraintes de coût, de temps et de qualité. Expliquez quels sont les liens qui existent entre ces trois contraintes.

5   On dit qu'un projet est une entreprise temporaire conçue dans le but de créer un produit, un service ou un résultat unique. Donnez trois exemples de projet dans votre environnement professionnel ou personnel. Désignez, pour chacun des projets, qui en sont le promoteur, le mandataire et les utilisateurs.

6   Dans le cas du développement du système ÉMILI, déterminez le promoteur et le but du projet.

---

6. Société canadienne d'hypothèques et de logement, [En ligne], [www.schl.ca] (19 novembre 2005).

Chapitre 2

La définition du projet

- - - - - - - - - - - - -

2.1 **L'étude de cas : la définition d'un projet chez ABY inc.**

2.2 La détermination du besoin

2.3 Le projet comme réponse au besoin

2.4 Les étapes de la définition du projet

2.5 Résumé du chapitre

2.6 **L'étude de cas : la définition d'un projet chez ABY inc.** (*suite*)

2.7 Questions de révision

2.1 L'étude de cas : la définition d'un projet chez ABY inc.

Comme il a été expliqué dans le premier chapitre, c'est le promoteur qui a la responsabilité de définir le projet et il est parfois aidé dans cette tâche par un consultant externe. Pour votre projet chez ABY inc., le promoteur a une bonne idée de ce qu'il désire, mais il ne sait trop comment présenter cette information. Vous pensez alors qu'il serait utile pour vous de jouer le rôle d'un consultant afin d'aider la Société canadienne d'hypothèques et de logement (SCHL) à bien définir le projet qu'elle désire réaliser. Après tout, lorsque le projet est bien défini, il est certainement plus facile de s'entendre sur le travail à faire, les délais de réalisation et le coût.

Avant d'entrer en contact avec le promoteur, vous croyez qu'il serait sage de rencontrer un chef de projet de votre entreprise. Il pourrait vous conseiller et vous guider, vous indiquer précisément ce que vous devez faire à cette étape-ci du projet. Lors d'un cinq à sept organisé par le service des ressources humaines de ABY inc., il y a quelques semaines, vous avez rencontré un type qui vous a paru très sympathique et qui occupe un poste de sénior de projet. Il a donc beaucoup d'expérience et, lors de votre rencontre, il semblait enclin à partager ses connaissances avec vous. Lorsque vous avez discuté de vos tâches respectives, il vous a paru passionné par son travail. Il y a fort à parier qu'il sera disponible pour vous rencontrer. Vous décidez donc d'entrer en contact avec ce chef de projet, Daniel Désilets. Il est l'exemple type du bon gars : toujours prêt à écouter, à partager sa connaissance et à aider les plus jeunes à progresser au sein de l'entreprise. C'est donc avec un immense plaisir qu'il vous invite à venir dîner avec lui dès le lendemain pour discuter des défis qui vous attendent. Vous êtes emballé à l'idée de rencontrer une personne d'expérience comme Désilets et de pouvoir tirer profit de ses connaissances.

Pour vous préparer à cette importante rencontre, vous décidez de vous renseigner sur les projets que Daniel a menés ces dernières années. Vous constatez avec beaucoup de plaisir qu'il y a quelques années, il a déjà travaillé sur un projet de la SCHL. En effet, la SCHL s'associe de temps à autre à ABY inc. pour le développement de ses projets informatiques et Daniel y a été affecté régulièrement. La Société a déjà implanté un système semblable à celui d'ÉMILI, à la fin des années 1990. Il s'agissait d'une première version du système qui permet d'uniformiser le processus de souscription et d'offrir un temps de réponse plus court pour les demandes d'assurance prêt hypothécaire. Le projet qu'Elsie Paoletti désire vous soumettre est donc lié directement à celui que Daniel a dirigé. Quelle chance !

Le lendemain, à l'heure du dîner, vous êtes à table avec Daniel Désilets pour discuter de gestion de projet de façon générale, mais plus particulièrement du travail à faire en début de projet. Daniel vous présente sa vision des choses : « Au départ, c'est au promoteur à définir son projet. Comme la plupart des promoteurs ne sont pas des experts en gestion de projet, ils ne disposent pas de méthodes rigoureuses pour définir un projet. Ils ont seulement une bonne idée qu'ils veulent voir se concrétiser et un peu d'argent à y investir. C'est à ce moment que les chefs de projet entrent en jeu. Bien que la définition du projet soit sous l'entière responsabilité du promoteur, c'est-à-dire la

SCHL dans le cadre de votre projet, il est parfois utile de l'aider à bien formuler cette définition. La raison en est simple : la définition, c'est la fondation du projet. Comme l'ensemble du projet repose sur les fondations, une mauvaise définition est source de problèmes qui peuvent affecter tout le projet. »

Vous trouvez très intéressante l'image que Daniel vous propose. S'il repose sur des bases solides, le projet est bien structuré. C'est pour cette raison qu'il est important de s'assurer que la SCHL est sur la bonne voie dès le début. Tout au long de votre dîner, Daniel vous présente en détail les éléments qui font partie de la phase de définition du projet.

2.2   La détermination du besoin

C'est par la détermination du besoin que tout commence. Le promoteur, qui peut être une organisation, une entreprise, un gouvernement, un organisme sans but lucratif ou même un individu, constate qu'il existe un besoin à combler. Par exemple, dans le cas de la construction du métro de Laval, l'Agence métropolitaine de transport (AMT) a constaté qu'il lui fallait un lien plus rapide vers Laval. Avec le développement des banlieues de Montréal, il devient essentiel d'offrir un réseau de transport en commun plus efficace.

Dans la pratique

La mission de l'AMT est d'améliorer l'efficacité des déplacements des personnes dans la région métropolitaine et d'accroître l'utilisation du réseau de transport en commun. C'est elle qui est responsable des grands projets de transport en commun dans la région de Montréal. En plus du prolongement du métro à Laval, l'AMT travaille aux deux projets suivants : quatre lignes de train léger sur rails correspondant à quatre corridors à forte densité automobile, principalement entre la Rive-Sud et le centre-ville ; et le via-bus de l'Est, un corridor de 39 km qui est réservé aux autobus et relie Repentigny au centre-ville de Montréal. Ces deux projets en sont encore à l'étape de la définition. L'AMT et le ministère des Transports du Québec ont constaté que certains axes routiers de l'île de Montréal et de ses banlieues ne suffisent plus à desservir le flot grandissant des véhicules. Pour résoudre ce problème, plusieurs projets de transport en commun ont été étudiés. Le projet de train léger sur rails et celui du via-bus visent à répondre à ce besoin.

Toutefois, les fonds publics disponibles étant limités, le gouvernement du Québec a préféré ne lancer que le projet de prolongement du métro vers Laval. Selon le ministère des Transports du Québec et l'AMT, la réalisation du projet devrait s'élever à 154,5 M$ par kilomètre, soit un peu plus de 800 M$ pour l'ensemble du projet. La mise en service est prévue pour juillet 2007. Lorsqu'il avait été annoncé en 2001, on prévoyait plutôt que le projet allait coûter 380 M$ et que l'inauguration aurait lieu en janvier 2006.

Vous trouverez plus d'information sur l'AMT en visitant le site Web de l'organisme.

2.3 Le projet comme réponse au besoin

Le projet doit fournir une réponse au besoin qui a été constaté par le promoteur. Il arrive parfois que plusieurs projets permettent de répondre à un même besoin. Dans une telle situation, le promoteur doit choisir le projet qui lui semble permettre d'atteindre ses objectifs au moindre coût. Mais il ne faut pas aller trop rapidement. À cette étape-ci du projet, les objectifs n'ont pas encore été définis. Il est donc difficile pour le promoteur de déterminer quel projet lui permettrait de mieux répondre au besoin désigné. L'un des moyens de sélectionner le meilleur projet consiste à réaliser l'étape de définition pour chacun des projets envisagés. Au terme de ce travail de définition, on obtient une vue d'ensemble du projet et de son effet sur l'organisation. Il est alors plus facile pour le promoteur de prendre une décision éclairée. Cette façon de faire engendre des coûts supplémentaires, mais elle permet que ce soit le meilleur des projets qui soit choisi.

Pour illustrer notre propos, on peut donner l'exemple de la saga politique du Centre hospitalier de l'Université de Montréal, dont la construction a obligé le gouvernement du Québec à considérer une foule d'options différentes. À un moment donné, le gouvernement était confronté jusqu'à cinq propositions de projets différents, visant tous à répondre au besoin de construction d'un hôpital universitaire centralisé. Le Parti libéral ne pouvait faire un choix éclairé avant d'avoir défini clairement ses objectifs. Plusieurs groupes intéressés par le projet ont émis des opinions qui ont amené le gouvernement dans une réflexion à propos du projet qui répondrait le mieux au besoin. Toutefois, il est important de garder à l'esprit que chacun des groupes impliqués poursuit des objectifs différents. C'est ce qui explique pourquoi certains projets paraissent plus attrayants aux yeux de certains et beaucoup moins pour d'autres. Le site du 1000, rue Saint-Denis (celui de l'hôpital Saint-Luc) a été choisi parce qu'il répond le mieux aux objectifs suivants :

- la qualité de l'organisation des soins ;
- l'apport à l'enseignement et à la recherche ;
- l'accessibilité pour la clientèle ;
- le cadre budgétaire à respecter.

2.4 Les étapes de la définition du projet

La figure 2.1 nous rappelle que la phase de définition constitue l'amorce du projet chez le promoteur. La définition du projet se divise en cinq étapes importantes qui permettent au promoteur de préciser l'envergure qu'il désire donner à son projet. Ces cinq étapes sont les suivantes :

- définir les objectifs à atteindre ;
- établir le budget à respecter ;

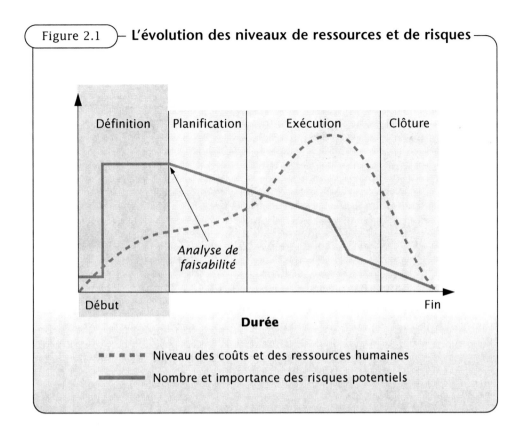

Figure 2.1 — **L'évolution des niveaux de ressources et de risques**

- établir les délais de réalisation du projet ;
- définir les critères de performance de l'extrant et ses conditions de réalisation ;
- établir les risques du projet.

La phase de définition se termine par une analyse de faisabilité (qui elle-même se divise en analyse de marché, en analyse technique et en analyse financière), puis par le lancement de l'appel d'offres dont il est question au chapitre 3.

2.4.1 Les objectifs à atteindre

Pour un non-initié, la définition des objectifs est une étape qui peut sembler inutile à première vue. En effet, on pourrait croire que cet exercice n'est fait que pour la forme et qu'il ne permet pas de faire progresser le projet. Dans les faits, il en est tout autrement. La définition des objectifs permet d'atteindre deux cibles importantes. D'abord, lorsqu'un projet est sélectionné, on s'entend généralement sur son but qui devrait être de répondre à un besoin déterminé. Toutefois, il existe plusieurs moyens d'atteindre un même but. On peut percevoir ces moyens comme différents chemins qui permettent d'arriver à destination. Le chemin qu'on décide d'emprunter est composé d'une série d'objectifs qui doivent être définis avant qu'on prenne la route. Autrement, on navigue à l'aveuglette. Si on arrive à réaliser tous les objectifs d'un projet, on devrait aussi atteindre le but. De la même façon, suivre la route choisie doit permettre d'arriver à destination. La définition des objectifs assure que tous les intervenants prennent le même chemin pour arriver au même but.

La seconde cible visée par la définition des objectifs est de permettre au promoteur d'évaluer le travail du mandataire une fois que le projet est réalisé. Ainsi, le promoteur peut vérifier séparément l'atteinte de chacun des objectifs afin d'évaluer le projet dans son ensemble. En gestion de projet comme ailleurs, les objectifs doivent être quantifiables et mesurables. Le tableau 2.1 présente des exemples de buts et d'objectifs pour des projets fictifs.

Définir des objectifs mesurables permet non seulement de vérifier objectivement leur atteinte, mais aussi de s'assurer que le mandataire comprend bien son mandat. De plus, une définition efficace des objectifs permet d'évaluer avec plus de justesse le budget nécessaire et les délais requis pour réaliser le projet.

Tableau 2.1   **Des exemples de buts et d'objectifs pour des projets**

Projet	Conception d'un logiciel de paie.	Construction d'une remise.
But	Produire les chèques de paie des employés d'une entreprise.	Disposer d'un espace de rangement pour de l'équipement de jardinage et de piscine.
Objectifs	• Produire 1 500 chèques de paie toutes les deux semaines; • Assurer le dépôt direct automatique auprès des huit grandes banques canadiennes; • Réduire de 50 heures l'effort de production d'une émission de chèques.	• Construire une remise d'une superficie de 5 mètres sur 5 mètres; • Le toit doit présenter une inclinaison de 40°; • La remise doit être dotée d'une alimentation électrique et de cinq prises de courant; • L'ouverture de la porte doit être de 2 mètres afin qu'on puisse y faire entrer les machines et les appareils.

2.4.2 Le budget

Le budget constitue un élément restrictif dans la majorité des projets. Le promoteur désire, bien sûr, voir son projet se réaliser, mais il demeure limité par le budget qu'il est possible d'investir. Il doit ajuster l'envergure du projet et les critères de performance de l'extrant du projet en fonction du budget dont il ne doit pas dépasser la limite. À cette étape, le promoteur doit définir son budget en fonction de deux critères fondamentaux :

- les fonds qui sont effectivement disponibles ou qui peuvent le devenir pour la réalisation du projet ;
- l'envergure du produit livrable final.

Il est facile de comprendre qu'un budget réduit force à réaliser un livrable dont soit l'envergure, soit la qualité est moindre, selon les priorités établies par le promoteur. Prenons l'exemple d'une personne qui désire acheter un ordinateur portable. À première vue, cette personne aimerait se procurer l'ordinateur dernier cri qui lui permettrait de disposer d'un centre multimédia maison ! Elle pourrait tout contrôler à partir de son ordinateur : télévision, système de son, lecteur DVD, etc. L'une des fonctionnalités qui l'intéresse particulièrement est celle de l'enregistreur numérique, qui permet d'enregistrer des émissions de télévision directement sur le disque dur de l'ordinateur. Toutefois, lorsque la personne commence à magasiner, elle constate qu'un ordinateur qui remplit tous ces critères coûte près de 3 000 $, ce qui est bien au-delà de ses moyens. Elle retourne donc chez elle pour établir un budget raisonnable et en arrive à la conclusion qu'il lui faut oublier l'écran de 17 pouces et la manette de contrôle à distance. Toutefois, elle ne veut pas que la qualité du produit soit inférieure. Elle opte donc pour un système d'une marque reconnue qui répond à la majorité de ses besoins essentiels. Son budget l'a donc obligée à redéfinir l'envergure de son projet d'achat, mais ne l'a pas obligée à faire des compromis sur la qualité. Cet exemple illustre bien que d'établir un budget réaliste dès le début du projet permet de maintenir un niveau élevé de qualité si on est prêt à réduire l'envergure.

2.4.3 Les délais

Les délais peuvent être calculés de différentes manières. Généralement, le promoteur établit une date à laquelle il désire disposer de l'extrant du projet. On évalue ensuite la durée nécessaire pour réaliser le projet et on vérifie si la date choisie est réaliste ou non. Dans d'autres cas, on fonctionne de façon inverse : on calcule d'abord le temps que pourrait prendre la réalisation du projet, puis on déduit, à partir de ce temps, la date de fin du projet. Quelle que soit la méthode employée, il est essentiel de vérifier avec le promoteur quels sont les impératifs qui motivent le choix de la date de fin du projet et de consigner ces impératifs par écrit.

Dans certains cas, c'est la date à laquelle le projet doit être terminé qui est la plus importante, comme dans le cas du parc d'attractions La Ronde, à Montréal. Lorsque le parc d'attractions décide d'acheter un nouveau manège, il désire que l'installation en soit complétée avant l'ouverture de la saison estivale. La date de livraison du projet prend ici une importance capitale. Dans le cas d'un projet comme le lancement du nouveau disque d'un artiste ou l'organisation d'un événement, on planifie plutôt les étapes du projet à rebours, c'est-à-dire à partir de la date de réalisation qui doit obligatoirement être fixée à l'avance.

Il existe des cas plus complexes. Par exemple, lors de l'implantation d'un nouveau système comptable dans une entreprise, on doit éviter de livrer le système près de la fin de l'exercice financier, car dans cette période l'activité comptable est particulièrement intense et l'accès aux outils de travail est absolument nécessaire. Dans un commerce de détail, on doit tenter de faire coïncider l'implantation d'un nouveau système de suivi des stocks avec la prise de l'inventaire du magasin. Dans le cas d'un collège ou d'une université, on doit tenter d'effectuer les modifications majeures aux ressources informatiques durant la période creuse entre les sessions.

2.4.4 L'estimation des coûts et de la durée

En gestion de projet, on doit estimer deux paramètres importants avant de dresser le plan du projet : les coûts et la durée. L'estimation des coûts et de la durée est essentielle pour tous les intervenants, le promoteur, le mandataire et toutes les autres parties impliquées. Fournir une estimation précise n'est pas chose facile. Chacun des projets étant une activité unique, il est difficile de faire des prédictions à leur propos.

Au cours des ans, les chefs de projet ont conçu différentes techniques afin de parvenir à des estimations réalistes. Toutefois, les exemples de projets dont les coûts ou les délais ont été dépassés se multiplient, comme le prolongement du métro à Laval. Mais pourquoi est-il si difficile de faire des estimations justes ?

Une partie de la réponse est que de multiples facteurs incontrôlables sont inhérents à tout projet. Par exemple, les conditions météorologiques peuvent retarder la réalisation d'un ouvrage tel qu'un pont ou une maison. Aussi, un conflit de travail peut survenir lors de la réalisation d'un projet. Une grève ou un lock-out peut retarder la réalisation d'un projet de façon importante et en faire augmenter les coûts. Le fait qu'un employé tombe malade constitue un autre facteur incontrôlable qui peut contribuer au retard d'une ou de plusieurs tâches.

Une autre partie de la réponse se trouve dans la nature même de certains projets. Par exemple, un projet de nature technologique comporte forcément plus de risques qu'un projet que l'on pourrait qualifier de « brique et mortier ». Dans les projets où la technologie prend beaucoup de place, il est souvent difficile d'avoir accès à des données historiques sur les temps de réalisation de certaines tâches et sur les coûts qui y sont associés. D'ailleurs, en développement informatique, il n'est pas rare de connaître des problèmes pour lesquels aucune solution éprouvée n'existe! De telles situations amènent souvent d'importants retards de réalisation.

La durée totale du projet influence aussi les estimations. Il est relativement facile d'évaluer le temps que prend une tâche que l'on doit effectuer le lendemain. Toutefois, si on doit évaluer la durée d'une tâche qui sera effectuée quatre mois plus tard et dont la réalisation dépend de celle de plusieurs autres tâches préalables, le travail d'évaluation se complique. Ainsi, plus les tâches sont complexes et longues, plus il devient difficile d'en évaluer exactement la durée. Faites vous-même le test: dans combien de temps devriez-vous avoir terminé la lecture de ce chapitre? Et combien d'heures de lecture vous faudra-t-il pour compléter la lecture du livre en entier? Vous pouvez sans doute fournir une estimation rapide et assez juste à la première question. Toutefois, pour la deuxième, vous devez faire des calculs plus approfondis et la marge d'erreur est bien plus grande.

2.4.5 Les différentes approches d'évaluation

Il existe deux principales approches pour évaluer la durée et le coût d'un projet. La première se nomme *top down* ou approche descendante (du haut vers le bas). L'approche descendante demande qu'on estime globalement la durée et le coût du projet dans son ensemble, puis qu'on tente de répartir les montants et le temps disponible entre les tâches du projet. La seconde approche se nomme *bottom up* ou approche ascendante (du bas vers le haut). Si on adopte l'approche ascendante, d'abord on estime individuellement la durée et le coût de chacune des tâches, puis on calcule la durée totale et le coût global du projet.

Les mouvements ascendant et descendant sont des analogies avec le mouvement qu'on effectue mentalement dans l'organigramme des tâches d'un projet pour un calcul. La figure 2.2 illustre l'utilisation de l'approche ascendante pour évaluer la durée d'un projet de construction d'une remise. Le chef de projet estime individuellement la durée de chacune des tâches, puis « remonte » la structure pour déterminer la durée totale du projet.

L'approche ascendante est une méthode très détaillée qui procure généralement des résultats plus précis que l'approche descendante. La seconde approche sert plutôt à faire des estimations grossières afin de se donner une idée générale de l'envergure du projet. À l'étape de la définition du projet, c'est généralement l'approche descendante qui est favorisée. Ce choix repose sur trois facteurs. D'abord, puisque le projet en est toujours à une étape

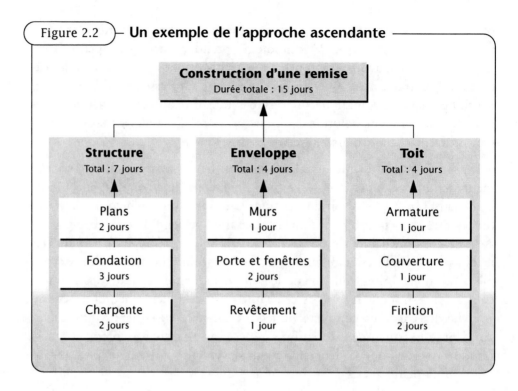

Figure 2.2 — **Un exemple de l'approche ascendante**

Construction d'une remise
Durée totale : 15 jours

Structure
Total : 7 jours

Plans
2 jours

Fondation
3 jours

Charpente
2 jours

Enveloppe
Total : 4 jours

Murs
1 jour

Porte et fenêtres
2 jours

Revêtement
1 jour

Toit
Total : 4 jours

Armature
1 jour

Couverture
1 jour

Finition
2 jours

embryonnaire, il est inutile de s'attarder à établir le plan du projet et la liste détaillée de toutes les tâches à accomplir. Ce travail ne ferait qu'alourdir le projet à une étape où l'on se demande toujours s'il est intéressant et valable pour le promoteur. Ensuite, adopter l'approche ascendante est beaucoup plus coûteux qu'adopter l'approche descendante. À cette étape du projet, il n'est pas encore justifié pour le promoteur d'engager de sommes importantes. Finalement, il n'est pas rare que le promoteur ne détienne pas l'expertise nécessaire pour utiliser l'approche ascendante, qui exige une analyse très détaillée.

En pratique, les projets d'envergure sont habituellement estimés à l'aide de l'approche descendante. Ces estimations sont souvent réalisées par des gestionnaires de haut niveau qui détiennent peu de connaissances sur les tâches nécessaires à réaliser pour un tel projet. Prenons comme exemple un maire qui annonce la construction d'un nouvel hôtel de ville et qui spécifie, en conférence de presse, que cet immeuble sera prêt dans deux ans et que son coût total sera de 18 millions. Le maire a certainement demandé à des conseillers de lui fournir des estimations, mais elles ne sont pas nécessairement fiables, car il n'est pas rare qu'elles soient faites par un promoteur immobilier durant un lunch d'affaires ! Ce sont souvent des estimations de ce genre, peu crédibles, qui constituent néanmoins le point de départ de la définition d'un projet.

Ainsi, il est préférable de choisir l'approche ascendante uniquement à des stades ultérieurs du cycle de vie du projet. Généralement, dans le cas d'un projet de grande envergure, on utilise l'approche ascendante à l'étape de l'analyse de faisabilité; dans le cas d'un projet de plus petite envergure, on utilise cette approche lors de la phase de planification. Comme ce chapitre porte sur la phase de la définition, ce sont les méthodes d'estimation qui utilisent l'approche descendante que nous allons présenter.

2.4.6   L'estimation par les méthodes descendantes

Dans les méthodes descendantes, on se fonde sur l'expérience de projets antérieurs et sur les connaissances d'experts afin d'estimer la durée et les coûts d'un nouveau projet. Les trois méthodes suivantes sont généralement admises par les chefs de projet.

a) La méthode des ratios

Avec la méthode des ratios, un chef de projet se sert d'un ratio connu pour estimer globalement le coût et la durée d'un projet. Par exemple, si on sait que la construction d'un immeuble à logements coûte en moyenne 250 $ le pied carré, on peut estimer le coût total d'une construction de 24 000 pieds carrés à 6 000 000 $ (250 × 24 000). L'expérience peut aussi servir à calculer le nombre de jours de construction: selon le nombre de pieds carrés de l'immeuble de l'exemple, on peut supposer qu'on prendrait environ 125 jours à le construire. Pour une usine, les coûts de construction sont généralement calculés en fonction de la capacité de production; pour ce qui est du coût de production d'un logiciel informatique, il est calculé selon le nombre de fonctions. C'est par la méthode des ratios que l'AMT a voulu justifier la hausse de coût de la construction du métro de Laval: elle a comparé le projet à d'autres projets semblables. Le tableau 2.2 présente une comparaison des coûts de construction ou de prolongement de lignes de métro dans différentes villes du monde[1].

Tableau 2.2	**La comparaison des coûts de construction ou de prolongement de lignes de métro dans différentes villes**
Laval	154,5 M$/km
Toronto	155,0 M$/km
Lyon	172,0 M$/km
Paris	145,0 M$/km
Sao Paolo	120,0 M$/km

1. Agence métropolitaine de transport, [En ligne], [www.amt.qc.ca] (24 novembre 2005).

b) La méthode proportionnelle

Avec la méthode proportionnelle, on estime le coût et la durée d'un projet en le comparant à un projet déjà réalisé. Ainsi, il suffit de calculer un rapport de proportions entre le projet déjà réalisé et le nouveau projet. Pour faire ce calcul, le chef de projet doit estimer l'envergure des deux projets et calculer ainsi les coûts et la durée du nouveau projet. Par exemple, la construction d'un immeuble commercial comportant huit locaux peut servir de référence à un projet de construction de même nature. Le coût total de la construction de référence a été de 1,5 M$ et sa durée, de 18 mois. Le nouveau projet porte sur la construction de 12 locaux très semblables à ceux du projet de référence. Pour estimer les coûts et la durée du nouveau projet, il suffit de faire une règle de trois : 1,5 M$ pour un projet de 8 locaux correspondent à 2,25 M$ pour un projet de 12 locaux. La même logique s'applique à la durée : puisque le projet de 8 locaux a duré 18 mois, celui de 12 locaux devrait durer 27 mois. Toutefois, une mise en garde s'impose : deux projets, même s'ils sont de même nature, ne sont pas nécessairement équivalents. On doit faire attention de choisir des projets dont les extrants sont semblables pour que les comparaisons faites soient valables.

c) L'estimation à trois points

La méthode d'estimation à trois points est généralement utilisée lorsque peu d'information sur des projets antérieurs est disponible. La méthode des ratios et la méthode proportionnelle utilisent toutes deux des données de projets antérieurs de même nature pour déduire les coûts et la durée d'un nouveau projet. Dans les cas où l'information sur des projets antérieurs n'est pas disponible ou si aucun projet antérieur n'est comparable au nouveau, le chef de projet n'a pas accès à des données précédentes pour effectuer des prévisions. La solution est alors de consulter des experts afin d'estimer les coûts et la durée. On demande à un groupe généralement composé de deux ou trois experts d'évaluer la durée en trois points : la durée selon une estimation optimiste, la durée selon une estimation réaliste et la durée selon une estimation pessimiste. En fonction de la durée, il est ensuite possible d'évaluer proportionnellement les coûts du projet. Le chef de projet doit faire la moyenne des estimations réalistes pour calculer la durée attendue du projet ; la durée la plus courte parmi celles soumises par les experts lui sert d'estimation de durée optimiste et la durée maximale lui sert d'estimation pessimiste. La figure 2.3 présente un exemple de feuille de compilation des estimations d'experts selon la méthode à trois points.

2.4.7 Les critères de performance

Lors de la définition du projet, il est essentiel pour le promoteur d'établir ses attentes en ce qui concerne le fonctionnement de l'extrant du projet. Le

| Figure 2.3 | **Un exemple de feuille de compilation des estimations d'experts selon la méthode à trois points** |

Nom du projet : Commerce électronique
Date de l'estimation : 15 janvier

Description de la tâche	Évaluateur 1			Évaluateur 2			Évaluateur 3			Compilation min. moy. max.		
	☺	😐	☹	☺	😐	☹	☺	😐	☹	☺	😐	☹
1 Choix de la stratégie marketing	26	30	36	25	31	43	21	30	36	21	30	43
2 Environnement réseau	4	5	6	3	4	6	4	5	6	3	5	6
3 Infrastructure informatique	4	5	6	3	4	6	4	5	6	3	5	6
4 Intergiciel	4	5	6	3	4	6	3	4	5	3	4	6
5 Applications de gestion	4	5	6	3	4	6	3	4	5	3	4	6
6 Stratégie de sécurité	13	15	18	13	16	22	11	16	19	11	16	22
7 Stratégie de crise	9	10	12	9	11	15	7	10	12	7	10	15
8 Paiement électronique	15	18	22	16	20	28	14	20	24	14	19	28
9 Commande réception du matériel	13	15	18	8	10	14	11	15	18	8	13	18
10 Implantation serveur Web	9	10	12	6	8	11	7	10	12	6	9	12
11 Implantation serveur SGBD	9	10	12	6	8	11	8	12	14	6	10	14
12 Conception BD	34	40	48	36	45	63	27	38	46	27	41	63
13 Conception site Web	13	15	18	10	12	17	10	14	17	10	14	18

	Total	122	180	257
	Estimation	180 jours		
	Intervalle maximum	43 %		
	Intervalle minimum	−32 %		

mandataire peut mieux saisir son mandat si le promoteur établit des indicateurs de qualité mesurables, par exemple :

- le nombre acceptable de défauts ;
- le taux d'échec ;
- la disponibilité ;
- la fiabilité ;
- la réussite de certains tests ; etc.

Pour une machine de production, on peut utiliser le nombre de rebuts ou de défauts comme indicateur de performance de l'équipement. Dans le domaine informatique, on évalue souvent la qualité d'un équipement en fonction de sa disponibilité. Par exemple, on s'attend d'un serveur qu'il soit fonctionnel 99,5 % du temps. Une analyse portant sur une semaine (168 heures) ne devrait pas déceler plus de 50 minutes de temps d'arrêt du serveur. Si l'analyse montrait que le temps d'arrêt est plus long, la performance du serveur n'atteindrait pas le critère souhaité.

On utilise les expressions « mesure Web », « mesure de performance Web » ou « mesure de performance » pour désigner un indicateur qui permet de mesurer, dans le but de l'améliorer, la performance d'un système informatique sur les plans technique, ergonomique et commercial. Dans le cas d'un site Web, les mesures Web sont, par exemple, le nombre de pages vues, le nombre de visiteurs uniques et la vitesse d'affichage des pages du site. On évalue la performance d'un site Web en répondant à des questions comme les suivantes : combien de visiteurs le site attire, pourquoi il réussit à les attirer et quels sont ceux qui interagissent avec le site[2]. Dans la pratique, l'anglicisme « métrique » est parfois utilisé pour désigner les mesures de performance.

Établir des critères de qualité ou des mesures de performance est essentiel lorsqu'on en est à l'étape de définition du projet. Cet exercice permet de clarifier le mandat, mais aussi de procéder, plus tard, à une évaluation *a posteriori* du projet. Cette évaluation, dont il est question au chapitre 6, sert principalement à vérifier si la réalisation de l'extrant du projet par le mandataire a été efficace ; de plus, elle facilite l'acceptation de l'extrant par le promoteur. Des critères de performance mal définis entraînent inévitablement de la confusion à l'étape de clôture du projet, et même parfois en cours de réalisation.

Dans des projets de petite envergure, il est parfois difficile d'établir clairement la différence entre les critères de performance et les objectifs mesurables du projet. Afin de faciliter cette distinction, il faut garder en tête que les objectifs concernent l'ensemble du projet, alors que les critères de performance sont des cibles à atteindre pour une partie du projet seulement. Les critères de performance permettent de qualifier chacun des livrables du projet et les mesures de performance qui en découlent concernent uniquement la performance de chacun de ces livrables intermédiaires.

2.4.8   Les risques

Tout projet comporte des risques. Comme nous l'avons indiqué plus tôt, les projets technologiques sont généralement plus risqués que les projets de type « brique et mortier ». La diversité des projets technologiques et l'évolution rapide dans ce domaine expliquent cette différence. Néanmoins, à l'étape de la définition du projet, le promoteur doit déterminer un nombre limité de risques pour lesquels il considère qu'il a des raisons de s'inquiéter.

---

2. *Grand dictionnaire terminologique* de l'Office québécois de la langue française, article « mesure Web », [En ligne], [www.granddictionnaire.com] (24 novembre 2005).

Ces risques peuvent être de nature financière, comme le risque que les revenus soient moins élevés que prévu ou que les dépenses soient plus élevées. Ils sont parfois relatifs à la durée, par exemple le risque que des délais supplémentaires surviennent. Ils peuvent aussi être relatifs à la qualité de l'extrant, comme le risque que le niveau de qualité recherché ne soit pas atteint ou que les critères de performance ne soient pas respectés. Les risques liés au niveau de qualité sont parfois difficiles à définir, comme dans le cas des risques inhérents au contexte environnemental du projet : la disponibilité de certaines ressources, l'approbation d'instances politiques, etc. Peu importe la nature du projet, le promoteur doit déterminer deux ou trois risques importants pour le projet à l'étape de sa définition.

Moins le projet est avancé, plus le nombre de risques est élevé. La figure 2.4 souligne le haut niveau de risque associé à un projet lors de sa phase de définition, particulièrement au moment de l'identification des risques. Nous avons montré au premier chapitre que les risques décroissent au fur et à mesure que les intervenants maîtrisent le projet. Lors de la définition du projet, beaucoup d'éléments ne sont pas encore précisément définis. D'ailleurs, l'éventail de risques est plus grand lorsque le projet est de nature technologique. Déterminer les risques ne signifie pas dresser un inventaire de tous les risques qui pourraient affecter le projet. À l'étape de la définition, il faut que le chef de projet se concentre sur les risques les plus importants : ceux

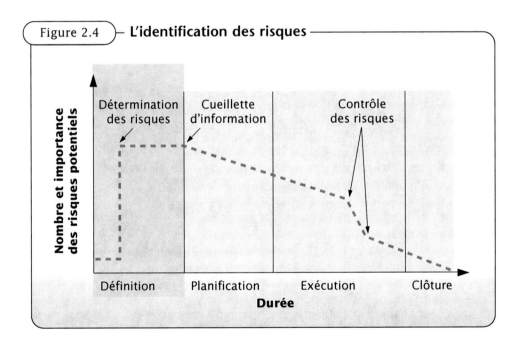

Figure 2.4 — **L'identification des risques**

qui peuvent compromettre le projet dans son ensemble et dont la probabilité de réalisation est assez importante pour qu'on doive en tenir compte. Il est inutile d'identifier des risques non contrôlables (comme la température) et d'en tenir compte, à moins qu'ils ne fassent réellement partie de la planification d'un projet. Par exemple, pour un projet de construction d'une maison, il est sage de se laisser une marge de manœuvre relative aux intempéries qui pourraient ralentir le rythme de construction. Toutefois, il serait superflu de considérer une marge de sécurité en cas de tremblement de terre! La probabilité de réalisation de ce risque est trop faible pour qu'il soit important d'en tenir compte.

2.5   Résumé du chapitre

Dans ce chapitre, vous avez découvert qu'un projet commence d'abord par la détermination d'un besoin par le promoteur. Des propositions de projet sont formulées comme réponse à ce besoin. Lorsque plusieurs projets sont soumis, la phase de définition permet de déterminer le projet qui répond le mieux au besoin désigné. La phase de définition est la première du cycle de vie du projet et se divise en cinq étapes:

1. **Définir les objectifs à atteindre.** Le but du projet est de répondre au besoin établi par le promoteur, tandis que les objectifs constituent les étapes qui permettent d'atteindre ce but.

2. **Établir le budget à respecter.** Le budget disponible pour le projet constitue une contrainte importante puisqu'il détermine son envergure.

3. **Établir les délais de réalisation du projet.** Le promoteur établit la date à laquelle l'extrant doit être livré. La planification du projet doit respecter cette contrainte. L'estimation des coûts et de la durée est un exercice difficile. Pour y parvenir, deux approches existent: l'approche ascendante et l'approche descendante. Cette seconde approche est surtout utilisée dans la phase de définition du projet. Trois méthodes d'estimation par l'approche descendante ont été présentées: la méthode des ratios, la méthode proportionnelle et l'estimation en trois points.

4. **Définir les critères de performance de l'extrant et ses conditions de réalisation.** Il est important que le promoteur définisse ses attentes vis-à-vis de l'extrant du projet, ce qui permet ensuite au mandataire de remplir sa tâche plus facilement.

5. **Établir les risques du projet.** Le promoteur doit identifier un nombre limité de risques. Ils peuvent être financiers ou concerner la durée ou la qualité de l'extrant.

2.6 L'étude de cas : la définition d'un projet chez ABY inc. (*suite*)

À la suite de votre rencontre avec Daniel Désilets, il vous faut maintenant rédiger la définition du projet qui vous a été confié. Vous avez noté les différentes étapes à suivre et vous sentez que le défi vous intéresse. Il vous faut réunir quelques renseignements sur la SCHL afin de monter un document qui présente de façon étoffée la définition du projet. La figure 2.5 présente la liste des éléments que vous avez décidé d'inclure dans le document.

Prenez quelques minutes pour rédiger un document d'au maximum trois pages. Assurez-vous qu'il comporte toute l'information spécifiée dans la liste. Pour vous aider, visitez le site Web de la SCHL. Vous y trouverez une foule de renseignements sur la mission de l'organisme et son fonctionnement. Pour l'information relative à l'implantation d'un système informatique, renseignez-vous auprès de compagnies spécialisées dans ce domaine. On trouve de très nombreux sites de telles compagnies dans Internet.

Figure 2.5 — **Les éléments à inclure dans la définition du projet**

1. **Besoin et projet**
   - Fournir une description succincte du besoin constaté par le promoteur
   - Décrire brièvement le projet

2. **Envergure du projet**
   - Désigner les intervenants impliqués : promoteur, bénéficiaires, mandataire potentiel
   - Déterminer l'envergure du projet

3. **Paramètres fondamentaux**
   - Décrire le but du projet (ce que le promoteur veut atteindre)
   - Déterminer les objectifs du projet
   - Déterminer l'extrant du projet et les livrables intermédiaires
   - Déterminer les activités à réaliser
   - Déterminer les intrants du projet (les ressources humaines et matérielles)

4. **Contraintes de réalisation**
   - Déterminer les contraintes de coûts – établir le budget
   - Déterminer les contraintes de temps – établir la date de livraison de l'extrant
   - Déterminer les contraintes de qualité – établir la liste des critères de performance à atteindre

5. **Risques**
   - Identifier les principaux risques liés à l'exécution du projet

2.7 Questions de révision

1 Qui est responsable de la définition du projet?

2 Quelle technique faut-il privilégier pour choisir le projet qui répond le mieux à un besoin?

3 Pourquoi les objectifs d'un projet doivent-ils être mesurables?

4 Parmi les intervenants du projet, à qui revient la tâche de déterminer le budget alloué?

5 À l'étape de définition du projet, on préfère employer l'approche descendante pour estimer le coût et la durée du projet. Pourquoi préfère-t-on cette approche à l'approche ascendante?

6 Donnez un exemple pour expliquer le fonctionnement de la méthode des ratios, de la méthode proportionnelle et de la méthode à trois points pour l'estimation du coût et de la durée d'un projet.

7 En 2002, le gouvernement du Québec a annoncé une loi forçant des fusions municipales. Nommez trois des risques importants associés à la mise en application de cette loi.

Chapitre 3

L'analyse de faisabilité

• • • • • • • • • • • • • • •

3.1 L'étude de cas : l'analyse de faisabilité chez ABY inc.

3.2 Les éléments de la faisabilité

3.3 La gestion des risques

3.4 La conclusion de l'analyse de faisabilité

3.5 Résumé du chapitre

3.6 L'étude de cas : l'analyse de faisabilité chez ABY inc. (*suite*)

3.7 Questions de révision

Annexe

3.1 L'étude de cas : l'analyse de faisabilité chez ABY inc.

Après avoir rédigé la définition du projet ÉMILI, vous rencontrez votre homologue de la Société canadienne d'hypothèques et de logement (SCHL), qui est agréablement surpris de la qualité de votre travail : « Je ne pensais pas que vous étiez aussi avancé dans le dossier ! Vous avez vraiment bien compris ce que nous recherchons », a indiqué Marie Vaillancourt, d'un air amusé. « Quelle est la prochaine étape ? » ajoute-t-elle. Vous savez que le projet ne peut démarrer sans qu'une analyse de faisabilité soit faite auparavant. Mais comme Marie Vaillancourt, vous vous posez des questions sur l'importance de cette analyse étant donné qu'il est certain que la SCHL tient à ce que le projet se réalise de toute façon.

Voyant une ombre dans vos yeux, votre nouveau mentor, Daniel Désilets, prend la parole pour rassurer tout le monde et expliquer l'importance de cet exercice : « L'analyse de faisabilité a pour objectif de déterminer si le projet est réalisable tel qu'il est défini. La faisabilité se mesure par plusieurs éléments : le marché, la rentabilité et les possibilités de financement, les risques techniques et organisationnels. L'analyse de faisabilité est une étape essentielle dans tout projet. Sa durée varie selon l'envergure du projet et le montant investi par le promoteur. Une organisation qui décide d'investir temps et argent dans la réalisation d'un projet désire s'assurer que ce projet est réalisable et qu'elle peut connaître les risques à l'avance, voire les contrôler, avant d'engager des sommes importantes. » Marie Vaillancourt hoche la tête alors que Désilets marque une pause, comme pour insister sur sa dernière phrase. « L'analyse de faisabilité doit répondre aux attentes du promoteur en lui fournissant un haut niveau de confiance quant à la probabilité que le projet soit réalisé dans le respect des contraintes de coût, de temps et de qualité. Il n'est pas rare que l'on doive modifier l'une ou l'autre de ces contraintes à la suite de l'analyse de faisabilité. »

En quittant les bureaux de la SCHL, Désilets vous regarde avec un sourire en coin : « Alors, qu'en pensez-vous ? » Franchement, vous ne savez pas vraiment quoi répondre à cette question... Après tout, Daniel a réussi à vous convaincre de l'importance de l'analyse de faisabilité, mais vous ne savez toujours pas comment réaliser cet exercice. Devant votre silence interrogateur, Daniel reprend la parole : « Allez, venez au bureau et nous allons voir ce qui nous attend comme travail. Je vous montre ce que comporte l'analyse de faisabilité et vous, vous me dévoilez le secret de votre jeunesse ! »

3.2 Les éléments de la faisabilité

Une analyse de faisabilité se découpe en plusieurs éléments tous aussi importants les uns que les autres. À plusieurs reprises au cours de l'analyse de faisabilité, le promoteur doit se poser la question suivante : doit-on poursuivre le projet ou l'abandonner? L'analyse de faisabilité permet de remettre en question et de vérifier chacun des éléments du projet. Cette analyse doit être perçue comme le test ultime avant de s'engager définitivement dans la réalisation du projet. Elle doit être abordée avec une grande ouverture d'esprit. Il ne faut pas perdre de vue que le promoteur veut que le projet se réalise. Instinctivement, il s'attend à ce que le projet soit réalisable et rentable. L'analyse de faisabilité permet de vérifier si cette vision optimiste du projet est valable ou non.

Les étapes de l'analyse de faisabilité se déroulent chronologiquement, comme le représente la figure 3.1. On peut y remarquer que l'objectif ultime est de déterminer si le projet, tel que conçu lors de la phase de définition, est réalisable et si celle-ci permet de passer à la phase de planification.

Lors de l'analyse de faisabilité, on cherche à déterminer les conditions de réalisation du projet et à évaluer dans quelle mesure il est viable pour l'organisation. Il a été expliqué dans le chapitre 2 – *La définition du projet* –, qu'un projet doit répondre à un besoin constaté par le promoteur. Même si le

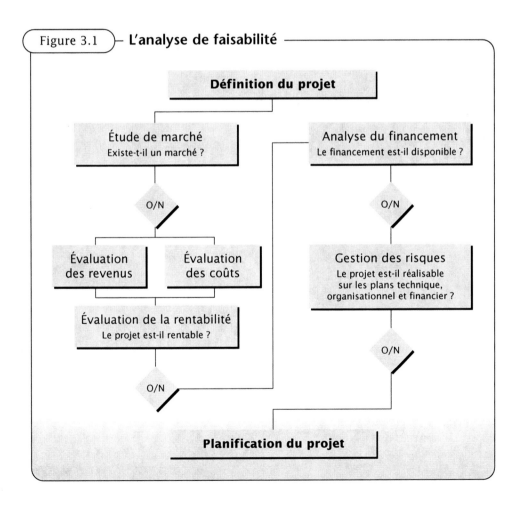

Figure 3.1 — **L'analyse de faisabilité**

promoteur a effectivement constaté un besoin, on doit se poser la question suivante : ce besoin est-il réel ou la perception du promoteur serait-elle non fondée ? En d'autres mots, le promoteur doit procéder à une étude de marché.

3.2.1 L'étude de marché

L'étude de marché permet de déterminer s'il existe réellement une clientèle suffisamment importante pour que le projet soit viable. Par exemple, pour le fabricant japonais d'automobiles Nissan, la construction d'une nouvelle usine de production en Amérique du Nord doit s'appuyer sur des prévisions de ventes à la hausse pour ce segment de marché. Avant d'entreprendre la construction d'une telle usine, Nissan doit déterminer si le marché nord-américain peut supporter une augmentation de l'offre et si son réseau de distribution (les concessionnaires) peut fournir l'effort de vente nécessaire.

On n'a pas toujours à effectuer l'étape de l'étude de marché, car elle ne s'applique pas à tous les types de projets. Les idées de projet proviennent généralement de l'une des trois sources présentées au tableau 3.1.

Il existe certains projets à caractère économique sur lesquels on ne peut réellement faire d'étude de marché. C'est souvent le cas des projets informatiques destinés à un usage interne pour une organisation. Un grand cégep de la région de Québec a récemment décidé d'implanter le système Omnivox afin de permettre à ses élèves de procéder à leur choix de cours par Internet et de payer leurs droits de scolarité directement en ligne. Avant de procéder à l'achat et à l'implantation du système, le cégep a effectué une analyse de faisabilité afin de déterminer les avantages et les risques associés à l'utilisa-

Tableau 3.1   **Les sources de projets**

Sources	Exemples
Marché	• Projet visant à saisir une opportunité d'affaires ; • Projet de création d'un nouveau produit ; • Projet visant à maintenir ou à augmenter les parts de marché d'un produit existant.
Mandat gouvernemental	Domaines de compétences fédérales ou provinciales.
Stratégie de réduction de coûts	Projets à caractère économique visant à réduire les coûts de production et d'entretien.

tion d'Omnivox. Cette analyse de faisabilité ne comportait pas d'étude de marché. Lorsqu'un cégep décide d'implanter un nouveau système de traitement des inscriptions, il est inutile de se demander si le nouveau système permettra à l'établissement d'attirer une plus grande clientèle. Pour l'élève, le choix d'un cégep pour poursuivre ses études dépend généralement des programmes offerts par l'établissement, de sa situation géographique et de sa réputation, rarement de la performance de son système de choix de cours! On comprend rapidement que l'étude de marché n'a pas sa place dans un tel projet. Pourtant, ce projet d'implantation d'Omnivox est à caractère économique, puisqu'il présente des avantages financiers indéniables. Il est question de ces avantages à la section 3.2.2 – *L'évaluation des revenus*.

Dans le cas des projets pour lesquels un marché existe, le promoteur doit réaliser une étude de marché. Cette étude peut être réalisée par le promoteur ou par une organisation externe, généralement une firme de marketing spécialisée dans ce domaine. Pour notre part, nous considérons qu'il est nettement préférable de choisir la seconde option, celle de l'organisation externe. Dans les cas où le promoteur du projet possède son propre service de marketing, une étude effectuée par une firme externe est en général plus fiable. L'étude de marché est une étape cruciale dans le processus d'acceptation d'un projet. Si l'étude de marché n'est pas concluante, le projet doit être abandonné dès cette étape. C'est une erreur que de confier une étude de marché à des individus qui sont impliqués dans le projet sur le plan émotif ou qui y ont des intérêts.

Une grande entreprise agroalimentaire du Québec l'a appris à ses dépens. Elle a fait cette erreur lorsqu'elle a décidé de lancer un fromage à tartiner pour les déjeuners et de réaliser l'enquête elle-même. Elle a confié des échantillons du produit à ses employés afin qu'ils l'essaient en famille. Les résultats ont démontré que tous les employés ont adoré le nouveau produit. Pourtant, lors de la mise en marché, le produit a subi un échec. On s'est aperçu que les employés avaient délibérément menti afin de garantir leur emploi relié à la production du nouveau fromage, sans se rendre compte qu'en agissant ainsi, ils mettaient en péril la santé financière de la compagnie, qui a été durement éprouvée par cet échec.

Même si les employés sont pour la plupart bien intentionnés, les études de marché réalisées à l'interne (ou par une organisation impliquée de près ou de loin dans le projet) sont souvent inexactes à cause d'un biais, favorable ou défavorable selon la position des personnes impliquées. Une telle affirmation n'est pas un jugement sur la qualité des services de marketing des organisations. Sous la pression des échéances du projet et les commentaires des patrons de l'entreprise, n'importe quel employé, aussi efficace et professionnel soit-il, subit des pressions indues et susceptibles d'apporter un biais à l'étude. Pour toutes ces raisons, il nous paraît préférable de mandater une firme externe pour réaliser l'étude de marché.

Le choix de cette firme externe est aussi d'une grande importance. Le promoteur doit s'assurer qu'elle n'est pas un mandataire potentiel pour le projet ou qu'elle n'a pas de liens directs ni d'intérêts dans une organisation qui pourrait être intéressée par le mandat.

Les conclusions de l'étude de marché devraient être suivies rigoureusement par le promoteur. S'il doute de leur véracité, le promoteur devrait demander à une nouvelle firme de réaliser une seconde étude afin de valider les résultats de la première. Une fois l'étude de marché complétée, une décision doit être prise : doit-on poursuivre le projet ou l'abandonner ?

Par l'analyse de marché, on cherche à établir le potentiel du marché à l'aide d'instruments de mesure tels que le sondage, les tests de marché et l'analyse statistique des tendances. On tente de déterminer les conditions de l'offre et les possibilités de commercialisation d'un produit ou d'un service dans un marché déterminé. Ce livre n'a pas la prétention d'enseigner les fondements nécessaires à la réalisation d'une étude de marché. Il existe d'excellents ouvrages qui se spécialisent dans ce secteur du marketing ou qui y consacrent d'importants chapitres. Nous recommandons au lecteur friand de marketing de se documenter à ce sujet ou de suivre un cours qui se spécialise dans cet aspect du marketing.

L'étude de marché fournit généralement des renseignements importants sur les prévisions de ventes et l'augmentation du chiffre d'affaires d'une organisation. Ces renseignements sont essentiels pour déterminer la rentabilité du projet. Toutefois, considérer uniquement l'augmentation des revenus dans l'analyse financière d'un projet est une erreur monumentale qui peut conduire un projet à un échec lamentable. L'analyse financière d'un projet passe par trois étapes essentielles : l'évaluation des revenus, l'évaluation des coûts et l'évaluation de la rentabilité.

3.2.2 L'évaluation des revenus

L'évaluation des revenus est l'étape lors de laquelle on considère toutes les formes nouvelles de revenus générées par le projet. On entend ici qu'il est essentiel de distinguer les nouvelles entrées de fonds des entrées déjà existantes. Inclure des entrées de fonds déjà assurées dans le calcul de la rentabilité d'un projet est une erreur grossière et peut conduire à une surévaluation du rendement du projet. Les avantages financiers à considérer sont les suivants :

- l'augmentation des revenus ;
- la diminution des dépenses ;
- l'augmentation de la productivité ;
- les autres revenus intangibles.

L'augmentation des revenus peut provenir d'une hausse des ventes. Par exemple, pour les Brasseurs du Nord, qui produisent la bière Boréale, l'ajout d'une nouvelle bière à la gamme déjà offerte devrait assurer une augmentation des revenus. En lançant la Boréale blanche, la brasserie s'attend à réaliser des ventes supplémentaires de 600 000 $ dès la première année.

Dans la pratique

La Boréale blanche dans un environnement écologique

Fondée en 1987, la microbrasserie Les Brasseurs du Nord a décidé récemment d'inclure une nouvelle bière dans sa gamme de produits, la Boréale blanche. Jusqu'alors, l'entreprise de Blainville n'avait pas touché au marché de la bière blanche, un marché très ciblé pour lequel l'offre de produits est déjà généreuse au Québec.

Laura Urtnowski, l'une des quatre propriétaires de la brasserie, sait que le marché de la bière blanche est en expansion au Québec : « Nos clients sont exigeants et nos compétiteurs sont nombreux. Quand une microbrasserie doit rivaliser avec de grandes brasseries établies comme Molson et Labatt, c'est très difficile. On se distingue par notre gamme de produits et sa qualité. » Les débits d'alcool qui offrent des bières spécialisées ont demandé à Urtnowski d'étendre sa gamme de produits : la Boréale n'a existé jusqu'alors que dans ses versions blonde, dorée, rousse, cuivrée et noire. La demande croissante pour une bière blanche a obligé les débits d'alcool clients des Brasseurs du Nord à se tourner vers d'autres produits pour répondre aux demandes de leurs consommateurs.

Femme d'affaires aguerrie, Urtnowski a décidé de saisir l'occasion et de lancer la production de la nouvelle Boréale blanche. Mais un défi de taille se dressait : durant la période où la production est à son maximum, aux mois de mai et juin, les Brasseurs du Nord atteignaient déjà la capacité maximale de production de leurs installations. La production de bière comporte trois goulots d'étranglement : le brassage, la fermentation et l'emballage. C'est l'étape de la fermentation qui posait le plus grand défi aux Brasseurs du Nord. L'entreprise de Blainville utilisait déjà à pleine capacité ses quatre cuves de fermentation, dans lesquelles la bière doit reposer durant deux à trois semaines avant d'être mise en bouteille ou en fût. On a retenu la solution d'agrandir l'espace de production pour y installer de nouvelles cuves.

Selon Urtnowski, tout commence par la production : « On veut vendre plus de bière, mais on ne peut pas la produire ! On doit commencer par se donner les moyens d'augmenter la production, puis on passera à la promotion du produit. La Boréale blanche a été lancée en 2003, mais nous nous sommes vite rendu compte que si nous poussions la promotion du produit, nous ne pourrions pas livrer. En augmentant notre capacité, nous nous donnons des possibilités de croissance à long terme. » Quand on demande à Laura Urtnowski quel est le

(suite ▶*)*

marché potentiel de la Boréale blanche, sa réponse démontre qu'elle est une gestionnaire qui a du flair : « On n'a pas fait d'étude de marché, on y va au *feeling*, mes associés et moi. On sait qu'il existe une demande pour le produit, alors on se lance. Autrement, nous allons perdre des clients qui vont aller vers une brasserie qui offre le produit. »

Le bâtiment a été livré au mois de mars 2006 et les cuves ont été installées en avril, juste à temps pour la période de production intense de l'été. Mais les Brasseurs du Nord ne se sont pas arrêtés là. Le bâtiment devait être écologique ! Par exemple, le bâtiment a été construit dans un sous-bois. Urtnowski s'est assurée avec l'entrepreneur en construction qu'un maximum d'arbres seraient préservés. Aussi, un mur solaire a été construit afin de réduire le recours aux autres formes d'énergie, particulièrement pour le chauffage et la climatisation. La réfrigération des cuves de fermentation, généralement effectuée à l'aide de fréon – un gaz nocif –, est plutôt produite par un procédé à l'eau. Finalement, le système de ventilation doit satisfaire à des critères de qualité importants puisque la fermentation produit de grandes quantités de gaz carbonique. La construction doit permettre de garantir la qualité de l'air pour le bien-être des employés de production.

Le projet se divisait en trois étapes : la construction du bâtiment, l'installation des équipements et le déménagement de la production. Globalement, on avait alloué au projet un budget de 4 M$, sans compter l'augmentation des coûts récurrents (entretien, énergie, coûts de production).

Prenez quelques instants pour déterminer les trois contraintes de ce projet des Brasseurs du Nord. Selon vous, la réalisation de ce projet était-elle souhaitable ? Expliquez pourquoi.

Dans des projets à caractère économique, il est parfois impossible d'associer l'extrant à une augmentation des revenus. Plusieurs projets informatiques possèdent cette caractéristique. À la section 3.2.1, il a été question de l'implantation du système Omnivox pour permettre aux élèves d'un grand cégep de la région de Québec de procéder à leur choix de cours par Internet et au paiement de leurs droits de scolarité en ligne. Il s'agit d'un exemple où l'organisme ne constate aucune augmentation des revenus, mais plutôt une diminution des dépenses relatives au traitement des choix de cours. L'utilisation du système permet en effet de réduire de façon importante plusieurs coûts pour le cégep. On n'a qu'à penser à l'impression des formulaires de choix de cours, au traitement manuel de ces choix, à la saisie dans le système informatique de production des horaires et au temps consacré par le personnel du cégep à ces activités. Il s'agit d'un coût que l'on peut et doit évaluer comme faisant partie des « revenus » d'un projet. En effet, une somme qu'il n'est plus nécessaire d'engager grâce à la réalisation d'un projet devient disponible pour d'autres activités de l'organisation. Sur le plan financier, il s'agit d'une forme de revenu.

L'augmentation de la productivité est aussi une forme de revenus pour l'entreprise. À l'usine de transformation de bois de Smurfit-Stone, à La Tuque, on doit changer fréquemment la lame d'une scieuse afin que la coupe soit de qualité. L'entreprise a décidé d'acheter un nouveau type de lame qui permet une qualité de coupe équivalente et dont le métal est plus résistant. Cette nouvelle lame est remplacée quotidiennement, comparativement à trois fois par jour pour l'ancienne. Puisque le changement de la lame prend en moyenne 15 minutes, la capacité de production de l'entreprise est augmentée grâce à la nouvelle lame. En effet, le changement de l'ancienne lame immobilisait la scieuse durant 16 425 minutes par année (3 fois par jour × 365 jours × 15 minutes), alors que le temps d'arrêt total qu'exige la nouvelle lame n'est que de 5 475 minutes (365 jours × 15 minutes). La scieuse peut donc être utilisée 10 950 minutes supplémentaires pour la coupe de bois. Ce gain de productivité représente un revenu pour Smurfit-Stone.

En plus de fournir les revenus présentés précédemment, un projet amène souvent son lot de bénéfices intangibles ou difficilement évaluables. Reprenons les trois exemples de projets précédents pour déterminer les bénéfices intangibles qui y sont associés.

Pour le projet de la Boréale blanche, le lancement d'une nouvelle bière permet d'attirer l'attention des consommateurs et de rehausser l'image de la marque (la Boréale) et pourrait permettre d'augmenter le chiffre de ventes des autres produits Boréale. Comme la valeur financière de cette hausse est impossible à prévoir, on la traite comme un bénéfice essentiellement intangible.

Dans le cas du projet Omnivox, il est certain que l'implantation du système peut faire augmenter le niveau de satisfaction des élèves. Le choix de cours étant plus facile à faire, les élèves perdent moins de temps pour se procurer le formulaire, accéder à la liste des cours offerts, remplir le formulaire et le retourner aux instances concernées. De plus, le risque d'erreurs dans le traitement des demandes est diminué.

Dans le cas de Smurfit-Stone, un sondage réalisé auprès des mécaniciens de la scierie indique que le remplacement d'une lame constitue une tâche routinière et fort peu intéressante pour la majorité d'entre eux. Ces résultats laissent croire que la réduction de la fréquence des remplacements de lame permet aux mécaniciens d'augmenter la satisfaction qu'ils éprouvent pour leur emploi.

De par leur nature, les bénéfices intangibles ne peuvent être évalués au même titre que les revenus d'un projet. Toutefois, il est important de déterminer ces bénéfices. Bien sûr, ils ne doivent pas être placés au premier plan dans les critères décisionnels, mais ils doivent néanmoins être considérés dans une prise de décision financière éclairée.

Lorsqu'il travaille à établir les revenus d'un projet, le gestionnaire se rend compte rapidement que la majorité des revenus se répartissent dans le temps, sur toute la durée de vie de l'extrant du projet. Il est donc essentiel de se donner une période précise d'évaluation des revenus. Dans la majorité des cas, on tente d'abord d'évaluer les revenus du projet pour une période d'un an, par exemple :

- l'augmentation annuelle des ventes ;
- les réductions de salaires annuelles ;
- l'augmentation de la capacité de production annuelle.

Afin de mieux évaluer les revenus réels d'un projet, il est essentiel de répartir les entrées de fonds dans le temps. Lorsque la compagnie Toyota a décidé de commercialiser la Prius, véhicule hybride qui fonctionne à l'essence et à l'électricité, elle savait que les ventes initiales seraient plutôt faibles. Puisque le nouveau véhicule de Toyota fonctionne selon une technologie « verte », il s'adresse principalement aux clients sensibilisés aux problèmes environnementaux causés par les automobiles. Le coût de ce véhicule est supérieur à celui d'un véhicule fonctionnant à l'essence exclusivement, ce qui signifie que le choix écologique du consommateur est coûteux. Ainsi, dans ses prévisions de ventes, Toyota a dû tenir compte du fait que la période d'adoption du nouveau véhicule par les consommateurs serait plus longue. La figure 3.2 présente les ventes de Toyota Prius au Canada depuis 2002. On

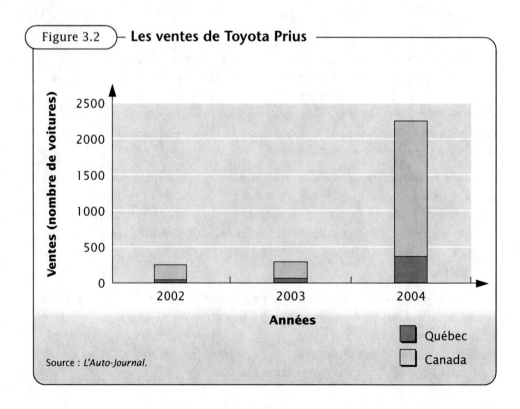

Figure 3.2 — **Les ventes de Toyota Prius**

Source : *L'Auto-Journal.*

constate que les ventes ont débuté lentement, mais qu'elles sont actuellement à la hausse : ce phénomène doit être pris en compte dans l'évaluation des revenus du projet.

Le chef de projet doit aussi tenir compte de la fluctuation des revenus du projet. Pour parvenir à une évaluation juste, on peut utiliser la technique suivante : on prévoit d'abord le revenu maximal que devrait apporter l'extrant du projet, et on évalue ensuite le pourcentage de ce revenu que l'on croit atteindre annuellement.

Reprenons l'exemple de la Prius. Si Toyota prévoit que le maximum de ventes annuelles de Prius au Québec atteindra le nombre de 600 véhicules d'ici la fin de la production de cette série, prévue pour 2012, il est réaliste d'estimer que les ventes des prochaines années pourraient progresser de la façon indiquée dans le tableau 3.2.

Après plusieurs années de production, les ventes devraient commencer à décliner et, au terme de la production, la Prius devrait être remplacée par un nouveau modèle plus en vogue.

Dans son évaluation des revenus, le chef de projet doit faire appel à des experts du domaine pour l'aider à évaluer de façon réaliste les ventes potentielles. C'est alors que l'étude de marché réalisée précédemment révèle toute son importance. Le marché potentiel décrit dans l'étude de marché produite par une firme externe indépendante vient soutenir le travail d'évaluation des revenus fait par le chef de projet. Celui-ci peut ainsi déterminer de façon plus juste les revenus potentiels du projet et leur répartition dans le temps.

Tableau 3.2 **La progression des ventes de Toyota Prius**

Année	% atteint	Nombre de véhicules
2006	60	360
2007	75	450
2008	90	540
2009	100	600
2010	100	600
2011	90	540
2012	80	480

3.2.3   L'évaluation des coûts

Le but de tout projet est d'apporter des avantages, financiers ou autres, au promoteur. Pour atteindre ce but, le promoteur doit engager des dépenses. C'est entre autres le calcul des dépenses engagées qui permet de déterminer la rentabilité financière du projet.

Comme dans le cas de l'évaluation des revenus, on doit évaluer les coûts en tenant compte exclusivement des nouveaux coûts occasionnés par la réalisation du projet. Ces coûts peuvent être de différents types :

- achat de matériel ;
- location d'équipement spécialisé ;
- achat de licences ou obtention de permis ;
- salaire des employés ;
- honoraires de consultants, de spécialistes ou de firmes externes ;
- frais de gestion du projet.

Tous ces coûts doivent être pris en considération dans le calcul de la rentabilité d'un projet. Les trois exemples dont il a été question précédemment permettent d'illustrer les coûts d'un projet.

Pour les Brasseurs du Nord, quatre éléments doivent être pris en compte dans le coût du lancement d'une nouvelle bière : les frais de recherche et développement (R et D), les coûts de production, l'augmentation de frais de distribution et les coûts liés à la promotion. Les frais de R et D proviennent essentiellement des salaires des chercheurs et spécialistes de la production qui doivent parvenir à inventer une recette de bière digne de la marque. Aux salaires s'ajoute le coût des produits utilisés et de l'équipement de production. Pour vendre plus de bière, les Brasseurs du Nord doivent augmenter la production. Cette augmentation entraîne évidemment des coûts supplémentaires. Une production accrue occasionne à son tour de nouvelles ententes avec les distributeurs, davantage de camions sur la route et, par conséquent, des frais de distribution plus élevés. Enfin, le lancement d'une nouvelle bière oblige les Brasseurs du Nord à mettre en branle une campagne publicitaire. Cette campagne peut être réalisée par le service de marketing de la compagnie ou donnée à contrat à une firme spécialisée dans la promotion.

Pour ce qui est du système Omnivox, c'est un logiciel qui doit être acheté. Le coût d'achat du logiciel doit être pris en compte, et éventuellement celui du renouvellement des licences. Au coût d'acquisition s'ajoutent le coût d'installation et le coût de maintenance (le salaire des employés chargés de ces tâches). Finalement, divers spécialistes (par exemple, des analystes informatiques) doivent faire des vérifications du fonctionnement du système et de son interfaçage avec l'ensemble des systèmes informatiques déjà présents au cégep. Le salaire ou les honoraires de ces analystes constitue également un coût à considérer dans le projet.

Chez Smurfit-Stone, l'achat de nouvelles lames de scies plus résistantes occasionne deux dépenses importantes pour l'entreprise : des frais de recherche et l'augmentation du prix des lames. Les frais de recherche concernent entre autres les salaires des techniciens qui doivent valider la compatibilité des nouvelles pièces avec l'équipement et vérifier s'il répond aux exigences d'une lame de scie conventionnelle. À ces salaires s'ajoute le coût des produits utilisés et de l'équipement de production. Le second coût est celui de l'augmentation du prix d'achat des lames. Le coût des nouvelles technologies est généralement plus élevé que celui des plus anciennes, on peut donc s'attendre à ce que les nouvelles lames soient plus coûteuses à l'achat.

Les coûts initiaux et les coûts récurrents

Lors de l'évaluation des coûts, le gestionnaire doit classer les coûts en deux catégories : les coûts initiaux et les coûts récurrents. Les coûts initiaux se composent de toutes les dépenses engagées durant la réalisation du projet, c'est-à-dire durant les étapes de définition, de planification et d'exécution. Ces coûts initiaux sont de différents types :

*   investissements ;
*   location d'équipement ;
*   acquisition d'actifs ;
*   frais de production de l'extrant (coûts fixes et variables) ;
*   formation.

Ces coûts sont importants, car la conception et la fabrication d'un produit tangible nécessitent souvent l'intervention de spécialistes (ingénieurs industriels, ingénieurs des matériaux, chimistes, etc.).

Pour leur part, les coûts récurrents sont engagés après la livraison de l'extrant du projet :

*   l'exploitation de l'extrant, par exemple les frais d'entretien ou de mise à jour ;
*   les salaires annuels ;
*   le renouvellement de contrats.

3.2.4 L'évaluation de la rentabilité

Une fois que l'évaluation des revenus et des coûts est réalisée, tous les éléments sont en place pour qu'on puisse procéder à l'évaluation de la rentabilité du projet. Cette évaluation permet au promoteur de déterminer si le projet est acceptable sur le plan financier et si le calcul des revenus et des coûts indique qu'il y aurait des bénéfices. Pour procéder à cette analyse, il existe plusieurs méthodes d'évaluation financière. Nous en présentons deux : le délai de récupération et la valeur actuelle nette (VAN).

Avant de se lancer dans l'évaluation proprement dite, il est essentiel de déterminer l'horizon d'évaluation, soit la période sur laquelle l'évaluation porte. Cette période doit être proportionnelle à la durée de vie utile de l'extrant du projet. Les projets de construction de bâtiment sont généralement évalués selon un horizon de 20 à 25 ans, alors que les grands ouvrages d'ingénierie (des ponts ou des viaducs, par exemple) sont évalués selon un horizon de 30 à 50 ans. L'évaluation de l'horizon de certains types de projets demande une analyse plus approfondie. Pour un logiciel informatique, l'horizon doit correspondre à la période durant laquelle le système est fonctionnel, sans nécessiter de modifications majeures.

a) Le délai de récupération

Le délai de récupération est une méthode qui permet de calculer le temps que prend un promoteur pour récupérer les sommes qu'il a investies initialement. Le résultat du calcul est donc exprimé en unités de temps, généralement en années. L'exemple suivant permet d'illustrer le calcul du délai de récupération.

Un projet comporte des coûts initiaux : l'investissement de 75 000 $ et les frais de formation de 5 000 $. À ces frais s'ajoutent les coûts récurrents : l'entretien annuel de 10 000 $ et la hausse des salaires annuels de 15 000 $. Grâce au projet, les revenus sont de 40 000 $ la première année et croissent de 10 000 $ annuellement par la suite. De plus, le projet amène une baisse annuelle de 5 000 $ des frais d'exploitation de l'entreprise. Le projet doit être analysé selon un horizon de cinq ans.

Le tableau 3.3 présente une répartition chronologique des entrées et des sorties de fonds du projet.

Voici le calcul du délai de récupération. Au terme de la première année du projet, le flux net est de –60 000 (–80 000 + 20 000). Le promoteur n'a pas encore récupéré son investissement initial. Au terme de la deuxième année, le flux net est de –30 000 (–60 000 + 30 000). Le promoteur n'y est

Tableau 3.3   **Les entrées et les sorties de fonds du projet**

Années	0	1	2	3	4	5
Entrées	0	45 000	55 000	65 000	75 000	85 000
Sorties	80 000	25 000	25 000	25 000	25 000	25 000
Flux annuel	–80 000	20 000	30 000	40 000	50 000	60 000

toujours pas. À la fin de la troisième année, le flux net s'établit à 10 000 (–30 000 + 40 000). Le promoteur récupère donc son investissement initial au cours de la troisième année du projet. Il est possible de déterminer avec précision à quel moment, au cours de la troisième année, le promoteur arrive au point où son investissement est récupéré (le point mort du projet). Après deux ans, le flux net s'établit à –30 000. Au cours de la troisième année, le flux annuel (les entrées de fonds moins les sorties) est de 40 000. En proportion, le promoteur devrait atteindre zéro après 3/4 d'année (30 000/40 000, c'est-à-dire les entrées nécessaires pour atteindre zéro sur le flux annuel), soit neuf mois. Ainsi, le délai de récupération du projet est de deux ans et neuf mois.

b) La valeur actuelle nette

La VAN demande un calcul financier plus poussé que celui du délai de récupération. Contrairement à cette dernière méthode, le calcul de la VAN tient compte de la dépréciation de l'argent au fil du temps et du risque associé à la réception de montants futurs. Le principe est simple : il suffit de prendre

Figure 3.3 — **La représentation graphique du délai de récupération**

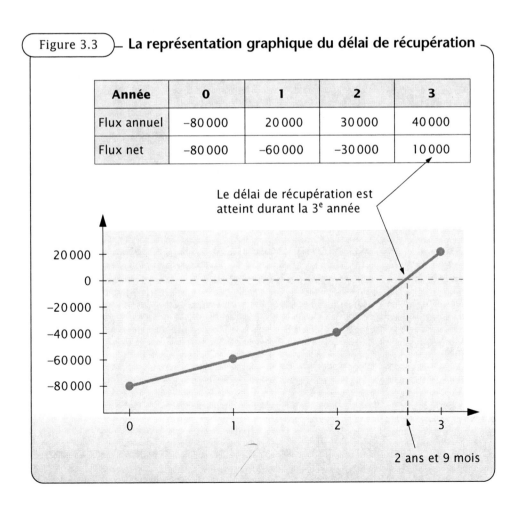

Année	0	1	2	3
Flux annuel	–80 000	20 000	30 000	40 000
Flux net	–80 000	–60 000	–30 000	10 000

Le délai de récupération est atteint durant la 3e année

2 ans et 9 mois

le flux annuel d'un projet et d'en actualiser les montants par rapport à l'année initiale, qu'on appelle l'année zéro.

Pour procéder à une actualisation, il est nécessaire de déterminer le taux auquel on actualise les montants. Ce taux se nomme le taux d'actualisation. Il est déterminé par la somme de deux éléments :

- le taux auquel le promoteur peut placer son argent sans risque pour la durée du projet ;
- le taux de risque associé au projet.

Le taux sans risque du promoteur se compose de deux sous-éléments :

- le taux directeur de la Banque du Canada ;
- le taux d'inflation établi par Statistique Canada.

On peut avoir accès à ces deux taux facilement et gratuitement, dans Internet.

Le taux de risque associé au projet est plus difficile à déterminer. Plus le niveau de risque du projet est élevé, plus le taux est grand. Il est aisé de comprendre que des projets de différentes natures comportent des niveaux de risque différents. Comme il a été expliqué au chapitre 2, les projets de type « brique et mortier » sont généralement moins risqués que les projets de haute technologie. Le tableau 3.4 présente le taux de risque de différents types de projets.

Ce tableau n'est évidemment pas exhaustif, mais il peut servir d'outil de référence pour déterminer le taux de risque d'un projet donné. Pour chaque type de projet, une fourchette de taux est proposée. On doit tenir compte du fait que deux projets de même nature ne présentent pas forcément le même taux de risque. Il appartient au promoteur et au chef de projet de

Tableau 3.4   **Le taux de risque de différents types de projets**

Type de projet	Taux de risque	
	Bas	Haut
Brique et mortier	3 %	8 %
Commercialisation	5 %	12 %
Informatique	8 %	16 %
Recherche et développement	15 %	25 %

déterminer le taux de risque exact de chacun des projets. Ce taux devrait être révisé une fois les risques du projet déterminés et quantifiés. La section 3.3, *La gestion des risques,* traite de cette question.

$$\underset{\text{d'actualisation}}{\text{taux}} = \underset{\text{du promoteur}}{\text{taux sans risque}} + \underset{\text{du projet}}{\text{taux de risque}}$$

Reprenons l'exemple pour lequel nous avons calculé le délai de récupération. Le promoteur a établi le taux de risque du projet à 12 %, le taux directeur de la Banque du Canada est de 2,5 % et le taux d'inflation déterminé par Statistique Canada s'élève à 1,7 %. Le taux d'actualisation du projet est donc de 16,2 %. Le calcul de la VAN permet d'établir la valeur financière actuelle des entrées et des sorties de fonds futures du projet, c'est-à-dire la valeur du projet en dollars d'aujourd'hui. Pour trouver ce montant, il faut actualiser les flux annuels à l'aide du taux d'actualisation. L'actualisation d'un montant futur se fait à l'aide de la formule suivante :

$$P = F (1 + i)^{-n}$$

où P = valeur présente
$\quad\ F$ = valeur future
$\quad\ i$ = taux d'actualisation
$\quad\ n$ = année

Le flux financier du projet est le suivant : (–80 000 ; 20 000 ; 30 000 ; 40 000 ; 50 000 ; 60 000). On obtiendra la VAN en effectuant ce calcul :

Année 0 = –80 000 $(1 + 16,2\%)^{-0}$ = –80 000,00
Année 1 =   20 000 $(1 + 16,2\%)^{-1}$ =   17 211,70
Année 2 =   30 000 $(1 + 16,2\%)^{-2}$ =   22 218,21
Année 3 =   40 000 $(1 + 16,2\%)^{-3}$ =   25 494,21
Année 4 =   50 000 $(1 + 16,2\%)^{-4}$ =   27 424,93
Année 5 =   60 000 $(1 + 16,2\%)^{-5}$ =   28 321,78
_____
Valeur actuelle nette   =   40 670,84

Le résultat de la VAN ne peut être interprété que de deux façons : un résultat positif signifie que le projet est rentable sur le plan financier, alors qu'un résultat négatif indique que le projet est non rentable. Ce qui rend le calcul de la VAN particulièrement intéressant est qu'il tient compte à la fois des entrées et des sorties de fonds, du niveau de risque du projet, de l'inflation et de la dépréciation de l'argent. Toutefois, les résultats d'un tel calcul doivent être interprétés rigoureusement. Il est facile de constater que le calcul fait pour un même projet, avec des taux d'actualisation légèrement différents, donne des résultats diamétralement opposés. La figure 3.4 présente la VAN du projet étudié selon différents taux d'actualisation. Le choix du taux est donc un élément critique de l'évaluation de la rentabilité d'un projet.

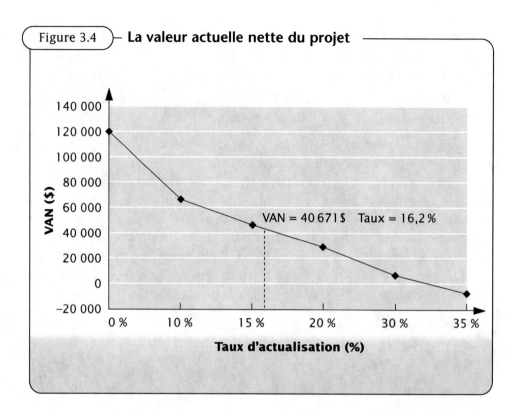

Figure 3.4 — **La valeur actuelle nette du projet**

À la lumière des deux calculs faits, on peut dire que le projet étudié est financièrement rentable : le promoteur peut récupérer son investissement à la fin d'une période de deux ans et neuf mois, et la VAN du projet est positive lorsqu'on la calcule selon un taux d'actualisation de 16,2 %.

Il existe plusieurs outils qui permettent d'effectuer facilement le calcul de la VAN. Les calculatrices financières et le logiciel *Microsoft Excel* disposent des fonctions nécessaires à ce calcul. L'utilisateur doit fournir le flux du projet et choisir un taux d'actualisation ; à partir de ces données, la calculatrice financière ou le logiciel calculent le montant de la VAN.

3.2.5 L'analyse du financement

Tout projet requiert un investissement du promoteur. Généralement, cet investissement sert à couvrir les coûts initiaux du projet (ceux qui sont engagés avant la livraison de l'extrant). Ces coûts sont les plus difficiles à assumer puisque le projet n'assure à ce moment aucun revenu au promoteur. Il lui faut donc trouver une source de financement qui lui permette d'assumer ces coûts ainsi que les coûts récurrents des premières années, jusqu'à ce que le délai de récupération soit passé.

Ce financement provient généralement d'une ou de plusieurs des quatre sources suivantes :

- le fonds de roulement de l'entreprise, incluant la liquidation de placements antérieurs ;
- une source de financement externe, comme une institution financière ;
- des actionnaires ou des propriétaires de l'entreprise, par les bénéfices non répartis ou un apport ;
- une subvention gouvernementale ou institutionnelle, principalement dans le cas des organisations sans but lucratif.

Rares sont les projets d'envergure dont le financement est assuré par une seule des sources mentionnées. Les fonds d'un projet proviennent généralement d'une combinaison de sources de financement.

C'est généralement au service de la comptabilité et au promoteur lui-même que revient la responsabilité de choisir les sources de financement. Néanmoins, l'équipe de projet doit aiguiller la direction sur des possibilités de financement. Le chef de projet n'est pas responsable de la décision finale, mais il se doit de mesurer les probabilités d'obtenir du financement par les différentes sources possibles et de déterminer si leur utilisation est souhaitable dans le cadre du projet. À cette étape-ci, le chef de projet devrait simplement déterminer si le financement est possible ou non.

3.3   La gestion des risques

Au chapitre 2, nous avons expliqué que, lors de la phase de planification, il faut déterminer quelques risques importants dans le projet. Déterminer les risques à cette étape du projet peut paraître précoce. Toutefois, il est important de comprendre la relation qui existe entre la détection d'un risque et son coût. Lorsqu'un risque est identifié avant le lancement du projet (c'est-à-dire dans les phases préliminaires de la définition et de la planification), le coût d'ajustement nécessaire pour tenir compte de ce risque est beaucoup moins élevé que dans le cas où le risque n'apparaît que lors de la phase d'exécution. La figure 3.5 présente la progression, dans le temps, des coûts associés à l'actualisation des risques du projet. On constate que les conséquences financières d'un événement fâcheux qui se réalise en début de projet sont généralement moins importantes que celles d'un événement qui survient en milieu ou en fin de projet. Un contrôle strict des risques permet de déplacer la ligne pointillée vers la droite, ce qui réduit l'exposition du promoteur aux risques les plus élevés. Pour contrôler les risques, le promoteur doit réduire leur probabilité de réalisation ou prévoir des plans de contingence (des plans d'ajustement aux changements possibles).

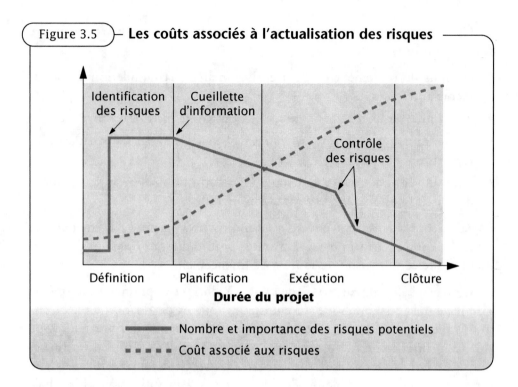

Figure 3.5 — Les coûts associés à l'actualisation des risques

3.3.1 L'identification des risques

En plus des risques identifiés lors de la phase de planification, il est essentiel de chercher à repérer, à chaque étape du projet, tous les risques qui pourraient survenir et exercer une influence directe et mesurable sur le projet. Classer les risques selon leur type permet de faciliter leur identification. En gestion de projet, il existe trois types de risques : les risques techniques, les risques organisationnels et les risques financiers.

a) Les risques techniques

Les risques techniques sont ceux qui sont relatifs à la maîtrise de la production de l'extrant par le promoteur (et éventuellement par le mandataire). Par exemple, pour mener à terme un projet de commercialisation, on doit se demander si on détient l'expertise nécessaire pour produire, construire ou fabriquer le nouveau produit. Dans le cas d'un projet de développement d'un logiciel, on doit chercher à savoir si les spécifications techniques sont réalistes ou non. En raison du caractère unique de chacun des projets, des défis importants surviennent souvent, par exemple en ce qui concerne la conception et le design du produit à livrer.

Des logiciels de conception assistée par ordinateur (CAO ou CAD en anglais pour Computer Assisted Design) permettent de répondre aux risques techniques de cette nature : les ingénieurs se servent en effet de ces logiciels pour concevoir virtuellement des produits ou des maquettes et analyser leur comportement dans l'espace. Ces logiciels permettent de mieux prévoir les caractéristiques du produit fini et de corriger les erreurs de conception avant même la production d'un prototype. Il existe d'autres moyens de réduire les risques techniques, par exemple la production de modèles ou la conception de projets pilotes. Par exemple, dans le cas d'une entreprise qui désire implanter la version Server 2003 du système d'exploitation Windows de Microsoft sur les ordinateurs de sa salle de serveurs, les gestionnaires informatiques s'inquiètent du comportement de certains logiciels plus anciens avec la nouvelle version de Windows. Ils se demandent si ces logiciels vont toujours être fonctionnels. Rien ne peut garantir que leur comportement serait acceptable dans le nouvel environnement. Pour répondre à cette question, le service des technologies de l'information a décidé de lancer un projet pilote : il s'agit d'installer Windows Server 2003 sur deux serveurs et d'y tester ensuite tous les logiciels. Cette solution permet de vérifier la compatibilité des nouvelles installations sans compromettre l'ensemble des ressources informatiques.

Les risques techniques ne sont pas toujours contrôlables. Dans certaines situations, il faut simplement accepter la possibilité qu'un risque devienne réalité. Pour les risques incontrôlables ou difficilement contrôlables, il est essentiel de concevoir un plan de contingence, une sorte de « plan B » à suivre en cas de problème majeur. Le plan de contingence ne doit pas être conçu comme une solution à tous les risques potentiels, mais plutôt cibler un risque particulier que le promoteur (ou le mandataire, selon le cas) n'arrive pas à contrôler et qui le préoccupe. Le plan de contingence devrait répondre à toutes les questions fondamentales d'une bonne planification : Qui ? Quoi ? Quand ? Où ? Comment ? Ainsi, si le risque devient réalité, tous les acteurs impliqués savent en principe quoi faire et comment le faire. Les organisations dont le service de l'informatique est d'une certaine envergure disposent habituellement d'un plan de récupération des systèmes en cas de sinistre. Dans le cas où, par exemple, un incendie détruirait une partie de la salle des serveurs, ce plan de récupération devrait indiquer où les serveurs doivent être relocalisés durant la crise, quels serveurs sont essentiels, quel est le délai maximum de remise en service, comment ils doivent être rebranchés à l'ensemble du réseau et qui est responsable de chacune des activités du plan.

L'identification des risques techniques se déroule en trois étapes :

- le repérage des difficultés techniques ;
- la recherche de solutions aux difficultés ;
- la prise de décision.

Comme les risques techniques constituent le type de risque le plus néfaste pour un projet, il est essentiel de les traiter avec beaucoup d'attention. Tout projet comporte des risques techniques et des difficultés de réalisation. S'il n'est pas possible d'offrir de solution à un risque technique qu'on a identifié, le projet doit être revu depuis l'étape de la définition ou tout simplement abandonné. On ne saurait assez insister sur l'importance d'identifier les risques techniques et d'offrir des plans de récupération. Si un risque technique important ne peut être contrôlé, le projet doit être abandonné.

b) Les risques organisationnels

Les risques organisationnels portent principalement sur la disponibilité des ressources nécessaires à la réalisation du projet. Par exemple, le promoteur peut avoir besoin de l'expertise d'une firme externe, mais encore faut-il que cette firme soit disposée à travailler pour le projet. De même, les ressources internes nécessaires doivent pouvoir être libérées pour le projet. Les risques organisationnels regroupent aussi tous les risques relatifs à l'échéancier : retards dans les livraisons, productivité inférieure aux prévisions, intempéries.

Pour contrôler les risques organisationnels, il faut préalablement s'assurer de la disponibilité des ressources internes. Certaines ressources n'étant pas interchangeables, il est parfois difficile d'entamer un projet sans la participation de certains individus. Il est alors essentiel de s'assurer de l'entière collaboration de ces personnes avant de déterminer le moment où elles doivent intervenir dans le projet. Le chef de projet doit aussi s'assurer que le promoteur permette qu'on fasse appel à des firmes externes spécialisées, pour l'étude de marché par exemple. Il doit aussi s'assurer que ces firmes sont disposées à travailler au projet.

Parmi les risques organisationnels, il est important de considérer les risques politiques liés à des transactions avec des firmes d'autres provinces, d'autres pays ou tout simplement avec d'autres organisations dont les programmes de production ou d'activité sont différents.

c) Les risques financiers

Les risques financiers sont nombreux. Évidemment, les risques techniques et organisationnels ont des incidences financières sur le projet. Il est important de comprendre que les frontières entre les différentes catégories de risques ne sont pas étanches. Lorsqu'ils se réalisent, la majorité des risques influencent à court terme la durée et le coût d'un projet. Dans les paragraphes suivants, nous présentons trois types de risques financiers afin qu'il soit possible de mieux les distinguer des autres formes de risques.

Le premier type de risque financier d'importance est le risque de fonds de roulement. Le fonds de roulement représente la liquidité à court terme du promoteur qui est disponible pour le projet. Dans tout projet, il est essentiel de planifier l'ordre chronologique des sorties de fonds à l'aide d'un budget de caisse, pour établir les dates où les coûts sont engagés. Un tel exercice permet de déterminer à quel moment les ~~fonds sont nécessaires~~ et quel est le ~~solde minimum~~ à maintenir dans le compte du projet. La figure 3.6 présente l'exemple de budget de caisse d'un projet de rénovation d'un hôtel de Trois-Rivières. On peut constater que le projet ne commence à rapporter des revenus qu'à compter du mois de juin. Entre le début du projet et cette date, c'est le promoteur (le propriétaire de l'hôtel) qui doit soutenir seul les coûts engagés pour la rénovation. Le budget de caisse permet de constater que le propriétaire doit avoir près de 75 000 $ en main pour entreprendre le projet, au mois de janvier. Au total, il doit faire face à des dépenses de 261 609 $ entre le début du projet et le mois de mai, alors qu'aucune entrée de fonds n'est prévue. Pour les mois suivants, les entrées de fonds sont supérieures aux

Figure 3.6 — **Le budget de caisse d'un projet de rénovation d'un hôtel de Trois-Rivières**

Mois	Janvier	Février	Mars	Avril	Mai	Juin	Total
Encaisse au début	0	–74 588	–125 599	–174 420	–219 726	–261 609	
Revenus							
Hébergement	0	0	0	0	0	45 000	**45 000**
Autres	0	0	0	0	0	8 700	**8 700**
Total des revenus	0	0	0	0	0	53 700	**53 700**
Dépenses							
Entretien	525	0	0	525	0	0	**1 050**
Fournitures de bureau	500	100	100	500	100	100	**1 400**
Téléphone	65	65	65	65	65	65	**390**
Électricité	410	410	410	410	410	410	**2 460**
Assurances	1 150	0	0	0	0	0	**1 150**
Matériaux	20 000	17 000	15 000	10 000	8 000	8 000	**78 000**
Équipement	18 500	0	0	500	0	0	**19 000**
Frais de déplacement	80	80	90	150	150	150	**700**
Salaires et charges	19 332	19 332	19 332	19 332	19 332	19 332	**115 992**
Honoraires professionnels	5 147	5 147	5 147	5 147	5 147	5 147	**30 882**
Salaires des gestionnaires	7 000	7 000	7 000	7 000	7 000	7 000	**42 000**
Publicité et promotion	1 000	1 000	800	800	800	800	**5 200**
Frais bancaires	30	28	28	28	30	28	**172**
Matériel roulant – location	849	849	849	849	849	849	**5 094**
Total des dépenses	74 588	51 011	48 821	45 306	41 883	41 881	**303 490**
Excédent mensuel	–74 588	–51 011	–48 821	–45 306	–41 883	11 819	–249 790
Encaisse à la fin	–74 588	–125 599	–174 420	–219 726	–261 609	–249 790	

sorties, ce qui signifie que le promoteur n'a plus à investir d'argent dans le projet : il peut alors récupérer son investissement et le projet génère de lui-même un profit.

Le second type de risque financier est celui de la fluctuation des prix. Ce risque se manifeste principalement dans des projets à long terme, dont la durée est supérieure à un an. Puisque certains produits ou services sont sujets à l'inflation ou à une instabilité, on doit considérer que la possibilité de voir leur coût monter est un risque potentiel. Lors de sa restructuration en 2004, la compagnie d'aviation Air Canada (maintenant propriété de ACE) a voulu s'assurer de la viabilité du projet d'augmenter la fréquence de ses vols entre Montréal et Toronto. Lors de la préparation du budget, il a été question du coût du carburant. Les gestionnaires d'Air Canada étaient conscients des pressions qui faisaient alors monter le prix des combustibles fossiles, ce qui les a obligés à considérer une augmentation possible du coût de leur approvisionnement en essence. On a finalement déterminé que le risque était trop élevé par rapport à la situation précaire de l'entreprise, et le projet a été abandonné.

Le troisième type de risque financier est le risque de fluctuation des taux de change qui peut survenir dans le cas de transactions internationales. Aujourd'hui, rares sont les projets où l'on ne fait pas intervenir un fournisseur étranger ou un conseiller qu'on doit rémunérer dans une autre devise. Cette réalité oblige le gestionnaire à tenir compte du taux de change en vigueur au moment de la transaction. Mais lorsqu'on doit déterminer un budget plusieurs mois avant de réaliser la transaction, le taux effectif qu'on avait prédit peut se révéler inexact. La fluctuation des taux de change demeure donc un risque pour le promoteur (ou le mandataire, selon le cas), mais il est quand même facile de se prévaloir contre ce risque. Les banques et les autres institutions financières offrent des couvertures de change contre le risque lié au taux de change.

3.3.2 L'évaluation des risques

Une fois les risques identifiés, le chef de projet se doit d'en évaluer le coût et la probabilité de réalisation. Cet exercice permet d'atteindre deux objectifs : le premier est d'évaluer le montant à consacrer à la marge de sécurité du projet ; le second est de déterminer l'importance de chacun des risques pour l'organisation du projet. L'évaluation des risques doit s'exécuter en deux temps. D'abord, il faut déterminer le coût supplémentaire qui incomberait à l'équipe de projet si le risque se réalisait. Il peut s'avérer par la suite que cette évaluation était inexacte, puisque l'on travaille en situation d'incertitude. Néanmoins, il est essentiel pour le chef de projet de parvenir à une évaluation relativement juste. C'est le degré de justesse de cette évaluation qui permet de calculer adéquatement la marge de sécurité à consacrer au projet.

Après l'évaluation du coût du risque, il faut établir la probabilité de réalisation du risque. Encore une fois, il est difficile de déterminer avec certitude la probabilité de réalisation. D'ailleurs, si on pouvait y arriver, ce ne serait plus un risque mais plutôt un exercice probabiliste! La marge de sécurité correspond au produit du coût par la probabilité de réalisation du risque.

$$\text{marge de sécurité} \quad = \quad \text{coût du risque} \quad \times \quad \begin{array}{c} \text{probabilité de} \\ \text{réalisation du risque} \end{array}$$

La gestion des risques est un exercice proactif : en calculant une marge de sécurité dès l'étape de l'analyse de faisabilité, on arrive à se prémunir contre les conséquences financières négatives associées aux risques du projet. Les gestionnaires qui n'agissent pas de façon proactive et ne font que réagir dans leur gestion des risques laissent une épée de Damoclès pendre au-dessus de leur tête.

3.3.3 Les stratégies de réduction des risques

Une fois les risques identifiés et évalués, le chef de projet se doit de trouver des moyens de réduire l'influence de ces risques sur le projet. Plusieurs techniques permettent d'atteindre cet objectif. Les plus populaires sont les suivantes : réduire le risque, l'éviter, le transférer, le partager et l'assumer.

a) Réduire le risque

Réduire le risque consiste à tenter de réduire sa probabilité de réalisation ou ses effets négatifs sur le projet. Le projet pilote est un excellent exemple de technique de réduction du risque, car il permet de reproduire le projet lui-même, mais à une échelle plus petite. Ainsi, on s'assure de mieux contrôler les événements qui pourraient se réaliser.

b) Éviter le risque

Lorsqu'un risque est particulièrement important et qu'il est identifié dès le début du projet, il est possible de modifier le plan du projet afin de l'éviter. Il n'est pas possible d'éviter tous les risques d'un projet, mais pour certains risques dont la probabilité de réalisation et le coût sont élevés, il peut être justifié d'apporter des changements importants dans la planification du projet.

c) Transférer le risque

Afin de ne pas subir les conséquences d'un risque, le promoteur peut le transférer à une organisation externe. Par exemple, en signant un contrat à tarif fixe, le promoteur transfère au mandataire le risque relatif au dépassement des délais. Les assureurs basent leurs affaires sur le principe de transfert de risque. Lorsqu'une personne contracte une assurance, elle transfère un type de risque vers son assureur en échange de paiements mensuels. Certains risques sont assurables, comme la perte de revenus due au retard dans la livraison d'un projet, alors que d'autres ne le sont pas.

d) Partager le risque

Le partage du risque s'effectue entre deux ou plusieurs organisations. Il est généralement détaillé dans le contrat qui unit le promoteur au mandataire. Par exemple, on y spécifie qu'en cas de dépassement de coût, 50 % du montant supplémentaire doit être déboursé par le promoteur et l'autre moitié par le mandataire. En construction immobilière, un retard peut avoir des conséquences importantes sur l'ensemble d'un projet. Par exemple, dans un projet de construction de copropriétés, un entrepreneur en construction planifie que la charpente du bâtiment doit être complétée le 31 mai. Il planifie donc que les couvreurs commenceront leur travail dès le 1er juin. Or, on constate, le 28 mai, que la charpente ne sera pas complétée à temps. L'entrepreneur doit alors repousser le travail de l'équipe de couvreurs, mais ceux-ci ne peuvent se libérer ultérieurement. L'entrepreneur doit dédommager les couvreurs pour l'annulation du contrat et trouver rapidement une autre compagnie qui pourrait réaliser le travail au moment où la charpente est prête. Cet événement n'est pas unique. Il permet de constater l'importance de l'enchaînement des activités d'un projet et de comprendre pourquoi le promoteur (qui est l'entrepreneur du chantier) ne peut assumer à lui seul le risque de retard du projet. Généralement, les entrepreneurs prévoient des pénalités aux contrats des mandataires qui n'arrivent pas à livrer leur produit ou service à temps. Ainsi, le coût d'annulation du contrat avec les couvreurs et de recherche d'une nouvelle compagnie pour effectuer les travaux est partagé entre l'entrepreneur et le mandataire qui a pris du retard.

e) Assumer le risque

Dans certains cas, particulièrement lorsque la probabilité de réalisation du risque est faible ou que le coût qui y est associé est peu élevé, le promoteur est prêt à assumer le risque. Si on prend un autre exemple dans le domaine de la construction résidentielle, on peut dire que c'est ce qui arrive lorsque la livraison d'une maison neuve est en retard. La famille Lafrance vient de vendre sa copropriété de Montréal pour déménager dans une nouvelle maison qu'elle vient de faire construire à Chambly. Les dates d'occupation coïncident bien : elle doit libérer sa copropriété le 15 juin et peut prendre possession de la maison dès le 5 juin. Il n'y a apparemment aucun problème en perspective. Toutefois, le promoteur du projet de construction à Chambly a accumulé plus d'un mois de retard dans la livraison de la maison. Le contrat qui unit le promoteur à la famille Lafrance est très clair : en cas de retard, le promoteur doit payer l'hébergement de la famille, lui fournir un dédommagement pour les repas et entreposer les meubles à ses frais. La famille Lafrance se fait donc offrir l'hébergement dans un hôtel durant les trois semaines qu'elle a dû attendre avant de pouvoir emménager dans la nouvelle maison. Il s'agit d'un exemple où le promoteur choisit d'assumer le risque. Par contre, certains entrepreneurs en construction détiennent une assurance en cas de retard; il s'agit alors de transfert du risque vers l'assureur.

3.4 La conclusion de l'analyse de faisabilité

L'analyse de faisabilité est terminée une fois que sont complétées l'étude de marché, l'évaluation de la rentabilité, l'analyse du financement et l'identification des risques. Il ne reste plus qu'à tirer une conclusion qui s'appuie sur les observations réalisées lors de l'analyse. Cette conclusion doit être claire et fournir une recommandation précise sur la pertinence de réaliser ou non le projet. La conclusion de l'analyse de faisabilité doit répondre aux questions suivantes:

- Existe-t-il un marché pour le projet?
- Le délai de récupération est-il acceptable?
- La VAN justifie-t-elle cet investissement?
- Le projet est-il rentable sur le plan financier?
- Existe-t-il des avantages intangibles qui doivent être pris en compte dans la décision?
- Le promoteur peut-il (et veut-il) financer lui-même le projet?
- Le financement nécessaire est-il disponible et accessible immédiatement?
- Les risques du projet peuvent-ils être contrôlés?
- Existe-t-il un plan de contingence en cas de problème majeur?
- La marge de sécurité du projet est-elle suffisante?

Une bonne conclusion devrait, en quelques lignes, donner au lecteur un résumé du travail colossal qui a été abattu lors de l'analyse de faisabilité. À la lecture de la conclusion, un gestionnaire devrait savoir immédiatement si la réalisation du projet est souhaitable ou non pour son organisation. En rédigeant la conclusion de l'analyse, le chef de projet doit être à la fois concis, direct et exhaustif.

3.5 Résumé du chapitre

Dans ce chapitre, vous avez découvert qu'on mesure la faisabilité d'un projet par plusieurs moyens:

- l'étude de marché, qui vise à déterminer s'il existe une clientèle suffisamment importante pour permettre au projet d'être viable ;

- l'évaluation des revenus, qui vise à établir toutes les formes nouvelles d'entrées de fonds que pourrait générer le projet ;

- l'évaluation de coûts, qui vise à établir l'ensemble des coûts initiaux et récurrents engagés par le projet ;

- l'évaluation de la rentabilité, qui vise à établir la rentabilité financière du projet par le calcul de la VAN et du délai de récupération ;

- l'analyse du financement, qui vise à déterminer si des sources de financement sont disponibles pour soutenir le projet.

Vous avez aussi découvert qu'une analyse de faisabilité doit comprendre une présentation étoffée des risques techniques (relatifs à la maîtrise de la production de l'extrant), organisationnels (relatifs à la disponibilité des ressources nécessaires à la réalisation du projet) et financiers. Présenter ces risques ne suffit pas, il faut aussi en évaluer le coût et la probabilité de réalisation afin de dégager une marge de sécurité. Vous avez aussi découvert les différentes stratégies de réduction du risque utilisées par le promoteur ou le mandataire pour réduire son exposition au risque. L'analyse de faisabilité doit se conclure par l'une des recommandations suivantes :

- continuer le projet tel quel ;

- apporter des modifications à la définition du projet s'il n'est pas réalisable tel quel ;

- ou encore abandonner le projet s'il n'est pas réalisable.

3.6 L'étude de cas : l'analyse de faisabilité chez ABY inc. (*suite*)

Vous avez passé plus de deux heures dans le bureau de Désilets pour discuter de l'analyse de faisabilité, de son contenu et du cas de la SCHL. Votre collègue vous a donné des pistes, mais il reste encore fort à faire. Vous retournez à votre bureau pour vous mettre au travail. Parmi les documents qu'il vous a remis, vous en trouvez deux qui vous intéressent particulièrement : le premier est un exemple d'analyse de faisabilité qu'il a faite pour un autre projet informatique, soit l'implantation du système Omnivox au Cégep Maisonneuve (ce document est présenté en annexe au présent chapitre) ; le deuxième document, dont les grandes lignes sont présentées ici, est un résumé des éléments qui doivent faire partie d'une bonne analyse de faisabilité :

1. **Une courte présentation du projet**
2. **La conclusion de l'étude de marché**
3. **L'analyse de rentabilité**
   3.1 L'évaluation des revenus
   3.2 L'évaluation des dépenses (coûts initiaux et récurrents)
   3.3 L'évaluation de la rentabilité
        a) Le calcul du délai de récupération
        b) Le calcul de la valeur actuelle nette
4. **L'analyse du financement**
5. **L'identification des risques**
   5.1 L'identification des risques techniques
   5.2 L'identification des risques organisationnels
   5.3 L'identification des risques financiers
   5.4 L'évaluation de la marge de sécurité
   5.5 Les stratégies de réduction des risques
6. **La conclusion de l'analyse**

Inspirez-vous de ces deux documents pour rédiger l'analyse de faisabilité du projet ÉMILI de la SCHL. Prenez quelques minutes pour rédiger un document de cinq pages au maximum. Assurez-vous que le document comporte toute l'information spécifiée dans la liste précédente. Pour vous aider, référez-vous à l'annexe et considérez-la comme un exemple.

3.7 Questions de révision

1 Quel est le but de l'analyse de faisabilité?

2 À quelle phase du cycle de vie du projet effectue-t-on l'analyse de faisabilité?

3 Qu'est-ce qu'une étude de marché? Par qui doit-elle être réalisée?

4 Nommez quatre formes d'avantages financiers qui doivent être pris en compte dans l'évaluation des revenus d'un projet.

5 La compagnie Samsung décide de commercialiser un nouveau modèle de téléphone cellulaire. Nommez quatre coûts qu'elle devrait considérer dans son évaluation des coûts du projet.

6 Soit un projet dont le flux financier est le suivant: (–100 000; 55 000; 65 000; 65 000; 60 000).

a) Calculez le délai de récupération du projet.

b) Calculez la VAN du projet pour un taux de 16 %.

c) Formulez une recommandation à propos de la rentabilité financière de ce projet.

7 Nommez trois types de risques en gestion de projet et fournissez un exemple pour chacun.

8 Pour chacun des risques donnés en réponse à la question précédente, déterminez une stratégie de réduction du risque.

9 Le parc d'amusement La Ronde désire acheter un nouveau manège pour la saison qui s'amorce au mois de mai. Selon les estimations, le nouveau manège apporterait des revenus supplémentaires de 350 000 $ dès la première année. Le chef du projet a identifié un risque important : il se pourrait que la livraison du manège accuse du retard, ce qui repousserait sa date de mise en service. La Ronde évalue que, si le manège entre en service à la fin du mois de juin, les revenus qui y sont associés pour l'été seront de 280 000 $. Le chef de projet croit que la probabilité que la livraison se fasse à la fin juin est de 25 %.

a) Quelle est la marge de sécurité à prévoir ?

b) Quelle stratégie de réduction du risque la Ronde devrait-elle envisager ?

Annexe

Un exemple d'analyse de faisabilité

1. La présentation du projet

Le projet consiste à implanter le système Omnivox au Cégep Maisonneuve. Le système contient plusieurs modules : le paiement des droits de scolarité en ligne, la production des horaires de cours et la prise de rendez-vous avec les aides pédagogiques individuels (API).

2. L'étude de marché

Il n'est pas nécessaire de réaliser une étude de marché. Les élèves ne choisissent pas le cégep en fonction de son système d'inscription, mais plutôt de son offre de programmes et de sa situation géographique.

3. L'analyse de la rentabilité

L'évaluation des revenus

Le tableau suivant présente la liste des avantages financiers du projet.

Avantage	Description	Valeur financière
Impression des horaires	Le nouveau système n'exige plus d'impression en lot des horaires des élèves. L'impression des 6 000 horaires est réalisée quatre fois par année au coût de 4 000$.	= 4 × 4 000 $ = 16 000 $
Paiement des droits de scolarité	Le temps passé à la réception des paiements est diminué. On estime que, sur les 6 000 élèves, 3 500 vont se prévaloir de ce service. Les coûts pour le collège passent de 4$ à 1$ par transaction et l'élève doit pour sa part payer deux fois par année.	= 3 $ × 3 500 élèves × 2 = 21 000 $
Recouvrement des droits de scolarité	En offrant de nouvelles possibilités de paiement, on accélère le recouvrement des droits de scolarité et on devrait faire diminuer de 15% les créances irrécouvrables.	= 25 000 $ × 15 % = 3 750 $

(*suite* ►)

Avantage	Description	Valeur financière
Prise de rendez-vous avec les API	Le temps passé à la prise de rendez-vous est diminué. Une employée affectée à mi-temps à la prise de rendez-vous pourrait être réaffectée à d'autres tâches. Son salaire annuel est de 38 000$.	= 38 000 $ × 50 % = 19 000 $
Transmission directe des résultats scolaires	Le temps passé à la saisie des résultats scolaires dans le système du collège est diminué. Un employé est affecté pendant un quart de son temps à la saisie de l'information dans le système. Son salaire annuel est de 42 000$.	= 42 000 $ × 25 % = 10 500 $
Total		= 70 250 $

Les avantages financiers intangibles tels que la réduction du temps de saisie des résultats scolaires par les professeurs, le temps épargné par les élèves pour le paiement des droits de scolarité, la prise de possession des horaires et les changements de cours ne font pas partie de notre analyse. Puisque ces avantages sont essentiellement intangibles, il est très difficile d'en évaluer la valeur financière. Toutefois, il est approprié de tenir compte de ces facteurs dans la prise de décision finale.

Les coûts initiaux

Le tableau suivant présente la liste des coûts initiaux relatifs à l'implantation du système Omnivox.

Coût	Description	Valeur financière
Achat du module principal et des autres modules	Coûts d'achat associés à l'acquisition des licences du logiciel et de l'installation d'un nouveau serveur.	= 125 000 $
Implantation	Le fournisseur doit procéder lui-même à l'implantation du système et à son interfaçage avec les autres systèmes du cégep. Les services de cinq programmeurs et de deux techniciens en réseautique sont nécessaires pour une période de 20 jours, au coût de 85 $ l'heure.	= 7 employés × 85 $/h × 20 j × 7 h/j = 83 300 $

(*suite* ►)

Coût	Description	Valeur financière
Formation	Une formation sur mesure doit être dispensée aux employés du cégep qui devront gérer le système Omnivox à l'interne. Le coût de la formation à laquelle cinq employés participeront durant une semaine est de 10 000 $. Le salaire annuel moyen des employés est de 45 000 $.	= 10 000 $ + 45 000 $ × ($1/52$) × 5 employés = 14 325 $
Total		= **212 625 $**

Les coûts récurrents

Le tableau suivant présente la liste des coûts récurrents relatifs au système Omnivox.

Coût	Description	Valeur financière
Entretien des systèmes	Les serveurs doivent être remplacés tous les trois ans.	= 15 000 $ à l'année 3
Contrôle du système	Deux employés sont affectés pendant un quart de leur temps au contrôle et au suivi du système. Leur salaire annuel moyen est de 42 000 $.	= 42 000 $ × 2 × 25 % = 21 000 $
Renouvellement des licences	Les licences d'utilisation doivent être renouvelées annuellement.	= 5 000 $

L'évaluation de la rentabilité

La première étape consiste à établir le flux financier du projet. Le tableau suivant présente les détails des entrées et sorties de fonds annuels du projet.

	Début	2005	2006	2007	2008	2009	2010
Entrées	0	70 250	70 250	70 250	70 250	70 250	70 250
Sorties	212 625	26 000	26 000	41 000	26 000	26 000	41 000
Flux	−212 625	44 250	44 250	29 250	44 250	44 250	29 250

Calcul du délai de récupération : un peu plus de cinq ans
Valeur actuelle nette à 12 % : −48 971 $
Taux de rendement interne : 3,1 %

Nous avons décidé d'analyser le projet sur une période de six ans, car le système demandera des investissements majeurs après six ans d'utilisation. L'analyse financière nous démontre que le projet n'est pas rentable dans le cas d'un taux d'actualisation de 12 %. Le taux de rendement interne du projet se situe à près de 3 % et le délai de récupération est très long, c'est-à-dire cinq ans pour un projet de six ans. À la lumière de ces seules observations, le projet n'est pas rentable.

4. L'analyse du financement

Les besoins en financement du projet sont de 212 625 $. Le gouvernement du Québec fournit un financement annuel par le programme MAOB (Mobilier, Appareillage et Outillage, Bibliothèque, nom d'un programme de financement des cégeps par le gouvernement provincial), en plus d'offrir la possibilité d'obtenir des sommes par des programmes spéciaux d'acquisition d'équipement informatique. Un montant de 215 000 $ du MAOB devrait être réservé au projet.

5. L'identification des risques

Cette section présente les principaux risques associés au projet et les moyens de réduire les coûts associés à ces risques.

Risque A	
Type et nature du risque	Technique : difficulté d'interfaçage entre Omnivox et le système de gestion des horaires du cégep.
Explication	Le système de gestion des horaires du cégep repose sur une technologie ancienne qui n'est pas compatible avec la technologie Web utilisée par Omnivox. La création de passerelles entre les deux systèmes comporte aussi des risques.
Coût associé au risque	Si la passerelle ne peut être créée, un employé doit être affecté à la conversion des données entre les deux systèmes. Pour la première année, ce coût représente un salaire de 40 000 $.
Probabilité de réalisation	25 %
Marge de sécurité	40 000 × 25 % = 10 000 $
Moyen de réduction du risque	Transfert : concevoir un interfaçage Web pour le système de gestion des horaires. Pour y parvenir, mandater une firme spécialisée dans la conception d'applications pour les systèmes qui reposent sur une technologie semblable à celle du système de gestion des horaires.

Risque B	
Type et nature du risque	Organisationnel : la proportion des élèves utilisant le système pour payer leurs droits de scolarité est surévaluée.
Explication	Nous avons prévu que 3 500 des 6 000 élèves du cégep utiliseraient le système Omnivox, soit une proportion de 58 %. L'expérience a démontré que, dans les établissements où le système a été implanté, une proportion variant entre 40 % et 65 % des élèves utilisent le système.
Coût associé au risque	40 % × 6 000 élèves = 2 400 élèves utilisent le système Économie planifiée sur les droits de scolarité : 21 000 $ Devient : 2 400 élèves × 3 $ × 2 = 14 400 $ Différence : 6 600 $
Probabilité de réalisation	20 %
Marge de sécurité	6 600 $ × 20 % = 1 320 $
Moyen de réduction du risque	Réduction : faire la promotion de l'utilisation du système pour le paiement. Offrir une réduction pour les élèves utilisant Omnivox.

Risque C	
Type et nature du risque	Financier : hausse du coût des licences.
Explication	Comme le projet est analysé sur une période de six ans, il est possible que le coût des licences augmente. Le risque tient compte d'une augmentation annuelle de 5 %.
Coût associé au risque	Coût prévu : 5 000 $ × 6 ans = 30 000 $ Coût probable : 34 000 $ Différence : 4 000 $
Probabilité de réalisation	40 %
Marge de sécurité	4 000 $ × 40 % = 1 600 $
Moyen de réduction du risque	Transfert : il est possible, dès le départ, de signer avec le fournisseur des contrats dans lesquels on s'assure d'un prix fixe pour les licences.

Marge de sécurité totale à prévoir :

10 000 $ + 1 320 $ + 1 600 $ = 12 920 $

6. La conclusion de l'analyse de faisabilité

Le projet présente un délai de récupération de moins de cinq ans et une valeur actuelle nette négative, si le taux d'actualisation est de 12 %. Le taux d'actualisation devrait être de 3 % pour que le projet soit rentable financièrement. Nous pouvons donc conclure que, si on ne retient que les raisons financières, le projet ne devrait pas être réalisé. Toutefois, les avantages financiers intangibles tels que la réduction du temps de saisie des résultats scolaires par les professeurs, le temps épargné par les élèves pour le paiement des droits de scolarité, la prise de possession des horaires et les changements de cours ne sont pas pris en compte dans ces calculs.

Le cégep n'a pas besoin de financer lui-même le projet. Le projet peut être financé à l'aide du programme MAOB du gouvernement du Québec. Toutefois, les sommes qui seraient employées à ce projet ne seraient plus disponibles pour d'autres projets que l'établissement pourrait considérer comme importants.

Les risques du projet sont raisonnables : la marge de sécurité à retenir est de 13 000 $, comparativement à un investissement initial de 212 000 $. Le projet a déjà été réalisé avec succès dans d'autres établissements, ce qui confirme que l'expertise pour réaliser le projet est disponible.

En conclusion, on peut observer que les coûts initiaux du projet sont beaucoup trop élevés pour être compensés par les avantages financiers. Il est proposé de négocier un meilleur prix pour l'implantation initiale du système avant d'accepter le projet et de lancer son exécution.

Chapitre 4

La planification du projet

4.1 La détermination du travail à faire

4.2 La représentation graphique du projet

4.3 L'affectation des ressources

4.4 Résumé du chapitre

4.5 **L'étude de cas : la planification d'un projet chez ABY inc.**

4.6 Questions de révision

La planification est la deuxième phase du cycle de vie du projet. Dans les étapes précédentes, le promoteur et le chef de projet ont défini le projet, puis procédé à une analyse de faisabilité afin de déterminer si le projet est réalisable. Si le projet se rend jusqu'à l'étape de planification, c'est qu'il a été établi qu'il est possible de le réaliser en respectant les contraintes de coût, de temps et de qualité qu'on avait définies. La planification doit tenir compte de ces contraintes et des risques que le promoteur a formulés.

La planification du projet comporte trois étapes fondamentales :

- déterminer le travail à faire ;
- représenter graphiquement le projet ;
- affecter les ressources.

4.1 **La détermination du travail à faire**

Avant de se lancer dans la réalisation d'un ouvrage, il est essentiel de déterminer quel est le travail à faire. Les gestionnaires ont développé des outils afin de schématiser cette étape importante de la gestion de projet.

4.1.1 **L'organigramme technique**

Le premier de ces outils est l'organigramme technique. C'est à l'aide de cet organigramme que le chef de projet conçoit la structure de découpage du travail. L'objectif de cet exercice est d'obtenir une liste des activités à réaliser pour mener à terme le projet et livrer l'extrant souhaité par le promoteur. Dans la littérature comme dans la pratique, on retrouve plusieurs expressions pour désigner l'organigramme technique (expression privilégiée par l'Office québécois de la langue française) :

- structure de découpage du travail ;
- structure de décomposition du travail ;
- organigramme des tâches ;
- décomposition structurée des activités ;
- structure de répartition du travail ;
- structure de travail.

En anglais, tous ces termes sont regroupés sous l'expression « Work Breakdown Structure » ou WBS. Dans cet ouvrage, nous avons choisi d'utiliser les expressions « organigramme des tâches » et « organigramme technique », qui nous semblent les plus appropriées.

Comme son nom l'indique, l'organigramme des tâches est une structure dans laquelle les différentes tâches sont réparties en plusieurs niveaux, y compris celui des tâches élémentaires, c'est-à-dire celles qui sont effectivement réalisées par l'équipe de projet. La figure 4.1 présente un exemple

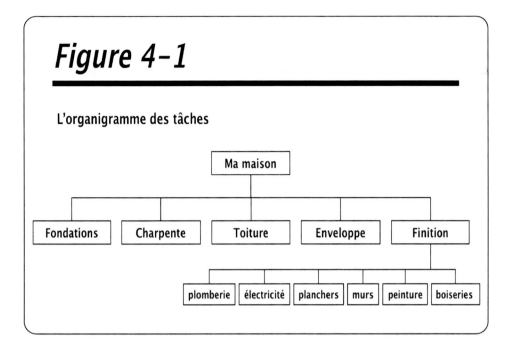

Figure 4-1

L'organigramme des tâches

d'organigramme technique pour un projet de construction résidentielle. On remarque que le premier niveau de l'organigramme présente le nom du projet lui-même, soit l'extrant final du projet. Lorsque l'extrant final est prêt, le projet est terminé. Le second niveau présente les différents livrables qui composent l'extrant. Au troisième niveau, on retrouve les tâches élémentaires qui permettent de réaliser chacun des livrables (dans cet organigramme, ces tâches ne sont données que pour l'un des livrables). C'est à ces tâches que doivent être affectées les ressources. L'organigramme technique compte généralement de trois à six niveaux, selon la complexité du projet.

La tâche du chef de projet est de déterminer en détail quelles sont les activités à réaliser pour compléter chaque produit, puis chaque livrable et ultimement l'ensemble du projet. Ce n'est pas une mince tâche. Rares sont les chefs de projet qui effectuent sans aide cet exercice. Généralement, le chef de projet fait appel à des experts dans chacun des domaines du projet auquel il travaille, afin de se faire assister dans la réalisation de l'organigramme technique. En effet, pour reprendre l'exemple de la figure 4.1, qui est mieux placé que le charpentier pour déterminer les tâches nécessaires pour réaliser une charpente? Qui d'autre qu'un couvreur peut prétendre connaître l'ensemble des tâches à réaliser pour construire une toiture?

4.1.2 L'estimation des coûts et de la durée

Une fois l'organigramme technique complété, le chef de projet doit ajouter deux renseignements essentiels pour chacune des tâches : la durée prévue et son coût. Cet exercice exige lui aussi une rigueur et une exactitude les plus grandes possible. La durée de chaque tâche doit être évaluée par le chef de projet lui-même ou par une personne qu'il a mandatée pour le faire.

À cette étape du projet, il est préférable que le gestionnaire choisisse une approche ascendante d'évaluation de la durée et du coût (ou *bottom up*), approche dont il a été question au chapitre 2. Lorsqu'on choisit l'approche descendante (ou *top down*), on estime globalement la durée et le coût du projet dans son ensemble, puis on tente de répartir les montants et les durées entre les tâches du projet. Il a été question de la méthode d'estimation par ratio, de la méthode d'estimation proportionnelle et de la méthode d'estimation en trois points. Avec l'approche ascendante ou *bottom up*, on estime individuellement la durée et le coût de chacune des tâches, puis on déduit, à partir de ces données, la durée totale et le coût global du projet.

4.1.3 Les méthodes ascendantes d'estimation

On privilégie habituellement l'approche ascendante à cette étape du projet parce qu'il est nécessaire d'établir avec précision la durée de chacune des activités du projet. Cette évaluation permet de bien répartir les budgets et d'affecter correctement les ressources. Il existe trois principales méthodes d'estimation ascendante de la durée et des coûts :

- la méthode par modèles ;
- la méthode des ratios ;
- la méthode détaillée.

Ces méthodes peuvent toutes être utilisées dans un même projet, si des tâches spécifiques le requièrent.

a) La méthode par modèles

La méthode d'estimation par modèles est utilisée par les organisations dont les projets sont habituellement de même nature. Puisque les activités à réaliser pour mener à bien deux projets de même nature sont généralement semblables, on peut se servir des statistiques de durée et de coût provenant d'un ou de plusieurs projets déjà complétés. Des modèles décisionnels sont créés à partir d'anciens projets, ce qui permet d'estimer avec une précision suffisante la durée et le coût des activités du projet en cours. Pour arriver à estimer la durée prévue d'une tâche particulière, il faut évidemment disposer d'un éventail important de projets réalisés. C'est le cas, par exemple, de l'entreprise SAP, qui se spécialise dans la conception et l'implantation de systèmes intégrés de gestion (ERP, sigle anglais de Enterprise Resource Planning). Cette entreprise a déterminé que la phase d'analyse dure en moyenne 12 jours pour un client ayant 50 employés, 18 jours pour un client qui compte 100 employés et 25 jours pour un client de 250 employés. Cette information est utilisée par l'entreprise pour estimer la durée de la phase d'analyse dans les projets qu'elle entame.

b) La méthode des ratios

La méthode des ratios peut être utilisée autant avec l'approche descendante qu'avec l'approche ascendante. Comme nous l'avons vu au chapitre 2, avec l'approche descendante, cette méthode permet d'estimer rapidement la durée et le coût de l'ensemble d'un projet à partir d'un ratio calculé préalablement. Par exemple, si l'on sait que la construction d'une route coûte en moyenne 1,2 M$ du kilomètre, on peut estimer que la construction d'un tronçon de 12 kilomètres devrait coûter 14,4 M$.

La méthode des ratios peut aussi être utilisée avec l'approche ascendante. Elle fournit alors au chef de projet une estimation plus détaillée et plus précise. Prenons l'exemple d'une entreprise qui désire implanter un nouveau logiciel de gestion de la relation client, logiciel qui exige que la capacité de traitement des ordinateurs soit augmentée. La mémoire vive de l'ensemble des ordinateurs du parc informatique (270 postes) de cette entreprise doit être augmentée. En une journée de travail, un technicien peut effectuer cette opération sur 45 postes. Le coût du matériel à installer est de 100 $ pour chaque poste mis à jour. Le chef de projet décide d'utiliser la méthode des ratios pour estimer la durée et le coût de cette tâche. Si deux techniciens y sont affectés, la tâche devrait prendre trois jours (270 postes ÷ 45 postes par jour ÷ 2 techniciens) et son coût en matériel devrait s'élever à 27 000 $ (270 postes × 100 $), en plus du salaire des techniciens. La méthode des ratios peut être utilisée pour évaluer la durée et le coût de plusieurs des tâches d'un projet.

c) La méthode détaillée

La méthode détaillée est sans doute la plus utilisée par les chefs de projet et la plus simple pour eux. Cette approche consiste à demander à une personne responsable d'une partie du travail (ou d'un regroupement de tâches) d'estimer le coût et la durée de chacune des tâches dont il a la responsabilité. Par exemple, pour l'organisation d'un événement sportif, la personne qui est chargée de l'accueil des athlètes doit estimer elle-même le temps que son équipe doit consacrer à la réservation de l'hébergement, à la nourriture, au transport entre les sites de compétition, etc. Cette personne est la mieux placée pour effectuer ces estimations puisqu'elle est dans le feu de l'action et qu'elle détient une expérience dans ce type d'activité. Le rôle du chef de projet est alors de s'assurer de la cohérence des estimations : les différentes personnes impliquées dans l'estimation générale doivent bien comprendre l'objectif et l'envergure du projet afin que les estimations qu'elles fournissent soient les plus justes possible. Le chef de projet est aussi responsable de colliger et de valider les données recueillies auprès des différentes sources.

4.1.4 Les données spécifiques relatives au coût

Le coût total d'un projet se compose de trois coûts principaux, comme le présente le tableau 4.1.

4.2 La représentation graphique du projet

À l'étape de la représentation graphique, le projet compte un certain nombre d'activités réparties par livrable. La présentation des activités est désignée par l'expression «organigramme technique». Or, celui-ci ne tient nullement compte de la chronologie d'un projet. Dans tous les projets, il est essentiel que certaines activités préalables soient terminées avant qu'on puisse en amorcer d'autres. Par exemple, dans la construction d'une maison, il est impossible de commencer la construction du toit tant que la charpente n'est pas complétée. Le chef de projet doit donc déterminer la suite logique (ou chronologique) des activités du projet. Cette représentation porte le nom de «réseau du projet». La figure 4.2 présente le réseau d'un projet de construction de maison.

4.2.1 La conception du réseau du projet

Le chef de projet est généralement la personne la plus apte à concevoir le réseau du projet. Pour effectuer cette tâche, il doit posséder une connaissance globale de l'organisation des activités qui conduisent à la réalisation de l'extrant

Tableau 4.1   **Les composantes du coût d'un projet**

Type de coût	Description
Coût en ressources	Essentiellement formé du salaire des ressources engagées dans la réalisation de la tâche
Coût fixe de chaque tâche	Comprend le coût des matériaux à acheter, celui des licences à acquérir et les autres dépenses nécessaires à la réalisation de la tâche
Coûts non répartis	Autres coûts qui ne peuvent être affectés à une tâche en particulier, comme l'achat d'ordinateurs ou la location d'un bureau

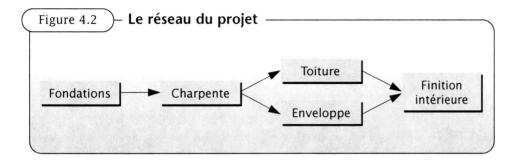

Figure 4.2 — **Le réseau du projet**

Fondations → Charpente → Toiture / Enveloppe → Finition intérieure

du projet. Le travail du chef de projet est alors d'ordonner les tâches qui constituent le projet.

Dans le cas des projets dont l'envergure est assez grande, il peut être particulièrement difficile de déterminer l'ordre de réalisation des tâches. Afin de faciliter les choses, le chef de projet doit se servir du travail de première répartition qui a permis de dresser l'organigramme technique. Cet organigramme comporte des divisions pour chacun des livrables du projet. Chaque livrable est associé à une liste de tâches qui doivent être réalisées pour en assurer la livraison. En se servant de cette liste, il devient plus facile de déterminer l'ordre chronologique des tâches.

Prenons l'exemple de la construction d'une maison. L'organigramme des tâches présente cinq livrables importants : la toiture, les fondations, la finition intérieure, la charpente et l'enveloppe. Dans un premier temps, le chef de projet doit déterminer l'ordre des livrables. Ici, on peut établir aisément la chronologie suivante :

1. fondations ;
2. charpente ;
3. toiture ;
4. enveloppe ;
5. finition intérieure.

Chacun de ces livrables comporte un certain nombre de tâches qui doivent être menées à terme pour que le livrable soit complété. Par exemple, pour la finition intérieure, on retrouve notamment les travaux suivants :

- électricité ;
- plomberie ;
- murs ;
- peinture ;
- boiseries ;
- planchers.

Le chef de projet doit déterminer dans quel ordre ces travaux doivent être effectués. Selon toute vraisemblance, le chef de projet devrait placer les tâches dans l'ordre suivant :

1. plomberie ;
2. électricité ;
3. planchers ;
4. murs ;
5. peinture ;
6. boiseries.

Certaines de ces tâches peuvent être réalisées en même temps, comme la plomberie et l'électricité, alors que d'autres commandent qu'un ordre précis soit respecté, comme les travaux pour les murs, qui viennent avant la peinture.

On rassemble donc les différentes tâches pour en faire des groupes. Ces groupes de tâches, aussi appelés « lots », présentent des caractéristiques communes. Selon Genest et Nguyen[1], il existe plusieurs façons de répartir les tâches en lots :

- le lotissement organisationnel ;
- le lotissement géographique ;
- le lotissement disciplinaire ;
- le lotissement par étapes ;
- le lotissement par livrables.

Dans l'exemple que nous avons présenté (la construction d'une maison), c'est le lotissement par livrables que nous avons choisi. Chacun de ces lotissements est présenté dans les paragraphes suivants.

a) Le lotissement organisationnel

Le lotissement organisationnel est celui qu'on utilise lorsqu'on décide de répartir les travaux en fonction des intervenants organisationnels dans le projet : partenaire, sous-traitant, fonction administrative, etc. Chaque fournisseur est responsable d'un lot.

b) Le lotissement géographique

Le lotissement géographique est utilisé dans un projet où des travaux doivent être effectués dans différentes régions. Chaque lot correspond alors à l'ensemble des tâches qui sont réalisées à un endroit précis.

---

1. Bernard-André GENEST et Tho Hau NGUYEN, *Principes et techniques de la gestion de projet*, 3e édition, Laval, Éditions Sigma Delta, 2002, 448 p.

c) Le lotissement disciplinaire

Le lotissement disciplinaire signifie que le travail est réparti selon des considérations techniques. Dans ce type de lotissement, chaque lot correspond à une compétence particulière. Par exemple, dans un projet de construction d'un avion commercial, on retrouverait un lot pour le design et la conception, un pour l'assemblage, un pour l'électronique, un pour la vente et la promotion, etc.

d) Le lotissement par étapes

Le lotissement par étapes consiste à répartir les activités dans un ordre chronologique. Cette forme de lotissement est à éviter puisqu'il peut arriver que l'affectation des ressources aux tâches (étape subséquente dans le processus de planification) vienne modifier l'ordre d'exécution des tâches et donc bouleverser ce lotissement. On ne devrait utiliser le lotissement par étapes que si certaines des tâches ne peuvent être commencées avant que d'autres, préalables, ne soient complétées.

e) Le lotissement par livrables

Le lotissement par livrables signifie qu'on répartit les tâches en fonction de l'extrant et de ses composantes, soit les livrables. Chaque lot correspond à un livrable du projet et la production de tous les livrables assure la livraison de l'extrant.

4.2.2   La numérotation des activités

Une fois que l'ordre chronologique des activités est établi, le chef de projet doit numéroter chacune des tâches du projet afin de les désigner de façon unique dans le réseau du projet. La numérotation doit être simple et permettre de retrouver facilement une tâche dans le réseau et l'organigramme technique.

On commence d'abord par numéroter les livrables du projet. Chaque livrable reçoit un numéro qui correspond à l'ordre dans lequel il doit être réalisé. Pour reprendre l'exemple de la maison, la numérotation des livrables a déjà été faite à la section précédente :

1. fondations ;

2. charpente ;

3. toiture ;

4. enveloppe ;

5. finition intérieure.

L'ordre des tâches du livrable 5 (finition intérieure) a même été déterminé. Cette numérotation des tâches permet de les structurer par ordre hiérarchique :

5.1 : plomberie ;

5.2 : électricité ;

5.3 : planchers ;

5.4 : murs ;

5.5 : peinture ;

5.6 : boiseries.

Chacune de ces tâches peut se diviser en tâches de niveau inférieur de plus grand nombre. Par exemple, pour la tâche 5.6 (boiseries), la liste de tâches de niveau inférieur pourrait être la suivante, par ordre chronologique :

5.6.1 : prise des mesures ;	5.6.4 : installation ;
5.6.2 : achat du bois ;	5.6.5 : teinture ;
5.6.3 : coupes ;	5.6.6 : finition.

Ces tâches seraient alors numérotées de 5.6.1 à 5.6.6. Le nombre de niveaux de numérotation correspond à celui des niveaux d'accomplissement des tâches dans le projet. Certaines organisations utilisent une combinaison de chiffres et de lettres pour désigner les tâches du réseau de projet. Tous les types de numérotations sont valables, pour autant qu'ils permettent de repérer rapidement des activités particulières parmi l'ensemble du projet.

4.2.3 Le diagramme de Gantt

L'information dont nous disposons maintenant nous permet de dresser le diagramme de Gantt du projet de construction d'une maison. Le diagramme de Gantt est une représentation graphique qui permet de visualiser la charge de travail répartie dans le temps. L'intérêt de ce diagramme est de permettre d'embrasser d'un seul coup d'œil toute l'information relative à la durée des tâches et au moment où elles doivent être réalisées.

Dans la pratique

Henry Laurence Gantt (1861-1919) est un ingénieur américain qui a contribué au développement de l'approche scientifique du travail. Il a commencé sa carrière en tant que professeur, puis a travaillé avec Frederick Taylor de 1887 à 1893. Dans les années 1910, il a inventé le diagramme qui porte son nom pour la construction du système d'autoroutes Interstate aux États-Unis. Gantt a également conçu un modèle de rémunération avec prime à la performance et a travaillé comme consultant en gestion.

La figure 4.3 présente le diagramme de Gantt du projet de construction d'une maison. Dans la section de gauche, on trouve la liste des tâches du projet par ordre numérique ainsi que leur durée. Dans la section de droite, on trouve la représentation graphique des tâches (chaque barre horizontale correspond à une tâche), distribuées par ordre chronologique. Le diagramme

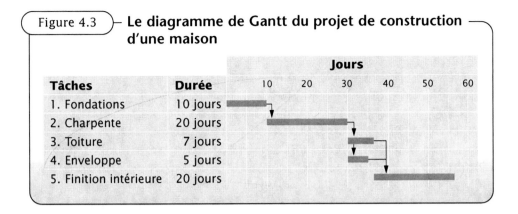

Figure 4.3 — **Le diagramme de Gantt du projet de construction d'une maison**

de Gantt permet de visualiser la charge de travail à réaliser, d'observer l'effet de toute modification dans l'ordre des tâches à exécuter et d'évaluer les conséquences d'un incident ou d'un retard sur le déroulement des opérations. Lorsqu'il est utilisé à l'étape de l'exécution du projet (étape dont il est question au chapitre 5), le diagramme de Gantt permet de comparer facilement les prévisions aux réalisations.

4.2.4 Les relations entre les tâches

Les tâches d'un projet sont présentées chronologiquement dans le réseau du projet et dans le diagramme de Gantt, ce qui signifie que certaines tâches sont préalables à d'autres. Mais il faut aussi déterminer quel type de précédence existe entre deux tâches. Par exemple, on sait fort bien que la construction des murs doit être complétée avant qu'on puisse faire la peinture. Mais est-ce vraiment exact? Peut-on commencer la peinture du premier étage alors que l'on complète les murs du deuxième? Probablement. Il est donc essentiel de distinguer les différents types de relations qui existent entre les tâches.

a) La relation de fin à début

Une relation de fin à début existe lorsque la tâche A doit être complétée avant de commencer la tâche B. Par exemple, l'excavation doit être complétée avant qu'on puisse couler les fondations. C'est la relation la plus courante dans un projet.

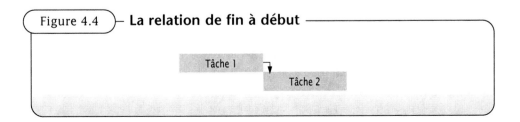

Figure 4.4 — **La relation de fin à début**

b) La relation de fin à fin

Une relation de fin à fin existe lorsque la tâche A et la tâche B doivent être terminées en même temps. Par exemple, la plomberie et l'électricité doivent être terminées en même temps pour qu'on puisse ensuite fermer les murs. On peut ajouter un délai entre les deux tâches dépendantes, ce qui rend la relation de fin à fin particulièrement précise. Par exemple, dans un projet de commercialisation d'un nouveau produit, on peut supposer que la tâche Test doit se terminer cinq jours après la fin de la tâche Prototype. Il s'agit bien d'une relation de type fin à fin avec un délai de cinq jours entre la fin des deux tâches, et non d'une relation de fin à début. La différence entre ces deux types de relations réside dans le fait que la tâche Test peut débuter avant la fin de la tâche Prototype. En effet, certaines composantes du prototype peuvent être testées avant la fin de la tâche Prototype, mais le test final qui doit être réalisé sur le prototype assemblé doit durer cinq jours.

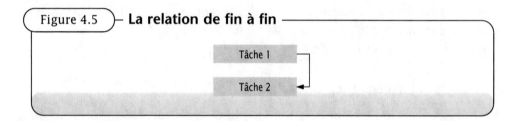

Figure 4.5 – **La relation de fin à fin**

Tâche 1
Tâche 2

c) La relation de début à début

Une relation de début à début existe lorsque la tâche A et la tâche B doivent commencer en même temps. Par exemple, couler les fondations et niveler le béton sont deux tâches qui doivent être réalisées en même temps.

Figure 4.6 – **La relation de début à début**

Tâche 1
Tâche 2

d) La relation de début à fin

Une relation de début à fin existe lorsque la tâche B ne peut être terminée tant que la tâche A n'est pas commencée. Ce type de relation inverse la dépendance entre deux tâches. Elle est utilisée dans des cas précis de tâche « juste à temps ». Les relations de type début à fin comportent généralement des délais, comme il est expliqué dans la section suivante.

Figure 4.7 — **La relation de début à fin**

Tâche 1

Tâche 2

4.2.5 Les délais

Des retards peuvent survenir dans tout projet. Bien qu'il soit complètement impossible de prévoir certains retards au moment de la planification, d'autres peuvent être anticipés. Dans ces cas, on parle de délais plutôt que de retards. Les délais sont une composante essentielle de toute planification. On trouve toutes sortes de délais dans un projet : la livraison, le séchage (peinture, béton, etc.), l'installation de logiciels, la signature de documents et bien d'autres encore.

Plusieurs caractéristiques permettent de distinguer les délais et les tâches. Contrairement aux tâches, les délais sont des moments non productifs durant le projet. C'est la raison pour laquelle on confond souvent les délais avec les retards. D'ailleurs, plusieurs logiciels de gestion de projet utilisent de façon générique le terme « retard » pour désigner les délais. Puisque les délais sont des moments improductifs, le chef de projet n'y affecte pas de ressources humaines ou matérielles. Il peut arriver, cependant, que des ressources soient affectées lors d'un délai ; cela signifie alors qu'une autre tâche est réalisée en même temps. Dans un tel cas, la tâche et le délai doivent figurer dans le réseau du projet et le diagramme de Gantt.

La durée des délais peut être exprimée en termes de temps de travail ou de temps réel. Pour illustrer la différence entre ces deux types de délais, reprenons l'exemple des fondations pour la construction d'une habitation. Avant de couler le béton, des coffrages de bois doivent être montés à l'aide de planches conçues spécifiquement à cette fin. La livraison des coffres prend six jours ouvrables. Dans sa planification, le chef de projet doit donc insérer un délai de six jours de travail entre la commande des coffres et leur livraison sur le chantier. Lorsque le béton est coulé dans les coffres, il prend 48 heures à sécher. Durant ce temps, il est impossible d'entreprendre la charpente du bâtiment. Le lecteur a pu remarquer que ces deux délais sont complètement différents. Le séchage est calculé en temps réel (48 heures) alors que le délai de livraison est calculé en jours de travail (six jours ouvrables). Si les coffres sont commandés un jeudi, ils seront alors vraisemblablement livrés le vendredi de la semaine suivante, donc huit jours plus tard. Si les fondations sont terminées un vendredi, elles seront sèches le lundi suivant lorsque le travail reprendra. La distinction entre le concept de temps réel et celui de temps de travail permet de préciser le type de délai auquel le chef de projet fait face.

4.2.6 L'inscription des durées dans le réseau du projet

Concevoir le réseau du projet permet d'atteindre plusieurs objectifs. Le premier est de se donner une représentation graphique chronologique qu'il est possible de comprendre facilement, en un coup d'œil. Lorsqu'on parle de chronologie des tâches, il est nécessairement question de leur durée. Le chef de projet peut utiliser le réseau du projet pour y inscrire les durées des tâches calculées précédemment. En réunissant le réseau chronologique et la durée des tâches, on peut obtenir une information très riche. Cette opération de réunion génère des renseignements utiles, entre autres le calcul des marges libres des tâches. La marge libre correspond au retard qui peut être accumulé pour une tâche sans que la fin planifiée de l'ensemble du projet soit retardée. Ce calcul est expliqué dans les sections suivantes.

a) Le calcul de date de fin au plus tôt

Reprenons l'exemple de la construction d'une maison pour illustrer notre propos. Le chef de projet a préparé un tableau qui présente la durée estimée de chacune des tâches et les relations qui existent avec les autres tâches du projet.

La figure 4.8 présente le réseau du projet, incluant le numéro d'identification des tâches et leurs durées estimées en nombre de jours. Cette information permet de calculer à quel moment doit débuter et se terminer chacune des tâches du projet. La figure 4.9 présente le réseau du projet en y incluant cette nouvelle information. Il est à noter que l'on indique le début prévu de la tâche dans le coin supérieur gauche et la fin prévue dans le coin supérieur droit.

Le projet débute toujours au jour 0, soit la date planifiée du début au plus tôt du projet. On calcule la date de fin au plus tôt d'une tâche en additionnant sa durée à sa date de début planifiée.

$$\text{date de fin au plus tôt} = \text{date de début au plus tôt} + \text{durée}$$

Tableau 4.2   **La construction d'une habitation**

Tâche	Description	Prédécesseur	Durée
1	Fondations	–	10 jours
2	Charpente	1	20 jours
3	Toiture	2	7 jours
4	Enveloppe	2	5 jours
5	Finition intérieure	3 et 4	20 jours

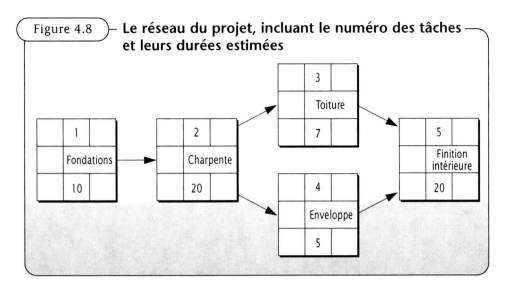

Figure 4.8 — **Le réseau du projet, incluant le numéro des tâches et leurs durées estimées**

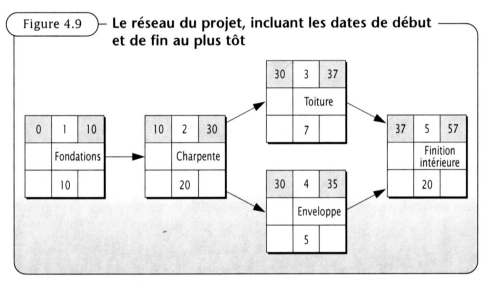

Figure 4.9 — **Le réseau du projet, incluant les dates de début et de fin au plus tôt**

La date de début au plus tôt d'une tâche correspond à la date de fin au plus tôt de la tâche précédente. Par exemple, après la tâche 1 (fondations), qui se termine au jour 10, la tâche 2 (charpente) peut débuter, soit au jour 10. Ce calcul se complexifie lorsqu'on retrouve des prédécesseurs multiples à une tâche, comme dans le cas du réseau du projet de construction d'une maison alors que les tâches 3 (toiture) et 4 (enveloppe) sont des prédécesseurs de la tâche 5 (finition intérieure). Il est possible que les dates de fin des tâches qui sont des prédécesseurs soient différentes. Dans une telle situation, on doit utiliser la date de fin tardive comme date de début de la tâche suivante. Dans l'exemple qui nous concerne, la tâche 3 (toiture) est celle dont la fin est la plus tardive, soit 37. Cette valeur sert de point de départ à la tâche 5. La lecture de la figure 4.9 permet d'obtenir une nouvelle information, soit la durée prévue du projet, qui est de 57 jours.

b) Le calcul à rebours

Une fois que la durée du projet est connue, il est possible de faire les calculs de durée à rebours afin de déterminer les dates de début et de fin au plus tard de chacune des tâches. Cet exercice permet aussi de déterminer la marge libre de chacune des tâches.

Pour effectuer les calculs de fin au plus tard, il suffit de refaire le même exercice, mais cette fois-ci en partant de la fin du projet. La date de début au plus tard d'une tâche est donc calculée en soustrayant sa durée de sa date de fin au plus tard.

début au plus tard = fin au plus tard − durée

À la figure 4.10, ces calculs apparaissent dans la section inférieure des grilles de chacune des tâches. Ainsi, on retrouve la fin au plus tard dans le coin inférieur droit et le début au plus tard dans le coin inférieur gauche. Le problème du prédécesseur multiple vu dans le calcul précédent se pose aussi dans le cas du calcul à rebours, mais cette fois-ci avec le successeur multiple. Dans l'exemple de la construction d'une maison, les tâches 3 (toiture) et 4 (enveloppe) succèdent toutes deux à la tâche 2 (charpente), mais leurs dates de début au plus tard sont différentes. Lorsqu'une telle situation se présente, c'est la date de début au plus tard la plus hâtive qui est utilisée comme date de fin au plus tard de la tâche précédente. Ainsi, pour le calcul de la tâche 2 (charpente), on utilise la date de début de la tâche 3, soit 30. Pour valider l'exactitude du calcul à rebours, on vérifie si le début au plus tard de la première tâche du projet est bien de 0.

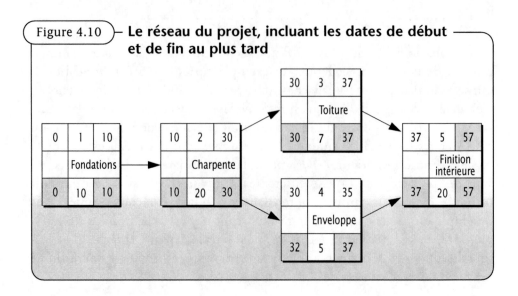

Figure 4.10 — Le réseau du projet, incluant les dates de début et de fin au plus tard

c) La marge libre

L'information générée jusqu'à cette étape, grâce au réseau du projet, permet de calculer la marge libre de chacune des tâches. Comme il a été dit précédemment, la marge libre donne de l'information sur le retard que peut accumuler une tâche sans que la fin planifiée de l'ensemble du projet soit retardée. Cette marge est obtenue en calculant la différence entre le début au plus tard et le début au plus tôt de chaque tâche du projet.

marge libre = début au plus tard − début au plus tôt

La figure 4.11 présente le calcul de la marge libre de chaque tâche. Une autre notion, celle de chemin critique, découle directement de la notion de la marge libre. Le chemin critique est constitué de l'ensemble des tâches dont la marge libre est nulle. Le moindre retard à l'une de ces tâches affecte directement la date de fin du projet. Par exemple, si la durée d'une tâche appartenant au chemin critique passe de 10 à 11 jours, la date de fin du projet est retardée d'une journée. Le chemin critique est un élément auquel le chef de projet doit être particulièrement attentif. Il doit s'assurer de la réalisation dans les temps prescrits de chacune des tâches qui en font partie, faute de quoi le projet n'est pas réalisé en respectant la contrainte de temps définie préalablement.

Les tâches qui ne font pas partie du chemin critique présentent une marge positive, ce qui signifie que le retard de l'une de ces tâches n'a pas d'effet direct sur la fin du projet. Le niveau de risque associé à ces tâches est donc moins élevé. La figure 4.12 présente le chemin critique du projet, tel que conçu à partir du calcul des marges libres de chacune des tâches. On remarque que ce sont les tâches 1, 2, 3 et 5 qui font partie du chemin critique, puisque leur marge libre est nulle.

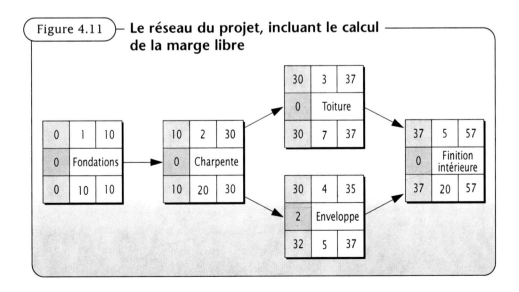

Figure 4.11 — **Le réseau du projet, incluant le calcul de la marge libre**

4.3 L'affectation des ressources

L'affectation des ressources est, pour le chef de projet, un défi de taille. Chacune des activités définies dans l'organigramme des tâches doit être réalisée par une ressource de l'équipe de projet, que cette ressource soit un employé, un consultant, un sous-traitant, une pièce d'équipement ou de machinerie, ou encore, comme c'est bien souvent le cas, une combinaison de plusieurs de ces ressources.

Pour le chef de projet, plusieurs défis se posent lorsque vient le temps de procéder à l'affectation. Le premier défi est d'ordre mathématique : on ne peut utiliser plus de ressources que ce qui est disponible pour le projet. Le second défi, et c'est certainement le plus important, c'est de reconnaître que l'on travaille avec des gens, de vraies personnes, et non simplement avec des numéros de ressources que l'on affecte aux tâches à l'aide d'un logiciel. La plupart des chefs de projet disent que le calendrier du projet n'existe pas réellement tant que l'on n'y a pas affecté les ressources. Et pour cause, puisque l'affectation des ressources est souvent l'occasion de réaliser que l'ordre prévu des tâches n'est pas réaliste. Bien faire l'affectation des ressources, c'est d'abord garder en tête que cette opération consiste à unir les contraintes du projet (coût, temps, qualité) et les impératifs des ressources à affecter. Plusieurs caractéristiques doivent être prises en considération lors de l'affectation des employés et, pour certaines de ces caractéristiques, aucun modèle mathématique ne peut aider le chef de projet dans cet exercice :

- la capacité de travailler en équipe ;
- l'expérience ;
- la motivation ;

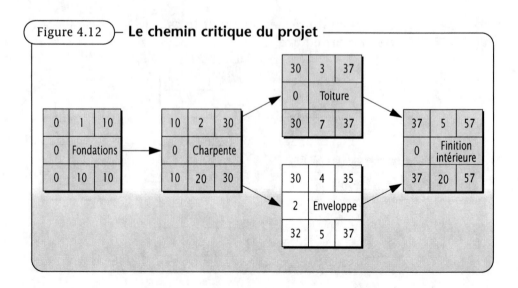

Figure 4.12 – **Le chemin critique du projet**

- les habiletés techniques ;
- la disponibilité ;
- les compétences de l'individu ;
- le leadership.

Lors de l'affectation des ressources, le chef de projet travaille avec des gens et non pas avec des chiffres. Il faut que les décisions prises arrivent à satisfaire ces gens et à les faire se sentir respectés.

4.3.1 L'établissement de la liste des ressources disponibles

La première étape de l'affectation consiste à établir la liste des ressources disponibles pour le projet. Ces ressources peuvent être matérielles ou humaines, interchangeables ou non.

a) Les ressources matérielles

Les ressources matérielles désignent l'ensemble des équipements, des machineries et des appareils nécessaires à la réalisation du projet. On doit déterminer chaque ressource matérielle et la quantité qui en est disponible en nombre d'unités. À chaque ressource matérielle est associé un coût d'utilisation. Ce coût peut être un tarif horaire dans le cas d'une location ou un coût à l'utilisation si l'entreprise est propriétaire de la ressource.

b) Les ressources humaines

Les ressources humaines désignent l'ensemble des employés du mandataire qui sont disponibles pour le projet. Il est important d'établir une distinction nette entre les employés du mandataire et les sous-traitants potentiels. Bien que les sous-traitants fassent partie intégrante du projet, le chef de projet n'a pas à tenir compte, lors de l'affectation, des employés des sous-traitants ; cette tâche revient plutôt au responsable du contrat chez les sous-traitants. Ces employés ne doivent donc pas faire partie de la liste des ressources.

Le tableau des ressources comprend la liste des employés du mandataire disponibles pour le projet, leur pourcentage de disponibilité au projet, le coût de leur affectation et le groupe auquel ils appartiennent.

Le pourcentage de disponibilité est calculé en fonction du nombre de jours par semaine que l'employé peut consacrer au projet ou du nombre d'heures par jour.

Le coût de l'affectation doit être calculé pour une heure. Ainsi, pour un employé payé sur une base annuelle, le montant de son salaire doit être ramené à un taux horaire. Par exemple, l'employé qui reçoit un salaire annuel de 60 000 $ reçoit une rémunération de 28,85 $ l'heure (60 000 $ ÷ 52 semaines ÷ 5 jours ÷ 8 heures = 28,85 $/h).

Chaque employé appartient à un groupe, par exemple les graphistes, les charpentiers, les plombiers, les couvreurs, les techniciens, les analystes, les chefs de projet, le service de marketing, les directeurs de service, etc. Ces groupes doivent être signalés dans la liste des ressources afin de faciliter l'affectation. En présentant les ressources par groupes, il est beaucoup plus aisé d'établir si les ressources sont utilisées de façon équitable et optimale au cours du projet.

c) Les ressources interchangeables et les ressources non interchangeables

Les ressources d'un projet, qu'elles soient matérielles ou humaines, sont soit interchangeables, soit non interchangeables. Les ressources non interchangeables désignent les ressources particulières dont la compétence est spécifique : le spécialiste untel, la directrice unetelle, telle grue de 30 mètres, etc. Les ressources interchangeables désignent les ressources appartenant à un groupe qui possède une compétence commune : une analyste, un carreleur, un marteau-piqueur, etc. Lors de l'affectation, le chef de projet doit déterminer s'il désire affecter une ressource particulière (non interchangeable) ou une ressource commune (interchangeable) à la tâche. Cette décision est motivée par le type de travail à réaliser pour la tâche et la compétence des ressources disponibles. Il faut cependant garder à l'esprit que plus on affecte de ressources non interchangeables, moins le calendrier du projet est flexible en cas d'imprévus.

4.3.2   L'équilibrage de l'utilisation des ressources

Pour compléter l'affectation des ressources, le chef de projet doit aussi s'assurer d'équilibrer l'utilisation des ressources. Au moment de l'affectation, il est possible qu'il constate certaines inégalités, comme lors de périodes de pointe ou de périodes où la demande pour une ressource est plus faible. Le chef de projet doit vérifier l'équilibre des affectations et corriger les situations dans les cas où il dispose d'une marge de manœuvre.

Pour illustrer notre propos, nous présentons un exemple de conception d'un logiciel informatique. Le logiciel doit être programmé en trois modules distincts, dont le premier module se divise en deux tâches : Développement du module 1 et Développement du module 1A. La première tâche est un prédécesseur de la seconde. La figure 4.13 présente un diagramme de Gantt sommaire pour ces tâches, comprenant l'affectation des programmeurs, qui est une ressource interchangeable. Sous le diagramme, on trouve le tableau d'utilisation de la ressource. Ce tableau nous permet d'observer un certain nombre d'éléments importants :

- à son plus fort, le projet fait travailler sept programmeurs ;
- à son plus faible, le projet n'en fait travailler que trois ;
- l'utilisation de la ressource est donc inconstante au cours du projet.

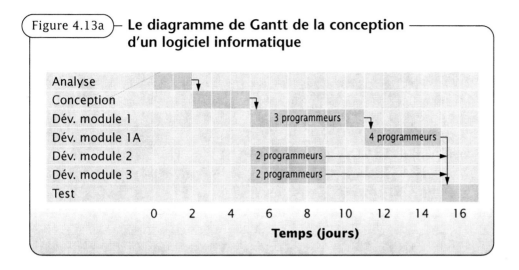

Figure 4.13a — **Le diagramme de Gantt de la conception d'un logiciel informatique**

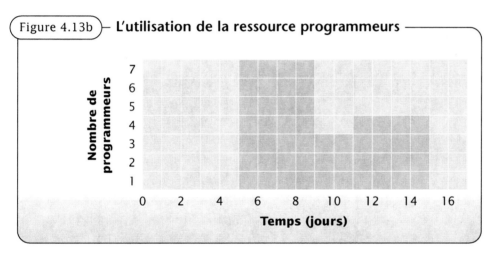

Figure 4.13b — **L'utilisation de la ressource programmeurs**

Pour pallier ces faiblesses, le chef de projet doit procéder à l'équilibrage des ressources, aussi appelé «lissage de l'utilisation des ressources». Pour équilibrer les ressources, le chef de projet doit utiliser la marge libre des tâches auxquelles la ressource est affectée. Dans notre exemple, on remarque que la marge libre des tâches de Développement du module 2 et de Développement du module 3 est de six jours. Le chef de projet peut donc se permettre de retarder l'une ou l'autre de ces tâches, sans que la date de fin du projet soit repoussée pour autant.

Après quelques essais, le chef de projet constate que la meilleure solution est de retarder la tâche de Développement du module 3 de quatre jours, comme l'illustre la figure 4.14. Déplacer cette tâche permet de «lisser» le tableau d'utilisation des ressources. On voit que l'utilisation de la ressource programmeurs est plus uniforme dans le nouveau graphique généré. À la lecture du graphique, on constate que le nombre total de programmeurs à

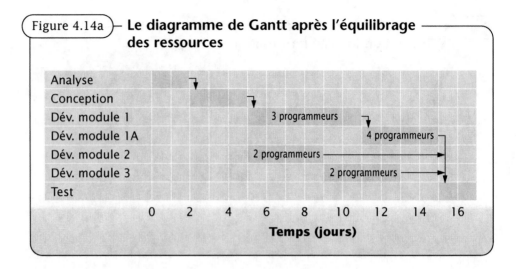

Figure 4.14a — **Le diagramme de Gantt après l'équilibrage des ressources**

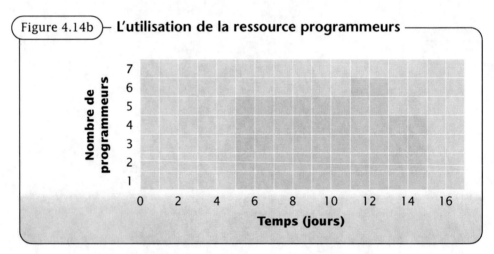

Figure 4.14b — **L'utilisation de la ressource programmeurs**

engager est passé de sept à six, donc que l'utilisation des ressources disponibles est meilleure. De plus, la fluctuation du nombre de programmeurs engagés est réduite, ce qui permet de stabiliser les ressources pour ce projet.

Comme cet exemple l'a illustré, l'équilibrage de la ressource permet d'atteindre trois objectifs :

- réduire la demande maximale de la ressource ;
- réduire le nombre total de ressources à engager pour l'ensemble du projet ;
- réduire les fluctuations de la demande.

4.4 Résumé du chapitre

Dans ce chapitre, vous avez découvert les étapes qui permettent de réaliser la planification du projet. Rappelons ces étapes et l'ordre dans lequel elles doivent être réalisées.

1. Créer l'organigramme technique qui présente la liste des tâches, réparties par livrable.

2. Estimer les coûts et la durée de chacune des tâches.

3. Faire la représentation du réseau du projet, qui présente les tâches par ordre chronologique d'exécution.

4. Faire le diagramme de Gantt, qui découle directement des trois étapes précédentes : il intègre la liste des tâches, leur durée et les relations de précédence qui les unit.

5. Affecter les ressources, humaines et matérielles, aux tâches.

4.5 L'étude de cas : la planification d'un projet chez ABY inc.

De retour chez ABY inc., votre première tâche est de déterminer quel est le travail à faire pour réaliser le projet ÉMILI. Comme tout bon chef de projet, vous avez commencé par diviser le travail à faire en différents livrables : le plan de conception du système, l'infrastructure matérielle, la base de données, l'interface, les tests, le déploiement. En vous basant sur cette information, vous avez constaté qu'il serait judicieux de mandater un responsable pour chacun des livrables, de concevoir avec eux l'organigramme des tâches et de prévoir les durées et les coûts.

Cette étape vous demande de rencontrer des gens qui s'y connaissent en conception de systèmes d'information. Pour trouver vos renseignements, utilisez toutes les ressources auxquelles il vous est possible d'accéder : bibliothèques, revues de gestion ou d'informatique, Internet, professeurs, autres contacts, etc. Votre objectif est de compléter l'organigramme des tâches, le réseau du projet et le diagramme de Gantt. Pour établir l'organigramme des tâches, servez-vous également de la liste des activités à réaliser que vous avez dressée lors de la définition du projet, au chapitre 2.

Une fois votre travail achevé, vous allez rencontrer Mélanie Price, la directrice des ressources humaines de ABY inc., dans le but d'obtenir la liste des employés qui pourraient travailler à votre projet. Price vous fournit la liste reproduite au tableau 4.3, qui présente les employés du service d'informatique disponibles, leur pourcentage de disponibilité et le coût annuel de leurs services pour votre projet.

Pour dresser le tableau des ressources, vous devez ajouter à cette liste les ressources matérielles nécessaires au projet. Prenez quelques instants pour concevoir ce tableau, puis procédez à l'affectation des ressources aux tâches du diagramme de Gantt.

Tableau 4.3 **La liste des ressources disponibles**

Poste	Nombre	Disponible	Coût annuel
Directeur informatique	1	à 50 %	100 000 $
Administrateur de base de données	2	à 100 %	50 000 $
Apprenti analyste	1	à 100 %	44 000 $
Analyste	3	à 100 %	76 500 $
Analyste en sécurité	1	à 100 %	72 000 $
Apprenti programmeur	5	à 100 %	49 000 $
Programmeur	3	à 100 %	77 000 $
Technicien	4	à 100 %	38 000 $

4.6 Questions de révision

1 Donnez trois différences entre l'organigramme des tâches et le réseau du projet.

2 Dans quelle situation devrait-on utiliser la méthode d'évaluation par modèles afin d'estimer la durée et le coût des tâches ?

3 En quoi est-il important pour le chef de projet de connaître la marge libre ?

4 On vous présente l'organigramme des tâches suivant pour un projet d'achat d'habitation. On vous demande de concevoir le réseau du projet.

Achat d'une habitation

1. Budget d'achat
    1.1 Établir le revenu disponible
    1.2 Calculer le montant de la mise de fonds
    1.3 Obtenir la préautorisation du prêt hypothécaire

2. Sélection de l'habitation
    2.1 Choisir un agent immobilier
    2.2 Établir les besoins
    2.3 Choisir l'emplacement
    2.4 Choisir le type d'habitation
    2.5 Rechercher l'habitation
    2.6 Choisir l'habitation

3. Inspection du bâtiment
    3.1 Choisir l'inspecteur
    3.2 Obtenir le rapport d'inspection

4. Processus d'achat
    4.1 Présenter l'offre d'achat
    4.2 Négocier
    4.3 Signer le contrat d'achat
    4.4 Prendre possession de l'habitation

5 Dressez le réseau du projet à partir des renseignements suivants.

Tâche	Prédécesseur
A	aucun
B	A
C	A
D	A, B, C
E	D
F	D, E

6 Dressez le réseau du projet suivant. Établissez la marge libre de chacune des tâches et déterminez quel est le chemin critique. Calculez aussi la durée totale du projet.

Tâche	Durée (jours)	Prédécesseur
A	15	aucun
B	20	aucun
C	10	A
D	25	C
E	35	B
F	5	D, E
G	20	D
H	25	F, G

7 Dressez le diagramme de Gantt du projet présenté à la question 6.

8 En quoi l'affectation des ressources peut-elle réduire la flexibilité de la gestion du projet?

9 Donnez un exemple de relation de fin à fin entre deux tâches.

10 Quelle est la différence entre un délai et un retard?

11 Dans le cadre d'un projet dont les renseignements suivent, on vous demande d'effectuer différentes tâches:

1. dresser le réseau du projet;

2. calculer la marge libre de chaque tâche;

3. déterminer le chemin critique;

4. établir la durée totale du projet;

5. dresser le diagramme de Gantt;

6. affecter les ressources sur le diagramme de Gantt;

7. représenter le tableau d'utilisation des ressources;

8. procéder à l'équilibrage de l'utilisation des ressources.

Tâche	Durée (semaines)	Prédécesseur	Ressources
A	3	aucun	1 plombier
B	4	A	1 plombier
C	1	A	1 plombier
D	3	B	1 électricien
E	5	C	2 électriciens
F	2	D, E	1 plombier

Chapitre 5

L'exécution du projet

5.1 Le but de la phase d'exécution

5.2 Le rôle du chef de projet

5.3 Les compétences du chef de projet

5.4 L'éthique

5.5 La gestion d'équipe

5.6 Le suivi du projet

5.7 Résumé du chapitre

5.8 **L'étude de cas: l'exécution d'un projet chez ABY inc.**

5.9 Questions de révision

5.1 Le but de la phase d'exécution

La phase d'exécution est l'étape au cours de laquelle le projet est réalisé. Elle débute lorsque la planification du projet est approuvée par le promoteur et que le projet démarre ; elle se termine lorsque l'extrant du projet est livré au promoteur. Tout au long de la phase d'exécution, le chef de projet a la responsabilité de voir à ce que le projet soit réalisé dans le respect des contraintes de coût, de temps et de qualité établies lors de la définition du projet (phase 1).

Il a déjà été expliqué que la phase d'exécution est celle dont le niveau de ressources est le plus élevé. En effet, toutes les tâches définies lors de la planification (phase 2) doivent être réalisées par les ressources du projet. Durant la phase d'exécution, on retrouve deux types d'activités : les activités d'exécution (c'est-à-dire la réalisation des tâches par les ressources du projet) et les activités de gestion (c'est-à-dire le suivi effectué par le chef de projet).

Le mandataire est responsable de plusieurs tâches qui composent les activités de gestion : la direction et la coordination, le contrôle de l'avancement (temps), le contrôle des coûts, le contrôle de la qualité et la gestion des changements. Pour sa part, le promoteur est responsable de deux activités : la surveillance de l'avancement et l'approbation des livrables.

Chez le mandataire, la phase d'exécution débute par une rencontre de démarrage (*kick-off meeting*) qui rassemble l'ensemble de l'équipe de projet. Cette rencontre a pour objectif d'informer et de motiver les troupes. L'exécution d'un projet est une aventure que tous les membres de l'équipe partagent, et tous doivent s'y lancer avec entrain. La rencontre de démarrage permet à tous les intervenants de se rencontrer, de recevoir leurs mandats et de comprendre leur rôle au sein du projet.

5.2 Le rôle du chef de projet

Le chef de projet est un gestionnaire et, comme tout gestionnaire, il exerce plusieurs rôles : planifier, organiser, diriger et contrôler.

5.2.1 Planifier

Les activités de planification ne se limitent pas à établir l'échéancier lors de l'étape de planification du projet. Pour le chef de projet, la planification se poursuit tout au long de la phase d'exécution, puisqu'il doit s'assurer que les travaux avancent au rythme prévu et que tout retard est corrigé dans les meilleurs délais. La correction d'un retard oblige souvent à établir une nouvelle planification d'une partie ou de l'ensemble des tâches du projet.

5.2.2 Organiser

Les activités d'organisation du chef de projet sont multiples : non seulement doit-il s'occuper d'affecter les ressources aux tâches, mais aussi de coordonner l'utilisation des ressources et de traiter adroitement les facteurs humains qui sont inévitables dans un projet.

5.2.3 Diriger

Le chef de projet doit aussi savoir diriger son œuvre. En sa qualité de directeur, il doit prendre des décisions importantes, sans dépasser les limites budgétaires établies par le promoteur et par son propre employeur. Ainsi, le chef de projet possède l'autorité nécessaire pour disposer à sa guise du budget du projet, toujours dans l'objectif de respecter les contraintes de coût, de temps et de qualité. S'il devient impossible de respecter l'une de ces contraintes, le chef de projet doit être le premier à réagir à cette situation. Son rôle est alors de signaler cette situation à l'attention du promoteur et de lui proposer des correctifs. Lorsque ces derniers nécessitent que les contraintes soient modifiées, ce n'est que le promoteur qui peut prendre la décision finale à ce sujet puisqu'il est celui qui a demandé que le projet soit réalisé selon ces contraintes.

Dans la pratique

Le cas AKIK

L'exemple suivant illustre le rôle du chef de projet dans ces types de réajustements. Martin Maisonneuve est le chef du projet AKIK chez Les Entreprises du Nord, une compagnie spécialisée dans l'assemblage d'appareils DVD. La direction de l'entreprise a demandé qu'on conçoive un nouveau procédé pour souder certaines pièces qui composent le DVD. Un budget a été octroyé au projet AKIK et la direction s'attend à ce qu'on lui soumette un prototype à la mi-novembre.

En cours de projet, Martin Maisonneuve s'est aperçu qu'on avait pris du retard dans l'une des tâches qui composent le chemin critique. Martin a pris la décision de déplacer et de scinder certaines tâches non critiques, en plus de transférer une partie du budget vers la tâche critique en retard. Ce réajustement lui a donc permis d'affecter une ressource supplémentaire à la tâche critique et de rattraper le retard.

À quelques jours de l'échéance, Martin Maisonneuve reçoit une mauvaise nouvelle : le fournisseur d'équipement de soudure ne peut livrer à temps les pièces promises. Martin est confronté à deux choix : il accepte ce retard et reporte la fin du projet, ou encore il change de fournisseur pour les pièces concernées et achète des pièces à la dernière minute, à un prix nettement supérieur à ce qui était planifié initialement. Dans un cas comme dans l'autre,

(suite ▶)

le projet AKIK ne respecterait plus les contraintes établies. Maisonneuve décide de signaler le problème à la direction de l'entreprise en spécifiant que la deuxième solution lui apparaît préférable. Selon lui, il est essentiel de concevoir rapidement le nouveau procédé parce que les compétiteurs s'apprêtent à présenter une offre de services à leurs clients. Si elle ne peut répliquer rapidement à cette offre de ses compétiteurs, l'entreprise pourrait subir des pertes financières importantes. Martin attend donc la décision de la direction qui se réunit aujourd'hui pour débattre du sujet. Il compte ensuite communiquer la décision à l'équipe de projet et poursuivre les activités.

Dans cet exemple, le chef de projet a dû faire face à deux situations problématiques. Il est arrivé à résoudre la première en prenant une décision sans toucher aux contraintes de coût, de temps et de qualité. Le chef de projet a l'autorité nécessaire pour prendre cette décision. Dans le second cas, la situation était plus corsée. Il était impossible pour le chef de projet de respecter les contraintes établies. Il devait choisir entre dépasser la date de fin du projet et dépasser les limites du budget. Comme c'est le promoteur qui établit le budget et qui détermine la date de livraison de l'extrant, c'est à lui de décider laquelle des deux contraintes a priorité sur l'autre. Dans l'exemple, le chef de projet a proposé une solution au comité de direction. Bien qu'il n'ait pas de pouvoir de décision, il reste celui dont la connaissance du projet est la plus approfondie. Ses recommandations sont donc bienvenues chez le promoteur.

5.2.4 Contrôler

Le chef de projet doit aussi contrôler. Son contrôle s'effectue sur plusieurs plans : contrôle de l'avancement, contrôle des coûts et contrôle de la qualité. La section 5.7 de ce chapitre est consacrée aux activités de contrôle qui doivent être effectuées par le chef au cours du projet. Le contrôle exercé par le chef de projet amène des correctifs, et ces correctifs amènent des changements. Son rôle ne se limite donc pas au simple contrôle : les écarts entre la planification initiale et l'avancement réel des activités doivent être réduits. Ces corrections apportent habituellement des changements dans la distribution du budget mais aussi dans l'affectation des ressources. Le contrôle implique aussi de savoir gérer les changements dans l'équipe de projet.

Dans la pratique

Le chef de projet ne doit pas perdre de vue que, pour le promoteur, le projet n'est pas une fin en soi. Il s'agit plutôt d'une étape nécessaire qui précède l'utilisation de son produit.

5.2.5 Sept moyens pour réussir comme chef de projet

Jeff Davidson[1] distingue, pour les chefs de projet, sept moyens de réussir et autant de façons de faire qui mènent à l'échec. Voici d'abord les façons de faire à adopter pour réussir.

a) Utiliser efficacement les outils de gestion de projet

Les logiciels de gestion de projet sont aujourd'hui des outils indispensables que le chef de projet doit maîtriser. Ces outils aident le chef de projet non seulement à faire sa planification, mais aussi à uniformiser les communications au sein d'un projet et d'un projet à l'autre. Ils permettent d'atteindre un niveau de performance tellement élevé qu'il est devenu insensé de gérer un projet sans les utiliser. Les chapitres 7 à 10 de cet ouvrage sont justement consacrés à l'apprentissage du logiciel *Microsoft Project*.

b) Critiquer et accepter la critique

Le bon chef de projet doit savoir critiquer de façon constructive. Il doit savoir où se situe exactement la frontière entre la critique constructive et la critique négative, et ses échanges avec les membres de l'équipe doivent absolument rester constructifs. L'objectif de la critique est de permettre à l'employé de s'améliorer, et seule une critique constructive peut permettre de l'atteindre. Aussi, le chef de projet doit être ouvert à la critique provenant de l'équipe de projet. Cette ouverture permet d'établir et de maintenir un climat sain et un lien de confiance entre le chef et son équipe.

c) Faire preuve d'ouverture

Tous les acteurs impliqués dans le projet (promoteur, mandataire, utilisateurs, ressources humaines, etc.) ont une opinion personnelle sur le projet. Leur vision est nécessairement influencée par la position qu'ils occupent dans le projet et par l'angle sous lequel ils le considèrent. Leurs conseils peuvent donc aider le chef de projet à saisir des enjeux qu'eux seuls connaissent aussi bien. Le chef de projet ne peut être l'expert dans toutes les activités du projet. Il se doit donc d'être à l'écoute.

d) Organiser son temps

Le travail du chef de projet consiste, entre autres, à organiser le temps des autres. Pour y parvenir, il faut d'abord savoir organiser son propre temps de façon efficace.

1. Jeff DAVIDSON, *10 Minute Guide to Project Management*, Indianapolis, Alpha Books, 2000, 192 p.

e) Diriger des réunions efficaces

Les réunions peuvent être un lieu d'échange privilégié. Toutefois, une réunion mal dirigée peut entraîner une perte de temps importante pour les personnes qui y participent. Pour qu'une réunion soit efficace, le chef de projet doit veiller à ce que les règles suivantes soient respectées :

- l'ordre du jour doit être bien préparé et doit parvenir aux participants avant la rencontre ;

- les participants doivent être prêts ;

- la rencontre doit être dirigée par un président (qui s'occupe du droit de parole et du respect du temps alloué à chaque élément de l'ordre du jour) et les éléments importants doivent être consignés par un secrétaire d'assemblée (qui s'occupe de prendre en note les décisions prises et de les faire parvenir par écrit à tous les participants) ;

- l'ordre du jour doit être respecté rigoureusement ;

- une décision doit être prise à propos de chacun des éléments de l'ordre du jour ;

- les discussions doivent être menées dans un climat de souplesse, et non de rigidité et de formalisme administratif ;

- on doit effectuer un suivi auprès des acteurs concernés à propos de chacune des décisions prises.

f) Informer l'équipe de toutes ses décisions

Le chef de projet doit être capable de prendre des décisions appropriées, y compris des décisions impopulaires, et il doit en informer son équipe. Une personne qui réussit à accéder au poste de chef de projet est nécessairement quelqu'un de reconnu pour la qualité de ses interventions et de ses décisions. Mais il lui faut apprendre à développer sa confiance en soi et à faire transparaître ses qualités de gestionnaire. La communication de l'information s'avère un élément clé de la gestion de projet. Le chef de projet doit s'assurer que l'équipe comprend les raisons qui motivent les décisions prises.

g) Conserver son sens de l'humour

Dans l'adversité, il est parfois difficile de garder la tête hors de l'eau, de s'élever au-dessus de la mêlée. Un chef de projet doit pouvoir conserver son sens de l'humour, savoir se retirer au bon moment et prendre le temps de réfléchir avant de prendre des décisions importantes. Le capitaine est toujours le dernier à quitter le navire.

5.2.6 Sept façons de faire qui conduisent un chef de projet à l'échec

Davidson distingue aussi, comme il a été dit, sept comportements que le chef de projet doit éviter. Les comportements suivants amènent inexorablement le projet vers l'échec.

a) Ne pas répondre immédiatement

Toutes les requêtes qui sont adressées au chef de projet peuvent être bonnes et toutes méritent une réponse. Si le chef de projet ne peut apporter de réponse dans l'immédiat, il doit laisser savoir à son interlocuteur qu'après avoir pris le temps de se renseigner, il reviendra avec une réponse. Lorsqu'un besoin se fait sentir, le chef de projet doit réagir immédiatement.

b) Reprogrammer trop souvent

En cours de projet, des modifications à la planification initiale sont essentielles. Parfois, le chef de projet peut croire que concevoir une nouvelle planification est une solution plus simple que de modifier la planification actuelle. Ce travail exige beaucoup de temps, mais surtout, il déstabilise les ressources du projet, qui doivent revoir complètement leurs affectations. Le chef de projet doit être conscient que chaque changement a un coût et agir en conséquence.

c) Ne pas se soucier suffisamment de la qualité

Les logiciels de gestion de projet permettent au chef de projet de mieux contrôler les délais et les coûts, mais non la qualité. Il arrive trop souvent qu'un chef de projet se satisfasse de respecter les dates prévues et les coûts sans se soucier de la qualité des livrables.

d) Administrer plutôt que gérer

La puissance des logiciels de gestion de projet peut donner l'illusion que le projet se réalise dans le logiciel même! La portion administrative de la tâche du chef de projet consiste à s'assurer de l'utilisation optimale des ressources et du respect des délais et du budget. Mais le chef de projet ne doit pas perdre de vue que le projet repose d'abord sur le travail d'une équipe. Savoir gérer l'équipe, traiter ses conflits et encourager ses réalisations est absolument essentiel à la réussite du projet.

e) Vouloir gérer l'ensemble du projet dans ses moindres détails

Le rôle du chef de projet est de répartir les responsabilités entre les individus, et non de les assumer toutes. Bien qu'il soit redevable de l'ensemble du projet, le chef doit s'assurer que des ressources clés se portent responsables de la production de certains livrables. S'il choisit d'assumer lui-même le travail de plusieurs tâches critiques, le chef de projet doit travailler un nombre incalculable d'heures et sa mainmise sur le projet risque de démotiver son équipe.

f) Ne pas maîtriser les outils de gestion

Un chef de projet peu expérimenté doit s'assurer que le niveau de risque qu'il assume n'est pas trop élevé. Il est farfelu d'utiliser, pour un nouveau projet, des outils qu'on ne maîtrise pas vraiment. Même les gestionnaires chevronnés évitent ce genre de situation. Il est plus sage de s'assurer d'abord de bien comprendre l'ensemble du déroulement d'un projet, par exemple en travaillant comme ressource affectée à un projet semblable, avant d'assumer un rôle de chef de projet. L'aspirant au titre de chef de projet doit prendre le temps de gravir les échelons.

g) Ne pas effectuer une surveillance constante de la progression

Un avion qui, au départ, dévie d'un degré de son plan de vol finit par rater son objectif de plusieurs milliers de kilomètres. De la même façon, un projet mal lancé peut rater son objectif. Le contrôle de l'avancement, des coûts et de la qualité doit être pratiqué tout au cours du projet. Il s'agit d'une activité permanente bien plus qu'une vérification ponctuelle.

5.3   Les compétences du chef de projet

Le chef de projet doit cumuler plusieurs compétences à la fois. Il est le représentant du mandataire, mais aussi le répondant du projet et le directeur de l'équipe de projet. Comme l'illustre la figure 5.1, l'ensemble du projet et de ses acteurs gravitent autour du chef de projet. Les compétences dont il doit faire preuve sont multiples, ce qui oblige les organisations à choisir des individus hors pair. Voici quelques-unes des compétences nécessaires au chef de projet :

1. compétences en communication (écoute, persuasion) ;
2. compétences organisationnelles (planification, atteinte des objectifs, analyse) ;
3. compétences en gestion d'équipe ou *team building* (motivation, esprit d'équipe, empathie) ;
4. compétences en leadership (énergie, vision, gestion par l'exemple) ;
5. capacité d'adaptation (flexibilité, créativité, patience et détermination) ;
6. compétences techniques (expérience, connaissance du projet).

L'ordre dans lequel ces compétences sont présentées n'est pas fortuit. Certaines organisations finissent par placer leurs meilleurs techniciens aux

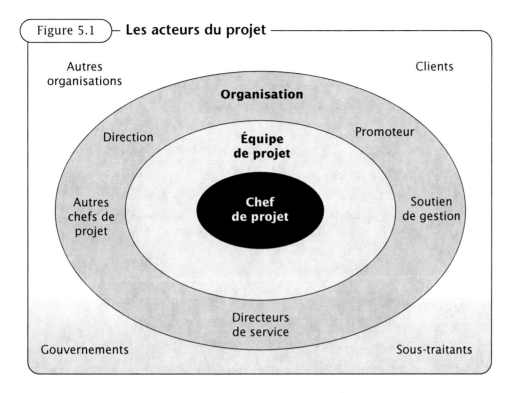

Figure 5.1 — **Les acteurs du projet**

Autres organisations

Clients

Organisation

Direction

Équipe de projet

Promoteur

Autres chefs de projet

Chef de projet

Soutien de gestion

Directeurs de service

Gouvernements

Sous-traitants

postes de chef de projet, mais nous considérons que ce choix n'est pas adéquat. Lorsqu'on choisit un chef de projet, les compétences techniques devraient compter moins dans la balance que les aptitudes interpersonnelles et les compétences en gestion. Généralement, un très bon technicien inspire le respect de ses collègues et détient les compétences nécessaires pour établir le plan du projet. Mais est-il pour autant un bon leader, un bon gestionnaire? Saurait-il gérer efficacement l'équipe de projet? Le candidat idéal au poste de chef de projet est plus qu'un excellent technicien, c'est un individu qui cumule l'ensemble de ces compétences.

5.4 L'éthique

La gestion de projet implique de faire face à de nombreuses contradictions. Il arrive régulièrement que le chef de projet soit assis entre deux chaises. Il réalise un projet désiré par le promoteur, son client, mais il est rémunéré par le mandataire, son employeur. Il dirige une équipe de projet, mais ultimement, les ressources humaines qui lui sont prêtées pour la durée du projet ne relèvent pas de lui. Les sections suivantes présentent le relevé qu'ont fait Gray et Larson[2] des contradictions avec lesquelles le chef de projet doit composer quotidiennement.

2. Clifford F. GRAY et Erik W. LARSON, *Project Management, The Managerial Process*, 3e édition, New York, McGraw-Hill/Irwin, 2006, 574 p.

5.4.1   Innover ou maintenir la stabilité

On demande au chef de projet d'innover et de faire preuve de créativité dans la conduite de son projet. Toutefois, son équipe a besoin de stabilité pour bien fonctionner dans des projets parfois complexes et pour arriver à s'accoutumer à travailler avec des chefs dont les habitudes de gestion diffèrent.

5.4.2   Voir le projet de façon globale ou s'occuper des détails

Le chef de projet doit établir la planification détaillée de chacune des tâches et s'assurer de leur réalisation dans le respect des contraintes définies. Mais il doit éviter de porter son attention sur un seul arbre qui lui cacherait la forêt. Bien que le projet soit décomposé en un ensemble de tâches plus ou moins indépendantes, il ne peut être réalisé que s'il est envisagé comme un objectif global, celui de la livraison de l'extrant final. Le chef de projet doit composer avec cette dualité et s'assurer que les ressources qui travaillent sur une tâche spécifique comprennent quel est leur rôle spécifique dans le processus.

5.4.3   Encourager les individus ou développer un esprit d'équipe

On dit du chef de projet qu'il doit être un rassembleur, qu'il doit favoriser l'esprit d'équipe et la synergie dans son groupe. Toutefois, il doit aussi être celui qui arrive à motiver individuellement les ressources qui sont affectées à son projet. L'équipe est constituée d'un groupe de personnes hétérogènes dont les objectifs individuels sont parfois divergents, voire incompatibles.

5.4.4   Déléguer ou intervenir

Le chef de projet doit déléguer ses responsabilités à certaines personnes clés. Toutefois, il demeure redevable de l'ensemble du projet, ce qui veut dire qu'il est celui qui doit ultimement rendre compte de l'avancement du projet.

5.4.5   Faire preuve de flexibilité ou de fermeté

On demande au chef de projet d'être flexible, attentif et ouvert aux nouvelles idées. On lui demande par ailleurs d'être un bon directeur et de contrôler l'avancement du projet, ce qui exige de la fermeté dans les cas où un retard est constaté et que le responsable n'a pas de solution à proposer. Le chef de projet doit donc savoir faire preuve de flexibilité avec l'équipe et de fermeté face aux échéances.

5.4.6   Accorder sa loyauté à l'équipe ou à l'organisation

Le chef de projet est placé dans une situation parfois inconfortable, comme celle du contremaître dans une usine. Il travaille avec l'équipe de projet et agit donc comme représentant de ses employés auprès de la direction de l'organisation. Toutefois, il relève directement de cette même direction et doit rendre des comptes sur son projet. Il doit donc être perçu comme un joueur d'équipe par les membres de l'équipe de projet, mais aussi comme un gestionnaire de haut niveau par la direction.

5.5   La gestion d'équipe

Le chef de projet est la personne responsable de la formation de l'équipe de projet, de sa motivation et de sa gestion. Afin de mieux saisir les activités de gestion d'équipe qui incombent au chef de projet, il faut d'abord comprendre ce qu'est une équipe. Selon Kinicki et Williams[3], «une équipe est définie comme un petit groupe de personnes dont les compétences sont complémentaires et qui travaillent à l'atteinte d'un objectif commun [...] pour lequel elles se considèrent comme conjointement responsables».

5.5.1   Le cycle de développement de l'équipe

Pour atteindre cet objectif commun, l'équipe doit passer par cinq phases de développement:

- la formation;
- les conflits;
- la cohésion;
- le fonctionnement;
- l'ajournement.

La figure 5.2 présente graphiquement ces cinq phases.

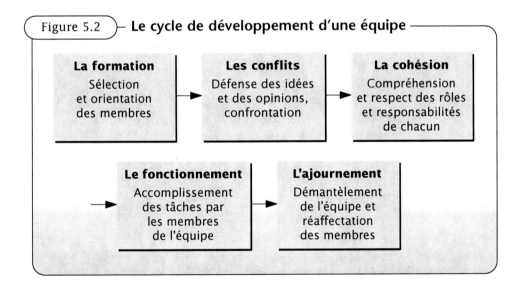

Figure 5.2 — **Le cycle de développement d'une équipe**

La formation
Sélection et orientation des membres

Les conflits
Défense des idées et des opinions, confrontation

La cohésion
Compréhension et respect des rôles et responsabilités de chacun

Le fonctionnement
Accomplissement des tâches par les membres de l'équipe

L'ajournement
Démantèlement de l'équipe et réaffectation des membres

---

3. Angelo KINICKI et Brian K. WILLIAMS, *Management, a Practical Introduction*, 2e édition, New York, McGraw-Hill/Irwin, 2006, p. 420.

a) Phase 1 : la formation

La première phase du cycle de vie d'une équipe, la formation, comprend le processus de sélection et d'orientation des membres de l'équipe. À cette étape, chaque membre tente de s'approprier le mandat de l'équipe et de comprendre l'objectif qui l'unit aux autres membres. La confiance mutuelle est pour l'instant faible, puisque plusieurs membres de l'équipe ne se connaissent pas. Le rôle du chef de projet est d'expliquer à tous les membres quel est l'objectif poursuivi et de s'assurer que chacun comprenne bien en quoi son apport au projet est essentiel.

b) Phase 2 : les conflits

Durant la seconde phase, celle des conflits, les membres affirment et défendent leurs idées et leurs opinions, et les confrontent à celles des autres membres du groupe. La durée de cette phase peut être très courte, si les membres de l'équipe arrivent à s'entendre rapidement. Elle peut aussi être très longue et parfois pénible si les objectifs sont obscurs et que le dévouement et la maturité des membres sont faibles. Lors de cette phase, des sous-groupes se forment généralement à l'intérieur de l'équipe et le leadership du chef de projet peut parfois être remis en question. Le rôle du chef de projet est alors d'encourager les membres de l'équipe à exprimer clairement et calmement leurs idées, afin qu'elles soient validées ou rejetées par le groupe.

c) Phase 3 : la cohésion

Durant la troisième phase du développement de l'équipe, la cohésion, les membres comprennent et respectent davantage les rôles et responsabilités de chacun et deviennent davantage soucieux de s'entendre et d'éliminer les conflits et les obstacles. Le groupe effectue de plus en plus un réel travail d'équipe et les membres comprennent leur apport à l'atteinte de l'objectif commun. Des relations interpersonnelles se nouent et l'unité du groupe émerge des conflits résolus. La cohésion du groupe est l'événement principal de la phase 3. Le chef de projet joue un rôle d'unificateur : en effet, il aide les membres à se rapprocher et à établir clairement des valeurs et des buts communs à l'équipe.

d) Phase 4 : le fonctionnement

Lors de la quatrième phase, le fonctionnement, les membres s'acquittent de leurs tâches respectives et s'assurent de régler tous les problèmes qui peuvent surgir. Pour l'équipe, le but de cette phase est d'effectuer le travail demandé. Le rôle du chef de projet est de s'assurer que les membres de l'équipe disposent de l'autonomie nécessaire à la réalisation de leurs tâches.

e) Phase 5 : l'ajournement

Lors de l'ajournement, la cinquième phase du développement d'une équipe, les membres se préparent au démantèlement de l'équipe. L'objectif commun a été atteint et le projet est terminé. Les membres doivent être réaffectés à d'autres mandats dont les équipes sont souvent complètement différentes. Le rôle de l'équipe est d'aider ses membres à faire la transition vers un autre projet, une autre équipe de travail. Le chef de projet a alors la tâche de marquer la fin du projet avec un événement : une cérémonie, un cocktail, une remise de prix ou simplement une rencontre de clôture. Cet événement permet de clore le projet terminé et d'ouvrir la voie à une nouvelle assignation.

5.5.2 Du groupe à l'équipe

Lorsque les membres qui doivent travailler au projet viennent d'être choisis, il est inapproprié de parler d'une «équipe» selon la définition que nous avons donnée à ce mot. Il serait plus exact de parler d'un «groupe» d'individus puisque l'objectif commun est souvent encore non défini ou qu'il est ignoré des membres, et que le concept de responsabilité collective n'est pas intégré par les membres. Le chef de projet a donc la dure responsabilité de permettre au groupe de former une réelle équipe. Seule une équipe peut mener à bien un projet.

Pour parvenir à former une équipe, le chef de projet doit veiller à sept éléments essentiels :

- l'établissement d'objectifs et la rétroaction ;
- la motivation personnelle par la responsabilité mutuelle ;
- la taille de l'équipe ;
- les rôles des membres ;
- les normes de l'équipe ;
- la cohésion de l'équipe ;
- la pensée de groupe.

Les sections suivantes indiquent quelques pistes à suivre pour y parvenir.

a) L'établissement d'objectifs et la rétroaction

Le chef de projet doit établir des objectifs mesurables pour chacun des membres du groupe et pour l'équipe dans son ensemble. La rétroaction doit être basée sur l'atteinte individuelle et collective des objectifs établis.

b) La motivation personnelle par la responsabilité mutuelle

Lorsque des objectifs sont établis, que le travail est significatif pour chacun, que les membres croient que leur effort compte et qu'ils ne sont pas exploités par les autres, les individus adoptent des attitudes qui viennent renforcer le travail d'équipe. Être redevable aux autres membres de l'équipe plutôt qu'à un supérieur constitue une source supplémentaire de motivation et d'engagement envers l'objectif commun.

c) La taille de l'équipe

Le chef de projet doit établir la taille idéale pour son équipe. Une équipe de moins de 10 personnes est généralement plus flexible et favorise l'interaction des membres. Une équipe qui compte plus de membres permet d'avoir accès à plus de ressources et de répartir le travail plus efficacement.

d) Les rôles des membres

Chaque membre de l'équipe joue deux rôles : le premier est de réaliser la tâche qui lui incombe (rôle travail) ; le second est d'assurer la cohésion de l'équipe (rôle interpersonnel). Le chef de projet doit s'assurer que chaque membre s'acquitte efficacement des tâches qui lui incombent, que ce soit sur le plan du travail ou des relations interpersonnelles.

e) Les normes de l'équipe

L'expression « normes de l'équipe » désigne davantage les règles non écrites que les règles officielles de l'organisation. L'équipe doit déterminer elle-même quelles attitudes elle accepte et celles qu'elle refuse, les comportements à encourager et ceux qui doivent être découragés. Le chef de projet joue entre autres le rôle de facilitateur de l'établissement des normes de l'équipe. Il aide à tracer la ligne de conduite. Les normes portent principalement sur les méthodes de travail et les attitudes lors des réunions (absence, retard, droit de parole, etc.).

f) La cohésion de l'équipe

La cohésion désigne la capacité des membres d'une équipe à demeurer solidaires et interdépendants. Le chef du projet peut assurer la cohésion en permettant aux membres de choisir leurs propres équipiers, en favorisant les rencontres sociales à l'extérieur des lieux de travail ou en encourageant les membres à reconnaître l'apport individuel au projet de chacun des équipiers.

g) La pensée de groupe

La pensée de groupe (*groupthink*), est un élément négatif qui survient « dans un groupe étroitement uni », lorsqu'« une ligne de conduite peu judicieuse » est acceptée « par tous, sans restrictions, dans le seul but de préserver l'unanimité du groupe[4] ». La pensée de groupe est le produit indésirable de la

---

4. *Grand dictionnaire terminologique* de l'Office québécois de la langue française, article « pensée de groupe », [En ligne], [www.granddictionnaire.com] (16 décembre 2005).

cohésion de l'équipe. Pour éviter la pensée de groupe, le chef de projet doit encourager la critique et s'assurer que les opinions divergentes de celles de l'ensemble du groupe puissent être exprimées.

Dans la pratique

Le cas de Jacques Latendresse[5]

Des problèmes d'éthique surgissent dans plusieurs décisions qu'un chef de projet doit prendre et dans plusieurs situations ambiguës où il est placé. La dualité du poste et de ses fonctions est la source même de ces problèmes. Dans cette section, nous vous présentons le cas de Jacques Latendresse, un employé qui travaille pour vous et qui s'attend à une promotion au poste de chef de projet. Lisez attentivement ce cas et prenez position en répondant aux questions placées à la fin de la section.

Vous êtes de retour d'une rencontre des chefs de projet de votre entreprise durant laquelle les assignations des prochains projets ont été complétées. Malgré vos efforts, vous avez été incapable de convaincre le directeur de la gestion de projet de promouvoir l'un de vos meilleurs assistants, Jacques Latendresse, au rang de chef de projet.

Vous ressentez un peu de culpabilité puisque vous aviez évoqué la possibilité de cette promotion pour motiver Jacques. Il avait alors bien réagi et s'était mis à faire plusieurs heures supplémentaires et à redoubler d'efforts pour assurer la livraison de sa portion du projet dans les délais prescrits. Comment Jacques réagira-t-il à cette déception? Et, plus important encore, comment sa réaction affectera-t-elle la réalisation du projet sur lequel vous travaillez actuellement? Il ne vous reste que cinq jours avant l'échéance d'un livrable critique pour un client important. Même si terminer à temps ne serait pas facile, vous estimiez que ce serait possible. Maintenant, le doute s'installe. Jacques a complété la moitié de la tâche de rédaction de la documentation, ce qui constitue la dernière activité critique du projet. Il réagit parfois fortement, étant très émotif, et vous êtes inquiet de sa réaction à l'annonce du rejet de sa candidature.

En retournant à votre bureau, vous êtes en plein questionnement. Devriez-vous dire à Jacques qu'il n'a pas eu la promotion? Que faire s'il vous demande si les nouvelles assignations ont été faites?

5.6 Le suivi du projet

Périodiquement, le chef de projet doit procéder au suivi de l'avancement, des coûts et de la qualité. Puisque la planification reflète rarement les faits avec exactitude, il est essentiel d'ajuster les prévisions pour tenir compte de la réalisation effective du projet. Chaque semaine, le chef de projet produit un rapport de suivi du projet, qui comporte cinq sections:

---

5. Cas inspiré de l'ouvrage de Gray et Larson, *op. cit.*

- la définition de la planification initiale ;
- le contrôle de l'avancement ;
- le contrôle des coûts ;
- le contrôle de la qualité ;
- les actions correctrices.

Le contrôle de l'avancement et des coûts se fait principalement par des mesures quantitatives alors que le contrôle de la qualité se fait plutôt par des mesures qualitatives. Les sections suivantes présentent les renseignements que le chef de projet doit inclure dans son rapport de suivi.

5.6.1 La définition de la planification initiale

À la fin de la phase de planification, le chef de projet soumet sa planification initiale à l'équipe de projet. C'est selon cette planification que devrait normalement se dérouler le projet. Cette première planification se nomme la planification initiale. Elle est ensuite utilisée pour mesurer l'avancement du projet. Le diagramme de Gantt du projet fait donc partie de tous les rapports de suivi. La figure 5.3 présente le diagramme de Gantt de la planification initiale d'un projet fictif.

5.6.2 Le contrôle de l'avancement

Pour réaliser le contrôle de l'avancement, le chef de projet doit se servir d'un diagramme de Gantt du suivi du projet (appelé «diagramme de Gantt suivi» ou «Gantt suivi»). Ce diagramme incorpore le diagramme de Gantt de la planification initiale et celui des tâches telles qu'elles ont été effectivement réalisées. Cette juxtaposition permet de voir aisément les modifications à la planification initiale.

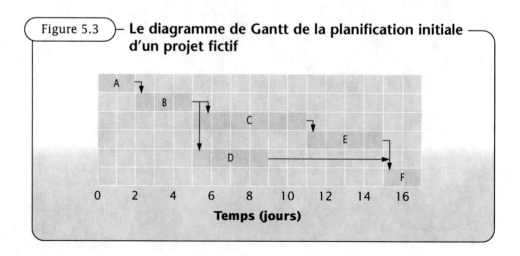

Figure 5.3 — **Le diagramme de Gantt de la planification initiale d'un projet fictif**

La figure 5.4 présente le diagramme de Gantt suivi. En observant la figure, on constate que les tâches A, B et D se sont réalisées comme il avait été planifié. Toutefois, la tâche C a été achevée en cinq jours plutôt que six, ce qui influence le reste du projet. En effet, la tâche E peut commencer une journée plus tôt, ce qui permet de devancer la date de début de la tâche F. Cet enchaînement permet de terminer le projet une journée plus tôt, la tâche C étant critique. Le Gantt suivi comporte quatre renseignements essentiels :

- les tâches planifiées initialement ;
- les tâches réalisées ;
- les tâches à venir, selon la planification revue ;
- la date du jour.

Cette information permet au chef de projet d'obtenir une image complète de l'avancement du projet et du respect de la planification initiale. Certains renseignements intéressants peuvent être tirés du Gantt suivi. Par exemple, les tâches A, B, C et D sont terminées à 100 % alors que la tâche F n'est pas commencée (0 %). Pour sa part, la tâche E, d'une durée de quatre jours, a débuté il y a un jour. Rien n'indique que la durée de cette tâche sera modifiée dans le nouvel échéancier. Une proportion de 25 % de la tâche E est donc complétée.

Dans la section «Contrôle de l'avancement», le rapport de suivi du projet présente quatre renseignements essentiels :

- le diagramme de Gantt suivi ;
- la liste des tâches en cours et leur pourcentage d'avancement ;
- la prévision de la date de fin des tâches, incluant le retard anticipé ;
- le pourcentage d'avancement global du projet.

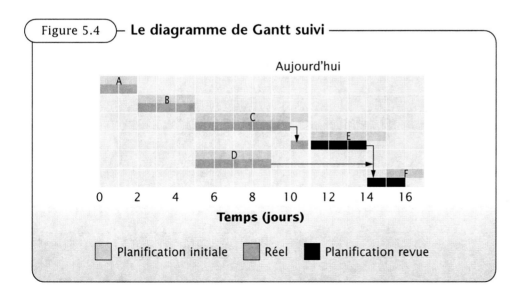

Figure 5.4 — **Le diagramme de Gantt suivi**

Il est parfois difficile d'établir avec précision la date de fin d'une tâche. On calcule la date de fin d'une tâche en demandant à son responsable d'en estimer la durée restante. C'est un exercice difficile, que les exécutants réalisent souvent avec l'aide du chef de projet.

La figure 5.5 présente le tableau du suivi de l'avancement dressé par le chef de projet. Quelques remarques doivent être faites à propos de ce type de tableau.

1. La colonne «Statut» présente l'état d'avancement de chacune des tâches : terminée, en cours ou à venir.

2. La durée planifiée et la durée réelle de chaque tâche sont indiquées. Habituellement, la durée restante est obtenue par une simple soustraction ; toutefois, le chef de projet peut estimer que la durée restante d'une tâche est différente, auquel cas il apporte les ajustements nécessaires dans ce tableau. La tâche C en est un exemple.

3. Le pourcentage d'avancement d'une tâche est obtenu avec la formule suivante :

$$\% \text{ d'avancement} = \frac{\text{durée réelle}}{\text{durée réelle } + \text{ durée restante}}$$

4. Les dates de fin planifiées, réelles et prévues sont obtenues en reportant le diagramme de Gantt suivi dans un calendrier.

5. Le retard est calculé pour l'ensemble du projet. Un retard négatif (comme c'est le cas dans l'exemple) signifie que le projet se termine plus tôt que ce qui avait été planifié initialement. Un retard positif signifie que le projet se terminera avec du retard. On obtient le retard avec la formule suivante :

$$\text{retard} = \text{fin prévue} - \text{fin planifiée}$$

Figure 5.5 — **Le tableau du suivi de l'avancement du projet**

Tâche	Statut	Durée				Fin			Retard
		Planifié	Réel	Restant	Avanc.	Planifié	Réel	Prévu	
A	Terminée	2	2	0	100 %	2	2		
B	Terminée	3	3	0	100 %	5	5		
C	Terminée	6	5	0	100 %	11	10		
D	Terminée	4	4	0	100 %	9	9		
E	En cours	4	1	3	25 %	15		14	
F	À venir	2	0	2	0 %	17		16	−1
Total		21	15	5	75 %	17		16	−1

5.6.3 Le contrôle des coûts

Le contrôle des coûts est étroitement lié au contrôle de l'avancement. Généralement, le retard qui s'accumule dans un projet entraîne une hausse des coûts, puisqu'on tente habituellement de rattraper ce retard par un accroissement des heures de travail. Rappelons que le coût total d'un projet se divise en trois coûts distincts :

- le coût en ressources de chacune des tâches ;
- les coûts fixes associés aux tâches ;
- les coûts non répartis.

Pour effectuer le contrôle des coûts, le chef de projet doit dresser un budget des coûts par tâche. Ce budget permet de comparer les coûts planifiés initialement aux coûts réels du projet. La figure 5.6 présente un exemple de ce budget pour le projet étudié. Les renseignements qu'on y trouve sont obtenus par les moyens suivants.

1. Le pourcentage d'avancement des tâches et le pourcentage global d'avancement du projet sont obtenus à partir du tableau de suivi de l'avancement.

2. Les montants du coût fixe et du coût en ressources de chacune des tâches proviennent de la planification initiale du projet. Ces montants permettent de calculer le coût total de chaque tâche.

Figure 5.6 — **Un exemple de suivi des coûts du projet**

Tâche	Avancement	Planification initiale : coût Fixe	Ressources	Total	Coût réel Total	Écart	Variation
A	100 %	5 000	800	5 800	5 765	–35	–1 %
B	100 %	0	1 200	1 200	1 345	145	12 %
C	100 %	0	3 600	3 600	2 945	–655	–18 %
D	100 %	2 600	2 400	5 000	5 010	10	0 %
E	25 %	1 400	2 400	3 800	1 000		
F	0 %	500	800	1 300	0		
Total	75 %			20 700	16 065		

Sommaire des coûts

Coût total planifié		20 700
Avancement global	×	75 %
Coût planifié à ce jour	=	15 525
Coût réel à ce jour		16 065
Écart	=	540
Variation		3 %

3. Le coût réel de chaque tâche est calculé par le service de comptabilité de l'entreprise mandataire. Dans le cas d'une petite entreprise, le chef de projet peut être appelé à tenir lui-même la comptabilité de son projet.

4. L'écart est obtenu en calculant la différence entre le coût réel et le coût planifié. Un écart négatif représente une économie alors qu'un écart positif représente un dépassement du budget planifié.

5. La variation en pourcentage se calcule en divisant l'écart par le coût planifié.

$$\text{variation} = \frac{\text{écart}}{\text{coût planifié}}$$

6. Dans la section «Sommaire des coûts», le coût planifié à ce jour correspond au montant qui devrait avoir été dépensé à ce jour, selon la planification initiale. Il est obtenu avec la formule suivante :

$$\text{coût planifié à ce jour} = \text{coût total planifié} \times \text{avancement global}$$

7. L'écart est obtenu en calculant la différence entre le coût réel à ce jour et le coût planifié à ce jour. Un écart négatif représente une économie alors qu'un écart positif représente un dépassement du budget planifié.

$$\text{écart} = \text{coût réel à ce jour} - \text{coût planifié à ce jour}$$

8. La variation en pourcentage se calcule en divisant l'écart par le coût planifié à ce jour.

5.6.4 Le contrôle de la qualité

Le contrôle de la qualité se mesure essentiellement de façon qualitative. Ce contrôle est effectué principalement sur les livrables, bien plus que sur les tâches elles-mêmes. Le chef de projet ou le responsable d'un livrable doit s'assurer que les critères de qualité énoncés par le promoteur sont respectés. Généralement, on s'assure de la qualité de chaque livrable du projet afin de garantir que l'extrant soit composé d'éléments de qualité.

Dans la pratique

Le ThinkPad de Lenovo

La firme Lenovo, qui produit les ordinateurs ThinkPad de IBM, achète les pièces de plusieurs constructeurs avant de les assembler pour produire les ordinateurs qui sont ensuite commercialisés. On trouve dans les ThinkPad des microprocesseurs de marque Intel, des cartes vidéo de marque ATI, des périphériques audio de marque MCI, des disques durs de marque Hitachi, etc. Cette variété de la provenance des pièces entraîne des défis importants lorsque vient le temps de procéder à des contrôles de qualité. Durant le processus de production, Lenovo réalise les contrôles de qualité sur les composantes avant de procéder à

(*suite* ▶)

l'assemblage. Ainsi, cette firme s'assure de la qualité de chacune des composantes de l'ordinateur, puis procède à un test final sur l'appareil, une fois celui-ci assemblé. Cette façon de faire est plus longue, mais certainement plus efficace que d'effectuer un seul contrôle de qualité final. Dans le cas d'un contrôle de qualité final unique, il est difficile de repérer, le cas échéant, la composante qui est défectueuse sans démonter l'ordinateur et procéder à des tests sur chacune des pièces, ce qui amène une perte de temps et de productivité inconcevable.

La section « Contrôle de la qualité » du rapport de suivi du projet est composée essentiellement d'un compte rendu de la discussion, entre le chef de projet et ses collaborateurs, sur la perception de la qualité des livrables. Ce compte rendu ne doit rapporter que l'essentiel des test effectués, tout en permettant de vérifier si les critères de qualité énoncés lors de la définition du projet sont respectés.

5.6.5 Les actions correctrices

Le rapport de suivi fait état de l'avancement du projet, de la progression des coûts et du respect des normes de qualité. Dans la majorité des situations, le projet se déroule à peu près selon la planification initiale et aucune action particulière n'a à être entreprise. Toutefois, dans certains cas, des ajustements doivent être apportés par le chef de projet afin de pallier les problèmes éprouvés en cours de projet.

Les ajustements portent principalement sur les tâches critiques, c'est-à-dire celles pour lesquelles on ne peut accumuler de retard sans compromettre la date de fin du projet. Lorsqu'il décide des ajustements à apporter, le chef de projet doit constamment tenir compte des trois contraintes d'un projet : coût, temps, qualité. Lors de la définition du projet, il a été déterminé que le promoteur devait placer ces trois contraintes par ordre d'importance pour son projet. Dans des situations extrêmes où il est impossible de respecter les trois contraintes, le chef de projet doit se reporter à cette hiérarchisation des contraintes faite par le promoteur.

La gestion de projet est une question d'équilibre. Pour illustrer la complexité des actions correctrices, prenons l'exemple d'un spectacle d'un groupe rock d'envergure au Colisée Pepsi de Québec. À quelques heures du spectacle, on s'aperçoit que le promoteur de l'événement accuse un retard dans la préparation des installations. Ici, la contrainte de temps est impérative : il faut terminer les installations avant le début du spectacle ! Il est impossible de reporter. La chef de projet décide donc d'utiliser ses ressources au maximum : on autorise des heures supplémentaires et on affecte de nouveaux employés au montage de la scène. Malheureusement, dans l'empressement, deux employés se sont blessés au travail, l'un sur une pièce pyrotechnique et l'autre en tombant d'une échelle.

Grâce à l'intervention de la chef de projet, les installations ont été terminées à temps. Le spectacle a débuté à l'heure prévue et les spectateurs n'ont rien perçu des mesures prises pour rattraper le retard. Mais à quel prix cela s'est-il fait? Une fois les installations terminées, la plupart des techniciens de scène sont allés visiter leurs deux collègues à l'hôpital plutôt que d'assister à ce spectacle tant attendu. Cette aventure qui s'annonçait pourtant si intéressante leur laisse un goût amer.

L'intervention de la chef de projet a permis de respecter la contrainte la plus importante, soit le délai. En faisant ce choix, elle a sacrifié les deux autres contraintes: autoriser des heures supplémentaires et affecter des ressources supplémentaires fait augmenter les coûts; de plus, ajouter de nouveaux employés à la dernière minute et en faire travailler d'autres plus de 12 heures consécutives peut avoir comme conséquence que le niveau de qualité obtenu soit inférieur aux attentes. Les accidents de travail en sont d'ailleurs une preuve.

Les ressources doivent être au centre des préoccupations du chef de projet. Dans certains cas, celui-ci doit prendre des décisions difficiles à propos de l'affectation des ressources. Le chef de projet est constamment pris entre l'arbre et l'écorce: d'un côté, il doit rendre des comptes au promoteur qui a établi des contraintes et, de l'autre, il doit tirer le maximum des ressources qui lui sont accordées pour le projet. L'équilibre est souvent fragile entre le respect des contraintes et le respect des ressources. Seuls les bons chefs de projet savent maintenir cet équilibre.

5.7 Résumé du chapitre

Dans ce chapitre, nous avons montré que la phase d'exécution est l'étape au cours de laquelle le projet est réalisé. Durant l'exécution, le rôle du chef de projet est de planifier, d'organiser, de diriger et de contrôler. Le chef de projet doit détenir plusieurs compétences afin d'assumer efficacement ses fonctions:

- il doit avoir des compétences en communication;
- il doit savoir planifier, définir des objectifs et analyser des situations;
- il doit détenir des compétences en gestion d'équipe et savoir motiver;
- il doit être un leader énergique et visionnaire;
- il doit faire preuve de flexibilité, de créativité, de patience et de détermination;
- il doit détenir des compétences techniques et de l'expérience, et sa connaissance du projet doit être excellente.

Dans le cadre de ses fonctions, le chef de projet est constamment confronté à des dilemmes éthiques. Il travaille avec l'équipe de projet et doit donc se faire le représentant de ses employés auprès de la direction de l'organisation. Toutefois, il relève de cette même direction et doit rendre des comptes sur la réalisation de son projet.

Puisque le chef de projet doit être un bon chef d'équipe, il est essentiel pour lui de connaître le cycle de développement d'une équipe, qui se divise en cinq phases :

- la formation, phase où l'équipe est mise sur pied ;
- les conflits, où les membres défendent leurs idées et leurs opinions et les confrontent avec celles des autres membres du groupe ;
- la cohésion, où les membres comprennent et respectent davantage les rôles et responsabilités de chacun et sont plus soucieux de s'entendre ;
- le fonctionnement, où les membres s'acquittent de leurs tâches respectives ;
- l'ajournement, où les membres se préparent au démantèlement de l'équipe et doivent être réaffectés à d'autres mandats.

Dans la gestion de groupe, le rôle du chef de projet est de permettre aux individus de passer du fonctionnement de groupe au fonctionnement d'équipe. L'équipe est un petit groupe de personnes dont les compétences sont complémentaires et qui travaillent à l'atteinte d'un objectif commun dont ils se considèrent conjointement responsables. Le chef de projet peut faciliter la transformation d'un groupe à une équipe réelle par différents moyens :

- l'établissement d'objectifs et la rétroaction ;
- la motivation personnelle par la responsabilité mutuelle ;
- le choix d'une taille d'équipe fonctionnelle ;
- la clarification des rôles des membres ;
- l'établissement de normes d'équipe ;
- la cohésion de l'équipe.

▄5.8▄ L'étude de cas : l'exécution d'un projet chez ABY inc.

a) La rencontre de mise en route

Vous voici en pleine rencontre de mise en route du projet. Les gens commencent à prendre place dans la salle qui a été réservée pour vous et votre équipe. Lorsque vous avez sélectionné les employés devant travailler sur le projet de la Société canadienne d'hypothèques et de logement (SCHL), vous avez pris soin de vous renseigner sur la majorité d'entre eux auprès de vos collègues. Maintenant, il est temps de forger votre propre opinion. La dynamique du groupe est particulière : les analystes et les programmeurs discutent, mais

les techniciens ne se mêlent pas au groupe. Ce comportement semble confir-
mer ce qu'on vous avait dit : les techniciens de ABY inc. constituent une
confrérie fermée dans laquelle il est difficile de s'intégrer.

La réunion va bon train et vous prenez soin d'expliquer à vos interlocu-
teurs l'importance du projet pour le client et pour votre entreprise. Vous dis-
tribuez ensuite les assignations de travail. Vous informez votre groupe que,
lorsque vous avez créé les équipes de travail, vous avez pris soin de mettre
en place des équipes multidisciplinaires. Ainsi, on trouve des programmeurs, analystes et techniciens dans chacune des équipes de travail. Un
silence accablant pèse dans la salle au moment de cette annonce. Vous
sentez déjà la soupe chaude ! Vous concluez la réunion par quelques mots
d'encouragement à l'intention de votre équipe et vous rappelez à tous que
vous êtes disponible pour leur offrir tout le soutien nécessaire à la réalisation de leurs tâches.

Une fois la rencontre ajournée, les techniciens du groupe viennent vous
voir : « Écoutez, on ne croit pas que ce soit une bonne idée de créer des
équipes multidisciplinaires. Dans les autres projets, les techniciens travaillent ensemble. On laisse les analystes déterminer le travail à faire, puis on
intervient sur le plan technique, selon les spécifications qu'ils nous ont
transmises. On a toujours travaillé ensemble et on aimerait que ça demeure
comme ça. De toute façon, on est plus efficaces quand on travaille en
groupe, nous. »

Que faire ? Vous ne voulez certainement pas chambarder les habitudes
des employés dès votre premier projet, mais il vous semble que cette
approche n'est pas gagnante. Mais peut-être auraient-ils raison ? Le choix de
vos équipes pourrait-il les empêcher de travailler efficacement ? Quoi qu'il
en soit, vous devez prendre position et répondre ! Alors, qu'allez-vous faire ?

b) Les modifications

Votre projet est maintenant bien entamé et les activités vont bon train. En
tant que chef de projet, vous veillez à la progression du projet sous ses différents aspects : suivi de l'avancement, des coûts et de la qualité.

Voici ce que vous avez constaté relativement à votre projet jusqu'à
maintenant.

- Le projet a débuté avec cinq jours de retard.

- L'analyste en sécurité de l'entreprise a pris un congé de maladie d'une
  durée indéterminée. Si vous avez engagé cette ressource, il faut maintenant engager un sous-traitant. Ajoutez une tâche « Recrutement analyste » à votre organigramme des tâches. Durée : cinq jours. Coût fixe :
  1 000 $. Considérez que cette tâche est critique et qu'elle retarde la fin du
  projet de cinq jours.

- La livraison des ordinateurs a accusé un retard de quatre jours.

- Si vous avez engagé un apprenti analyste, augmentez de 20 % la durée de
  toutes les tâches auxquelles vous l'avez affecté. Les apprentis constituent
  des ressources moins productives que les employés d'expérience de l'entreprise.

- Si vous avez engagé un apprenti programmeur, augmentez de 15% la durée de toutes les tâches auxquelles vous l'avez affecté.

Ajustez la planification de votre projet en tenant compte des modifications précédentes. Produisez un rapport de suivi du projet en cinq sections : la définition de la planification initiale, le contrôle de l'avancement, le contrôle des coûts, le contrôle de la qualité et les actions correctrices.

5.9 Questions de révision

1 En quoi consiste la phase d'exécution du projet ? Quel est l'événement qui marque le début de l'exécution ?

2 On dit d'un gestionnaire qu'il doit planifier, organiser, diriger et contrôler. Donnez un exemple de chacune de ces activités en vous basant sur l'étude de cas sur la SCHL.

3 La communication est la compétence la plus importante chez un chef de projet. Expliquez en quoi elle est importante à partir de l'exemple de la rencontre de mise en route du projet.

4 Le chef de projet doit-il déléguer ou intervenir ? Dans quel contexte est-il préférable qu'il délègue ? Dans quel contexte est-il préférable qu'il intervienne ?

5 Le cycle de développement d'une équipe se divise en cinq phases : la formation, les conflits, la cohésion, le fonctionnement et l'ajournement. Définissez chaque phase et donnez-en un exemple concret.

6 Le chef de projet doit amener un groupe d'individus à créer une véritable équipe. Quelles sont les caractéristiques qui distinguent une équipe d'un groupe d'individus ?

7 Dressez le diagramme de Gantt du projet suivant. Établissez la durée totale de ce projet.

Tâche	Durée (jours)	Prédécesseur
A	15	aucun
B	20	A
C	10	A
D	25	C
E	35	B
F	5	D, E

Comme des imprévus sont survenus en cours de projet, appliquez les modifications suivantes à votre planification : la tâche B s'est terminée en 14 jours au lieu de 20 ; un délai a retardé le début de la tâche C de 10 jours ; la tâche D s'est terminée en 30 jours plutôt que 25.

a) Quelles sont les incidences de ces imprévus sur la date de fin du projet ?

b) Cette nouvelle situation est-elle souhaitable ? Des actions correctrices doivent-elles être engagées ? Si oui, lesquelles ?

8   Dressez le diagramme de Gantt du projet suivant.

Tâche	Durée (semaines)	Prédécesseur	Ressources
A	3	aucun	Stéphane
B	4	A	Stéphane
C	2	A	Marc
D	3	C	Martine
E	5	C	Martine (2 1/2 jours), Michel (2 1/2 jours)
F	2	D	Stéphane

Vous effectuez une opération de suivi au huitième jour de votre projet. Comme des imprévus sont survenus en cours de projet, appliquez les modifications suivantes à votre planification : Stéphane a pris cinq jours pour compléter la tâche B ; Michel ne peut s'acquitter de sa tâche, c'est Martine qui doit la réaliser au complet, à sa place.

Produisez un rapport de suivi du projet en cinq sections : la définition de la planification initiale, le contrôle de l'avancement, le contrôle des coûts, le contrôle de la qualité et les actions correctrices. Répondez aux questions suivantes :

a) Quelles sont les incidences de ces imprévus sur la date de fin du projet ?

b) Si chaque employé est payé 100 $ par jour de travail, quelles sont les incidences de ces imprévus sur le budget du projet ?

c) Cette nouvelle situation est-elle souhaitable ? Des actions correctrices doivent-elles être engagées ? Si oui, lesquelles ?

Chapitre 6

La clôture du projet

6.1 **L'étude de cas : la clôture d'un projet chez ABY inc.**

6.2 L'importance de clore le projet pour les intervenants

6.3 La clôture du projet chez le promoteur

6.4 La clôture du projet chez le mandataire

6.5 Résumé du chapitre

6.6 **L'étude de cas : la clôture d'un projet chez ABY inc.** (*suite*)

6.7 Questions de révision

Annexe

6.1 L'étude de cas : la clôture d'un projet chez ABY inc.

Le projet ÉMILI à la Société canadienne d'hypothèques et de logement (SCHL) est maintenant terminé. Le système informatique est installé, la formation a été donnée aux souscripteurs qui l'utilisent et son exploitation a commencé la semaine dernière. À l'exception d'un petit bogue rapporté dans les premiers jours d'utilisation, il semble que le système est stable et fonctionnel. La SCHL se dit très satisfaite du système livré.

En tant que chef de projet, vous êtes particulièrement heureux du travail de votre équipe. Malgré les difficultés éprouvées en cours de route, vous avez réussi à livrer un projet de qualité. Consciente de la qualité de votre travail, Elsie Paoletti, la directrice des projets chez ABY inc., vous a déjà confié deux nouveaux mandats en vous précisant que l'un d'eux est urgent. Il vous faut donc organiser votre temps efficacement pour répartir vos efforts entre les deux projets.

Alors que vous vous égarez dans ces réflexions, Daniel Désilets fait irruption dans votre bureau, un large sourire accroché au visage : « J'ai appris qu'on vous a confié deux nouveaux projets, dit-il. Félicitations ! » « Merci, répondez-vous en vous efforçant de ramener votre esprit à la conversation. J'étais justement en réflexion à ce sujet. Je compte appeler d'abord le client prioritaire et lui proposer une rencontre pour l'aider à établir ses besoins. » Daniel s'avance vers vous avec un regard inquiet : « Avez-vous pris le temps de compléter le rapport de clôture pour la SCHL ? » Vous vous demandez bien de quoi il parle... Vous avez pourtant l'impression que ce projet est terminé. Après tout, vous avez livré le système et votre client s'en est montré satisfait. Tous les employés de votre service ont défilé dans votre bureau depuis quelques jours pour vous féliciter de votre succès et voilà que Daniel vous parle de clôture... Ne serait-il pas temps de passer à autre chose ?

Voyant votre regard interrogateur, Daniel indique du nez les documents qui jonchent votre bureau. « Qu'est-ce que c'est, ça ? » lance-t-il d'un ton accusateur. « Des documents à classer pour le projet SCHL. Je ne sais pas trop où les mettre, ma filière est pleine ! » Daniel éclate alors de rire : « Ça fait trois mois que vous êtes en poste et votre filière est déjà pleine ! Vous en accumulez, du papier... Écoutez, je vous suggère de faire un rapport de clôture : ça vous permettra de ne retenir que l'essentiel de tous ces documents et de les résumer dans un rapport qui sera utile pour vous et les autres chefs de projet dans l'avenir. »

À première vue, vous ne partagez pas l'opinion de Daniel. Après tout, l'information nécessaire est déjà consignée dans les documents, il vous semble inutile de tout réécrire. Ensuite, vous avez d'autres priorités dont il faut vous occuper et vous disposez de bien peu de temps pour réfléchir à un projet déjà terminé. Deux autres projets sont sur la table et les clients attendent votre appel. Vous vous dites qu'il faut savoir gérer les priorités! Pour ne pas vexer Daniel, vous lui indiquez simplement que vous allez y voir plus tard.

Durant la journée, vous recevez deux courriels importants. Le premier est de Mélanie Price, la directrice des ressources humaines. Mme Price aimerait vous rencontrer pour discuter de l'utilisation des ressources et procéder à une petite évaluation des personnes impliquées. Cette rencontre doit avoir lieu d'ici la fin de la semaine. Le second courriel vous a été envoyé par Elsie Paoletti. À votre grande surprise, l'objet de ce courriel n'est pas les projets à venir, mais plutôt le projet SCHL. Paoletti aimerait vous voir pour discuter de difficultés éprouvées dans la réalisation du projet et des apprentissages qu'il faut en tirer. Elle aussi aimerait vous rencontrer avant la fin de la semaine.

Vous répondez aux deux courriels en spécifiant vos disponibilités. Évidemment, il est impensable d'arriver sans préparation à ces deux réunions. Vous décidez donc de rassembler les documents pertinents et de préparer une évaluation des membres de votre personnel. En feuilletant les documents du projet, vous constatez qu'ils renferment une foule de renseignements pertinents qui rendent compte en détail de tout ce qui s'est passé depuis le lancement du projet: les comptes rendus des rencontres avec le client et ceux des rencontres d'équipe de projet, la définition du projet, la planification initiale et les modifications qui y ont été apportées, les congés des employés, les retards accumulés, les difficultés techniques et organisationnelles, les risques anticipés et ceux qui se sont réalisés, le budget, les dates clés et les livrables, etc. Il est de toute évidence impossible d'apporter tout ça à une réunion et d'en parler pendant des heures... Il faut rassembler l'essentiel et produire un document qui résume bien le projet. Ah! ce Daniel, son expérience est réellement bénéfique...

6.2   L'importance de clore le projet pour les intervenants

La clôture du projet doit être faite à la fois par le promoteur et par le mandataire. Cette activité démarre dès que l'extrant du projet est livré par le mandataire et qu'il est accepté par le promoteur. L'acceptation de l'extrant par le promoteur marque donc la fin de la phase d'exécution et le début de la phase de clôture. Cette phase a pour objectif de tirer des leçons du projet qui vient de se terminer pour améliorer les pratiques de gestion des projets à venir.

Dans le tourbillon des opérations quotidiennes, beaucoup d'organisations décident d'ignorer cette étape, bien qu'elle soit essentielle à l'amélioration de la qualité des projets suivants. Faire la clôture du projet n'apporte pas de bénéfices à court terme à l'organisation, il s'agit plutôt d'un investissement pour l'avenir. Or, il est parfois difficile pour certaines organisations de justifier l'affectation d'une personne à des tâches stratégiques comme la clôture du projet, alors que certaines tâches opérationnelles manquent cruellement de ressources. Néanmoins, de plus en plus d'organisations réalisent l'importance de cette étape : il s'agit de construire pour l'avenir de l'organisation et le développement professionnel des employés.

Les activités de la phase de clôture se déroulent de façon indépendante chez le promoteur et chez le mandataire. Les sections suivantes expliquent quelles sont les activités de clôture à réaliser chez ces deux intervenants.

6.3 La clôture du projet chez le promoteur

La durée et l'intensité de la phase de clôture sont variables. Dans les jours suivant la livraison de l'extrant du projet par le mandataire, le promoteur doit tester le produit ou le service livré et décider s'il l'accepte ou non. Cette étape se situe à la frontière de la phase d'exécution et de la phase de clôture. Une fois le projet accepté, la phase de clôture débute réellement et la phase d'exécution se termine. C'est à ce moment que le promoteur doit régler la facture finale du mandataire et s'assurer de l'application des clauses terminales : pénalité de retard, prime de performance, coût des travaux supplémentaires, etc. Une fois ses engagements légaux remplis, le promoteur doit préparer un rapport d'évaluation du projet.

6.3.1 Le rapport d'évaluation du projet

L'objectif du rapport est de permettre au promoteur de se poser des questions sur la pertinence du projet et l'atteinte des bénéfices anticipés. Ce rapport est rédigé par l'administrateur du projet chez le promoteur, qui est l'interlocuteur du chef de projet. Le rapport d'évaluation s'adresse à la direction du promoteur et doit traiter des sujets suivants.

a) L'introduction et la présentation du projet

Une fois complété, le rapport de clôture sera archivé et il pourra être consulté par des gestionnaires dans les années suivantes. Il est donc important de mettre le projet en contexte et d'en présenter les contraintes de réalisation (coût, temps et qualité). De plus, on doit faire clairement état des besoins qui ont motivé le projet, puisque les autres sections du rapport servent entre autres à établir si le projet répond efficacement à ces besoins.

b) La décision de réaliser le projet

Le promoteur doit se poser des questions à propos de la décision qu'il a prise de réaliser le projet. Dans le cas d'un projet abandonné en cours de réalisation, il est essentiel de se demander quelles sont les raisons qui ont conduit à cette décision. Ce questionnement devrait permettre au promoteur de ne pas commettre les mêmes erreurs dans l'avenir. Dans le cas d'un projet terminé normalement, le promoteur doit se questionner sur son utilisation de l'extrant du projet. Si le produit livré est remisé sur une tablette et qu'il y prend de la poussière, il n'était peut-être pas adéquat de décider de réaliser ce projet.

c) Le choix du mandataire

Le choix du mandataire est une étape critique pour le promoteur. Une fois le projet complété, il y a lieu, pour le promoteur, de se demander si le choix a été pertinent. Cette remise en question devrait porter sur la qualité des livrables rendus par le mandataire, le respect des échéances et la qualité de la relation entretenue durant la réalisation du projet.

d) Le succès du projet

Évidemment, le promoteur doit se poser des questions sur le succès du projet dans son ensemble. Cette section ne doit pas être l'occasion de faire la critique de l'utilisation de l'extrant du projet, mais plutôt d'évaluer le succès du projet lui-même.

Pour évaluer le succès d'un projet, la plupart des gestionnaires se servent de critères traditionnels : le coût, le temps et la qualité. Ils se demandent alors si on a respecté le budget établi, si la remise des livrables a été faite selon l'échéancier et si les critères de qualité ont été respectés.

Ces questions sont directement liées aux attentes du promoteur envers le mandataire et elles permettent d'évaluer le projet de façon objective. Toutefois, elles ne permettent pas d'évaluer de façon détaillée le succès du projet dans son ensemble. Pour y parvenir, le gestionnaire doit faire appel à des critères d'évaluation plus variés. Le tableau 6.1 présente quelques critères qui permettent d'effectuer l'évaluation du succès du projet de façon plus détaillée.

e) La rentabilité de l'extrant

La conclusion du rapport d'évaluation du projet devrait porter sur la rentabilité de l'extrant et son exploitation. Plus le rapport est réalisé tôt dans la phase de clôture, plus il est difficile d'évaluer la rentabilité. Néanmoins, lors de la définition du projet, des critères de rentabilité devraient avoir été définis, notamment à l'aide du calcul de la valeur actuelle nette et du délai de récupération (il a été question de ces calculs au chapitre 3). Le promoteur peut choisir d'évaluer la possibilité d'atteindre ces objectifs dans les mois et les années à venir. Il doit aussi enquêter sur l'utilisation faite de l'extrant du projet : il doit établir si cette utilisation correspond à ce qui avait été planifié initialement.

Tableau 6.1   **Les critères d'évaluation du succès d'un projet**

Critère	Explication
1. La performance technique	Chaque livrable doit respecter les critères établis lors de la définition du projet.
2. L'efficience de l'exécution	La réalisation du mandat doit avoir été faite dans les conditions les meilleures et au coût le plus bas possible.
3. Le niveau de satisfaction	La mesure de la satisfaction des clients ou des utilisateurs devrait être faite rapidement après la mise en service de l'extrant du projet, qu'il s'agisse d'un produit ou d'un service. La mesure de la satisfaction constitue un indicateur essentiel du succès du projet.
4. La fabricabilité du produit livré	La fabricabilité est l'«aptitude d'un produit à être réalisé, facilement, de façon constante et avec une excellente qualité[1]». On peut mesurer le succès d'un projet de réalisation d'un prototype par son niveau de fabricabilité, une fois qu'il est mis en production.
5. La performance commerciale	Les ventes au détail d'un nouveau produit commercialisé représentent un excellent indicateur du succès du projet. Cet indicateur est plus direct et plus facile à obtenir que le niveau de satisfaction des clients.

Dans la pratique

Le Quartier international de Montréal, un succès sur toute la ligne !

Si vous avez l'occasion de vous balader au centre-ville de Montréal par une belle journée d'été, faites un détour par le Quartier international. Le nom de ce quartier ne vous dit peut-être rien, mais il vaut la peine d'être connu. Enclavé entre le centre des affaires et le Vieux-Montréal, ce quartier, qui était jadis un peu morne, s'est découvert une personnalité. Est-ce en raison de l'agrandissement du Palais des congrès, de l'érection du nouvel édifice de la Caisse de dépôt et placement du Québec, de l'aménagement de la place Jean-Paul-Riopelle ou simplement du mobilier urbain avant-gardiste qu'on y a installé ? Quelle qu'en soit la raison, les passants s'y arrêtent pour regarder, les touristes y font un détour et les gens d'affaires du quartier en sont satisfaits.

Le Quartier international de Montréal est délimité par le quadrilatère formé des rues Saint-Urbain à l'est, University à l'ouest, De La Gauchetière au nord et Notre-Dame au sud. L'ambitieux projet a consisté à faire un réaménagement urbain complet du quartier et à solliciter les riverains (les habitants du quartier, principalement des entreprises et des organismes internationaux) à investir dans l'amélioration de leurs installations. Ainsi, le projet de 90 M$

---

1. *Grand dictionnaire terminologique* de l'Office québécois de la langue française, article «fabricabilité», [En ligne], [www.granddictionnaire.com] (22 décembre 2005).

a suscité des investissements parallèles de 850 M$ de la part des riverains. Le projet a été mené par un organisme sans but lucratif (OSBL) fondé en 1998 spécialement pour l'occasion, Quartier international de Montréal, en collaboration avec la Ville de Montréal et la Caisse de dépôt et placement du Québec, qui en est le principal partenaire financier.

Les travaux de construction ont débuté en janvier 2000 et se sont terminés à l'été 2004. Parmi ces travaux, on compte le réaménagement urbain des parcs et aires de détente, le remplacement du mobilier urbain, l'asphaltage des rues et la réfection des trottoirs, ainsi que le recouvrement du tunnel Ville-Marie. Mais plus que tout, le projet a suscité l'adhésion et la participation de tout le quartier. Les riverains ont apporté de l'eau au moulin et leur contribution a permis l'agrandissement du Palais des congrès et la construction du nouveau siège social de la Caisse de dépôt et placement du Québec, d'un stationnement souterrain de 1 300 espaces et de nouveaux tronçons de corridors piétons souterrains.

Une fois le projet terminé, Quartier international de Montréal a soumis sa candidature au titre de « Project of the year » du Project Management Institute (PMI). L'OSBL montréalais a remporté les grands honneurs, décrochant ainsi **la plus haute distinction mondiale en gestion de projet** ! Quelle réussite ! Martin Maillet, gestionnaire principal des projets spéciaux et des communications à Quartier international de Montréal, apporte cependant cette nuance : « Attention ! Le prix de "Project of the year" porte sur la gestion du projet et non sur son résultat. Ce que les gens du PMI ont évalué, c'est la qualité de la gestion et de la coordination du projet. » Mais comment un projet d'envergure moyenne (90 M$ répartis sur trois ans) comme celui du Quartier international a-t-il pu rafler les honneurs et se distinguer ainsi sur la scène internationale ? « À cause de la qualité, répond sans hésitation M. Maillet. Le mot d'ordre, tout au long du projet, était d'assurer une communication hors pair entre le promoteur (la Ville de Montréal), le commanditaire (la Caisse de dépôt et placement du Québec), les gestionnaires du projet (Quartier international de Montréal), les entrepreneurs en construction, les architectes et les riverains. »

Tous les partenaires étaient représentés au conseil d'administration de Quartier international de Montréal, ce qui permettait à chacun de prendre part aux décisions. Le Quartier international de Montréal peut être considéré comme le premier partenariat public-privé de l'histoire du Québec. Son succès repose sur l'approche qui a été privilégiée par les gestionnaires de Quartier international de Montréal : faire appel au savoir-faire local. Selon eux, faire affaire avec les meilleurs professionnels locaux assure au projet une qualité optimale.

En 2006, l'OSBL dirige le projet de réaménagement de l'avenue McGill College au centre-ville de Montréal. Mais son avenir n'est pas assuré. À l'origine, Quartier international de Montréal a été formé pour un seul projet et devait être ensuite dissous. Mais comment fermer les portes d'un organisme qui a cumulé 23 prix dans 13 différents domaines, allant de la gestion de projet à l'aménagement urbain, en passant par la contribution au tourisme et à l'art ? Quartier international de Montréal est arrivé à démontrer que sa structure organisationnelle est gagnante et qu'elle permet non seulement d'atteindre ses objectifs, mais aussi de dépasser les attentes.

6.4 La clôture du projet chez le mandataire

En ce qui a trait à la clôture du projet par le mandataire, son responsable en est le chef de projet. Parmi les activités de la phase de clôture, notons les suivantes :

- mettre fin à la relation avec le promoteur ;
- évaluer et réaffecter les ressources ;
- rédiger un rapport de clôture.

6.4.1 La relation avec le promoteur

Tout au long de la réalisation du mandat, le chef de projet a eu la responsabilité d'entretenir une relation de confiance avec le promoteur. Une fois l'extrant du projet livré et accepté par le promoteur, il est temps d'honorer les derniers engagements contractuels qui lient les deux parties. Par exemple, si des travaux supplémentaires ont été rendus, ils doivent être facturés par le mandataire. Certains contrats exigent aussi du mandataire qu'il remette un rapport de fin de projet au promoteur. Ce rapport contient essentiellement la liste des livrables du projet et les dates auxquelles le promoteur les a acceptés. Le mandataire peut aussi être encore lié à certains sous-traitants avec lesquels il a fait affaire en cours de projet. À la phase de clôture, il est essentiel de s'assurer que toutes les clauses des contrats signés par le mandataire avec le promoteur ou les sous-traitants sont respectées. Encore une fois, c'est le chef de projet qui est responsable de cette vérification ; dans le cas de projets de grande envergure, il reçoit souvent l'aide d'un avocat.

Le chef de projet doit aussi mettre fin aux relations interpersonnelles avec le représentant du promoteur. Une fois l'extrant final livré, l'administrateur du projet pour le promoteur est souvent muté à un autre projet en démarrage. Le chef de projet doit donc faire affaire avec un nouvel interlocuteur, qui est nommé responsable de l'exploitation de l'extrant du projet. Souvent, cette personne ignore les détails du processus de gestion du projet. Ce qui l'intéresse vraiment, c'est l'exploitation de l'extrant et l'atteinte des objectifs de rentabilité fixés initialement. Le chef de projet a donc fort à faire pour assurer le suivi et le service après-vente auprès du nouveau responsable du dossier.

6.4.2 L'évaluation et la réaffectation des ressources

Le projet fini, les ressources qui y étaient affectées doivent être libérées et réaffectées à un autre projet. La responsabilité du chef de projet est d'informer la direction du mandataire du moment auquel les ressources redeviennent disponibles pour un autre projet. Ce changement d'assignation pour les membres de l'équipe du projet peut se faire graduellement. Il arrive que, durant la phase de clôture, le chef de projet ait toujours besoin de l'aide de certains membres de l'équipe afin de rédiger le rapport de clôture et de vérifier certains renseignements, ou simplement pour assurer le service après-vente au promoteur. Ces ressources peuvent être réaffectées graduellement à d'autres projets. Par exemple, un employé peut consacrer trois jours par semaine à la clôture d'un projet et deux jours à la définition d'un nouveau projet auquel il a été affecté. La semaine suivante, il peut consacrer deux jours à la clôture et trois jours au nouveau projet puis finalement se consacrer entièrement au nouveau projet à la troisième semaine. La réaffectation des ressources n'est pas sous la responsabilité du chef de projet. Sa responsabilité se limite à la libération des ressources, alors que c'est la direction du mandataire qui doit s'assurer de les réaffecter.

Dans un projet d'une certaine envergure, le chef de projet doit contribuer à l'évaluation du personnel de l'équipe de projet. Cette évaluation est traditionnellement effectuée par le directeur fonctionnel de l'employé. Par exemple, dans le cas d'un employé du service de marketing, c'est le directeur du marketing qui est responsable de son évaluation annuelle. La tendance actuelle est de faire évaluer un employé par plusieurs des personnes ayant travaillé avec lui durant la dernière année. À cet effet, un questionnaire d'évaluation est envoyé à ses collaborateurs afin de leur permettre d'exprimer leur opinion face à son travail : collègues, supérieurs, chefs de projet, clients et collaborateurs sont donc invités à réaliser une part de l'évaluation de l'employé. Celui-ci, pour sa part, remplit le même questionnaire. Un responsable des ressources humaines peut ensuite rencontrer l'employé en compagnie de son directeur fonctionnel afin d'établir la liste de ses forces et faiblesses, puis de comparer les résultats de son autoévaluation à ceux des évaluations faites par ses collègues. Une évaluation faite par cette technique permet de faire une évaluation plus complète que l'évaluation traditionnelle et d'éviter les partis pris causés par des conflits de personnalité.

Le chef de projet doit procéder à deux autres évaluations : celle de la qualité de la communication au sein de l'équipe de projet et celle de l'intégration des membres dans l'équipe. Pour y parvenir, il demande généralement aux membres de l'équipe de projet de remplir un questionnaire. Les résultats de ce questionnaire sont compilés par le chef de projet et peuvent être utilisés pour expliquer certaines difficultés vécues lors du déroulement du projet. Le tableau 6.2 présente un exemple de questionnaire d'évaluation du travail de l'équipe.

6.4.3 Le rapport de clôture

Le rapport de clôture a pour objectif de tirer des leçons, sur les plans de la technique et de la gestion, du projet qui vient de prendre fin pour le mandataire. Ce rapport, établi sous la responsabilité du chef de projet, s'adresse à la direction du mandataire et se divise en cinq sections. Un exemple de rapport de clôture est présenté en annexe de ce chapitre.

Tableau 6.2 **Un exemple de questionnaire d'évaluation du travail d'équipe**

	En désaccord				En accord
1. L'équipe a fait preuve d'un esprit de corps et chaque membre a travaillé à atteindre les objectifs du projet ou du travail.	1	2	3	4	5
2. Tous les membres de l'équipe ont pu exprimer leur point de vue en étant respectés. Les divergences d'opinion ont été exprimées librement et traitées avec équité.	1	2	3	4	5
3. Tous les échanges entre les membres de l'équipe se sont déroulés dans une atmosphère sereine et agréable.	1	2	3	4	5

a) L'introduction et la présentation du projet

Une fois terminé, ce rapport sera archivé et il pourra être consulté par des gestionnaires dans les années suivantes. Il est donc important de mettre le projet en contexte et d'en présenter les contraintes de réalisation (coût, temps et qualité). De plus, on doit y inclure une présentation du promoteur puisqu'il est l'instigateur du mandat.

b) La décision de solliciter le mandat

Le rapport doit inclure un questionnement à propos de la décision de solliciter le mandat. Ce questionnement porte principalement sur les relations établies avec le promoteur et l'occasion de faire affaire avec lui de nouveau. Le chef de projet doit aussi évaluer la capacité de son organisation à remplir d'autres mandats similaires. Il doit se demander si son organisation détient l'expertise suffisante pour mener à bien un tel mandat de façon que son client y trouve son compte. On ne devrait pas traiter dans cette section de la rentabilité du mandat (on doit plutôt le faire dans la dernière section), puisque le déficit financier d'un projet résulte généralement de problèmes de planification ou d'exécution, et non pas d'un mauvais choix de mandat.

c) La planification

Le chef de projet doit revoir la planification initiale et vérifier si elle a été respectée dans ses grandes lignes. Si c'est le cas, on peut considérer qu'il s'agit d'une planification réaliste qu'on pourrait reprendre dans un contexte semblable. On peut parfois considérer que la planification est réaliste même si on n'a pas réussi à la respecter dans quelques cas, par exemple si les manquements sont de rares exceptions ou s'ils sont causés par des facteurs imprévisibles au moment de la planification. Dans le cas où la planification n'a pas été respectée, le chef de projet doit déterminer quelles sont les raisons qui ont entraîné des modifications. Ce retour sur les erreurs permet de s'assurer qu'elles ne seront pas répétées dans l'avenir.

d) L'exécution

L'évaluation de l'exécution du projet doit se faire sur deux plans. Le premier concerne la gestion du projet. Généralement, on demande à l'administrateur du projet (c'est-à-dire l'interlocuteur du chef de projet chez le promoteur) de faire une évaluation de la qualité du travail du chef de projet. Évidemment, cette demande vient de la direction du mandataire et non du chef de projet à lui-même. À cette évaluation externe s'ajoute la perception du chef de projet lui-même. Il doit se demander s'il a réussi à tirer le meilleur de son équipe de travail, à exploiter l'ensemble des ressources (humaines et matérielles) mises à sa disposition et à développer des relations d'affaires efficaces. Pour répondre à ces questions, le chef de projet peut entre autres reprendre les réponses données dans les questionnaires remplis par les membres de son équipe à l'occasion de leur évaluation du projet.

L'évaluation porte aussi sur un autre plan, celui des habiletés techniques acquises ou développées au cours du projet. Le chef de projet doit faire un recensement des problèmes techniques connus en cours de mandat et expliquer ce qui a été fait pour les corriger. Ce recensement vise à éviter les difficultés techniques dans de futurs projets semblables ou à simplement consigner par écrit des solutions à des problèmes techniques qui pourraient se présenter de nouveau.

Cette section du rapport prend la forme de leçons apprises en cours de projet. L'important n'est pas d'établir une liste des problèmes relatifs à la technique et à la gestion, mais de faire des apprentissages et de tirer des leçons des situations vécues.

e) La rentabilité du mandat

La conclusion du rapport de clôture du projet doit porter sur la rentabilité du mandat accepté. Lorsqu'elle a sollicité le mandat, l'organisation a établi un coût probable pour la livraison de l'extrant du projet, puis sa marge bénéficiaire désirée, ce qui lui a permis d'établir le prix à facturer au promoteur. Lorsque la comptabilisation des entrées et sorties de fonds du projet est rigoureuse, il est possible d'établir avec précision la marge bénéficiaire et de vérifier l'atteinte de l'objectif fixé. Si la marge de profit est réalisée, on peut en conclure que le mandat a été rentable. Autrement, il faut établir les raisons qui ont réduit la marge bénéficiaire et proposer des solutions pour les projets à venir.

6.5 Résumé du chapitre

Dans ce chapitre, nous avons présenté les étapes de réalisation de la clôture d'un projet. Rappelons que, chez le promoteur, un rapport d'évaluation du projet doit être rédigé par l'administrateur du projet. Ce rapport comporte cinq sections:

- la présentation du projet;
- la décision de réaliser le projet;
- le choix du mandataire;
- le succès du projet;
- la rentabilité de l'extrant.

Du côté du mandataire, le chef de projet doit s'assurer de conclure les engagements contractuels qui lient son organisation au promoteur et aux sous-contractants. Il doit contribuer à l'évaluation des ressources et à leur réaffectation. Finalement, il doit rédiger un rapport de clôture qui comporte les éléments suivants:

- la présentation du projet;
- la décision de solliciter le mandat;
- la planification;
- l'exécution et les leçons à tirer;
- la rentabilité du mandat.

6.6 L'étude de cas: la clôture d'un projet chez ABY inc. (*suite*)

Vous décidez de prendre le taureau par les cornes et de vous préparer dès maintenant à ces rencontres convoquées par la direction de ABY inc. Dans les dossiers qui vous ont été confiés par Daniel Désilets, vous retracez un questionnaire d'évaluation du travail de l'équipe de projet que vous décidez d'expédier aux membres de votre équipe pour le projet SCHL.

De plus, vous réalisez que Mélanie Price, la directrice des ressources humaines, aura probablement en main, lors de votre rencontre, les résultats d'une enquête faite à votre sujet auprès des gens qui ont travaillé avec vous sur le projet. Vous décidez donc de mettre sur papier ce qui, lors du projet, constitue de bons coups et de moins bons coups, ainsi que les qualités et les faiblesses qui vous ont caractérisé dans votre nouveau rôle de chef de projet.

Prenez quelques instants pour interroger les collègues qui ont travaillé avec vous sur le projet, rédiger votre rapport de clôture et faire votre autoévaluation. Assurez-vous d'inclure les cinq éléments d'un rapport de clôture.

6.7 **Questions de révision**

1   Quel est l'événement qui marque la fin de la phase d'exécution et le début de la phase de clôture?

2   Qui rédige le rapport d'évaluation du projet? À quoi sert-il?

3   En plus du respect des contraintes de coût, de temps et de qualité, sur quels critères peut-on se baser pour évaluer le succès d'un projet?

4   Qui est responsable de la réaffectation des ressources chez le mandataire?

5   Quelles sont les différences entre l'évaluation traditionnelle des employés et l'approche privilégiée dans une organisation qui fonctionne par projets?

6   Qui rédige le rapport de clôture du projet? À quoi sert-il?

7   Dans quel but dresse-t-on une liste des problèmes techniques éprouvés durant le projet?

8   Relevez quatre facteurs qui peuvent réduire la marge bénéficiaire du promoteur.

Exemple de rapport de clôture

1. La présentation du projet

Le projet consiste à implanter le système Omnivox au Cégep Maisonneuve. Le système contient plusieurs modules : le paiement des droits de scolarité en ligne, la production des horaires de cours et la prise de rendez-vous avec les aides pédagogiques individuels.

Notre client, le Cégep Maisonneuve, est un établissement d'enseignement de niveau collégial à Montréal. L'administrateur du projet est Michel Cormier, directeur adjoint du service informatique de l'établissement.

2. La décision de solliciter le mandat

Le client est un établissement du réseau d'éducation public. Son administration est donc parfois lourde, principalement en ce qui concerne le processus d'attribution du mandat. Il nous a fallu remplir plusieurs documents qui ne font habituellement pas partie de notre processus de sollicitation d'un mandat. Néanmoins, la relation avec l'administrateur du projet a été positive.

Le Cégep Maisonneuve est un établissement qui compte près de 6 000 élèves. Il est donc l'un des plus grands cégeps de la province. Comme le projet s'est bien déroulé, nous croyons que notre entreprise peut solliciter d'autres mandats dans n'importe quel établissement collégial du Québec. Une traduction du système permettrait d'exporter notre expertise dans les autres provinces et aux États-Unis.

3. La planification

La planification initiale n'a pas été respectée. Le premier module a été implanté tel que prévu, au mois de mai. Toutefois, l'implantation des autres modules s'est faite avec du retard. L'ensemble du système, avec tous les modules demandés, a été livré en novembre, soit trois mois après l'échéance prévue.

Ce retard s'explique par deux facteurs :

1. L'arrimage d'Omnivox avec le système de gestion des notes du cégep s'est avéré impossible, après plusieurs tentatives infructueuses.

2. Le choix du mois d'août pour la livraison d'un système informatique dans un cégep n'est pas approprié. Le client est alors en plein travail pour organiser le début de la session et la majorité de ses ressources sont utilisées à des opérations essentielles.

4. L'exécution

4.1 La gestion du projet

L'évaluation de la performance du chef de projet est disponible auprès de la direction fonctionnelle.

Le tableau suivant présente les résultats de l'enquête menée auprès des membres de l'équipe de projet.

Question	Score moyen	Interprétation
1. L'équipe a fait preuve d'un esprit de corps et chaque membre a travaillé à atteindre les objectifs du projet.	3,8/5,0	Moyennement élevé : l'équipe a bien travaillé
2. Tous les membres de l'équipe ont pu exprimer leur point de vue en étant respectés. Les divergences d'opinion ont été exprimées librement et traitées avec équité.	3,4/5,0	Moyennement élevé : certains membres de l'équipe n'ont pu exprimer facilement leur opinion
3. Tous les échanges entre les membres de l'équipe se sont déroulés dans une atmosphère sereine et agréable.	4,8/5,0	Élevé : l'atmosphère a favorisé les échanges dans le projet

À cette évaluation s'ajoute la perception du chef de projet. Nous croyons que l'équipe de projet réunie pour l'occasion présentait plusieurs forces : employés d'expérience, gestionnaires accomplis, dévouement évident. Néanmoins, une telle équipe génère régulièrement des conflits et c'est ce qui s'est produit lorsque nous avons constaté que les délais ne seraient pas respectés.

L'ensemble des ressources disponibles a été exploité correctement, à l'exception des ressources rendues disponibles par le client. Il nous a été difficile de coordonner notre effort avec celui des employés à l'interne, par exemple, lors de l'interfaçage avec les systèmes du client.

Les relations d'affaires ont été cordiales et nous croyons que l'administrateur du projet en retire un sentiment de satisfaction.

4.2 Les habiletés techniques développées

Leçon technique : le système Omnivox doit être arrimé au système de gestion des notes à l'aide d'un intergiciel (*middleware*). Il nous faut concevoir un intergiciel qui permet de connecter la fonction de synchronisation d'Omnivox avec des systèmes tiers. La difficulté réside dans la vétusté des systèmes de gestion de notes des cégeps du réseau public québécois. Il est donc difficile de créer un outil intégré à Omnivox. La solution de l'intergiciel nous semble la plus flexible et la meilleure.

Leçon de gestion: le mois d'août n'est pas un bon choix pour la livraison d'un système informatique dans un cégep. Il serait préférable de planifier une implantation en cours de session afin de tester le fonctionnement du système avec des données réelles. La conversion en parallèle doit être privilégiée dans l'implantation d'Omnivox.

5. La rentabilité du mandat

Le tableau suivant présente les revenus planifiés en début de projet.

Type	Description	Facturé	Coût
Logiciel et matériel	• Acquisition des licences du logiciel • Installation d'un nouveau serveur	125 000 $	35 000 $
Main-d'œuvre	• Implantation du système • Interfaçage avec les autres systèmes	83 300 $	33 320 $
Formation	• Formation sur mesure dispensée aux employés du cégep qui devront gérer le système à l'interne	10 000 $	2 500 $
Total		**218 300 $**	**70 820 $**
Marge bénéficiaire		**147 480 $ (68 %)**	

Note: Les frais de développement du logiciel sont répartis sur chacun des projets, ce qui donne 25 000 $ par projet. Le coût du serveur est de 10 000 $.

5.1 Les pénalités au contrat

Le retard a amené une pénalité de 3 000 $ par mois, soit 9 000 $. L'interfaçage avec les autres systèmes étant impossible, une pénalité de 15 000 $ nous a été imposée.

5.2 Les coûts supplémentaires

Les ressources ayant été affectées au projet durant une période plus longue que prévu, les coûts de main-d'œuvre ont été majorés de 8 000 $.

5.3 La rentabilité réelle

Revenus réels:	218 300 $
Coûts réels:	102 820 $
Marge bénéficiaire réelle:	115 480 $ (53 %)

Chapitre 7

L'introduction à l'utilisation du logiciel *Microsoft Project*

● ● ● ● ● ● ● ● ● ● ● ● ●

7.1　L'utilité du logiciel

7.2　Les préalables en informatique et en gestion

7.3　L'interface graphique de *MS Project*

7.4　Un premier projet

7.5　Résumé du chapitre

7.6　Questions de révision

La troisième section de ce livre est consacrée à l'étude du logiciel *Microsoft Project*. Les chapitres 7 à 10 vous permettront d'acquérir les connaissances suffisantes pour utiliser cet outil essentiel au travail du chef de projet et à celui de tous les membres de son équipe.

Le chapitre 7 est une introduction à l'utilisation de *Microsoft Project* à l'aide d'un exemple de projet simple.

Les chapitres 8 et 9 expliquent comment utiliser le logiciel pour faciliter le travail réalisé durant la phase de planification du projet, soit l'élaboration du diagramme de Gantt, l'affectation des ressources, et l'évaluation de la durée et du coût des tâches.

Le chapitre 10 explique comment utiliser le logiciel pour faciliter le travail réalisé durant la phase d'exécution du projet, soit effectuer le suivi de l'avancement et celui des coûts.

7.1   L'utilité du logiciel

Microsoft Project est un progiciel d'ordonnancement. En gestion de projet, il permet de faire plusieurs tâches : la planification, l'affectation des ressources, la répartition du budget et le suivi de l'avancement. Le chef de projet utilise ce logiciel pour s'aider dans ces activités complexes. Comme vous l'avez découvert au chapitre 4 de ce livre, la difficulté de la planification lui vient des multiples interrelations qui existent entre les différentes tâches d'un projet. Il est très difficile, si on n'utilise pas un logiciel spécialisé, de réaliser la planification sans erreur et d'inclure les relations de précédence qui existent entre les tâches, de concevoir la hiérarchie du projet avec ses lots de travail et ses jalons. *Microsoft Project* (aussi appelé *MS Project*) aide le chef de projet en lui permettant de dresser différents scénarios de planification, en lui indiquant les conflits entre les ressources et en produisant une foule de rapports de gestion qui lui permettent de mieux comprendre le projet.

7.2   Les préalables en informatique et en gestion

MS Project a été conçu pour s'harmoniser avec la suite bureautique Microsoft Office. L'interface du logiciel est donc semblable à celle qu'on retrouve dans les logiciels *Word* et *Excel*. On y retrouve les barres d'outils, le compagnon d'aide et le volet Office, des outils qui permettent d'utiliser le logiciel facilement et intuitivement. Dans ce chapitre, nous tenons pour acquis que le lecteur possède déjà, en plus de la connaissance des concepts de gestion de projet acquise dans les six premiers chapitres de ce livre, les préalables informatiques suivants :

- maîtrise de Windows XP;

- connaissance des fonctions principales de *Word* et d'*Excel*;

- connaissance élémentaire de la navigation dans Internet.

Le tableau 7.1 présente les préalables en informatique et en gestion, ainsi qu'une description de chacun d'eux.

7.3 L'interface graphique de *MS Project*

MS Project est un logiciel très complet qui peut être personnalisé à loisir. Ainsi, chaque utilisateur peut définir l'affichage qui lui convient et l'adapter à ses propres besoins. Pour découvrir *MS Project*, trois affichages sont expliqués dans ce chapitre :

- l'affichage Diagramme de Gantt ;

- l'affichage Organigramme des tâches ;

- l'affichage Tableau des ressources.

Tableau 7.1 **Les préalables**

Préalable	Description et utilité
Connaissance des concepts de gestion de projet	Il est essentiel pour l'utilisateur de connaître les phases d'un projet pour comprendre à quels moments l'utilisation du logiciel devient primordiale.
Maîtrise de Windows XP	L'utilisateur doit maîtriser les fonctions élémentaires de démarrage du logiciel, de sauvegarde et de déplacement de fichiers. De plus, l'utilisateur doit distinguer les différents types de fichiers et pouvoir échanger des fichiers avec d'autres utilisateurs.
Connaissance des fonctions principales de *Word* et d'*Excel*	La connaissance des fonctions principales de *Word* et d'*Excel* procure à l'utilisateur une facilité d'utilisation de *MS Project*. Aussi, certaines fonctions de ce logiciel permettent d'exporter des données vers *Word* ou *Excel*, ce qui assure un meilleur traitement de l'information.
Connaissance élémentaire de la navigation dans Internet	Plusieurs ressources d'aide existent dans Internet. Elles permettent à l'utilisateur d'approfondir ses connaissances du logiciel et d'échanger avec d'autres utilisateurs. La maîtrise des fonctions du courrier électronique, dont l'envoi de fichiers en pièces jointes, constitue également un préalable à l'utilisation de *MS Project*.

7.3.1   L'affichage Diagramme de Gantt

À l'ouverture, *MS Project* présente l'affichage Diagramme de Gantt. Cet affichage permet à l'utilisateur de saisir les renseignements suivants concernant les tâches : noms, durées, relations de précédence. L'affichage Diagramme de Gantt est divisé en deux sections. Comme l'illustre la figure 7.1, c'est dans la section gauche de la fenêtre que se trouve la Table et dans la section droite que le diagramme de Gantt apparaît. L'utilisateur peut modifier la largeur des deux sections en faisant glisser la barre de séparation à l'aide de la souris.

Un exemple simple est présenté au tableau 7.2 afin d'illustrer la saisie des renseignements à partir de l'affichage Diagramme de Gantt. Ce tableau présente les tâches, les durées et les prédécesseurs de ce projet.

La figure 7.2 présente la saisie des renseignements à l'écran à l'aide de l'affichage Diagramme de Gantt. On remarque que les renseignements sont saisis dans la section Table de la fenêtre. Il suffit de déplacer la barre de défilement vers la droite ou d'élargir la section Table pour faire apparaître, au besoin, des colonnes supplémentaires pour compléter la saisie.

La figure 7.3 montre la présentation du projet une fois que la saisie de l'ensemble de l'information est complétée.

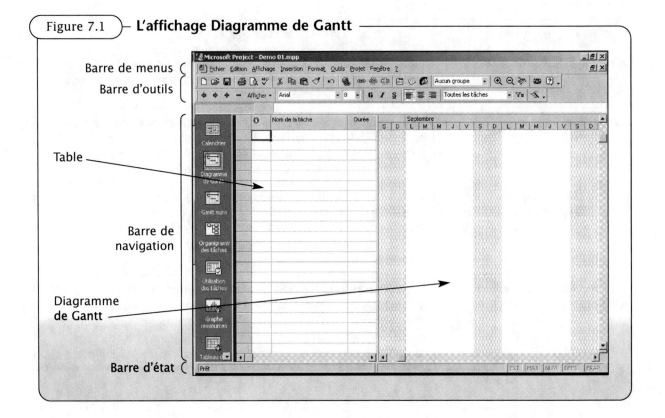

Figure 7.1 — **L'affichage Diagramme de Gantt**

Tableau 7.2 **Un exemple de projet**

Tâche	Durée	Prédécesseurs
A	3 jours	Aucun
B	4 jours	A
C	3 jours	A
D	2 jours	B et C

Figure 7.2 — **La saisie des renseignements**

La saisie
des renseignements
se réalise directement
dans la Table

Les tâches
apparaissent dans
le Gantt à mesure
qu'elles sont saisies
dans la Table

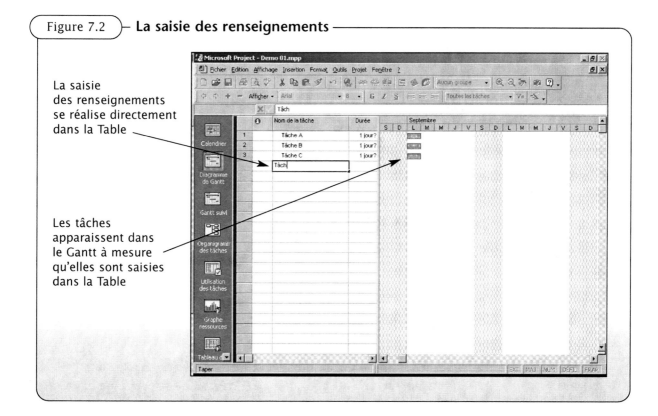

Les trucs du métier

Voici quelques éléments à considérer :

- lorsqu'une tâche compte plusieurs prédécesseurs, ceux-ci doivent être séparés par un point-virgule ;

- il est possible de masquer une colonne inutilisée (clic droit de la souris sur l'en-tête de la colonne, puis Masquer la colonne) ;

- les durées peuvent être saisies en minutes (m ou min), en heures (h ou hr), en jours (j ou jour), en semaines (s ou sms) ou en mois (mois).

Figure 7.3 — **La présentation du projet une fois la saisie des renseignements complétée**

On peut masquer des colonnes ou en modifier la largeur

La barre de séparation permet d'ajuster la largeur de la section Table

La barre de défilement permet d'afficher plus de colonnes

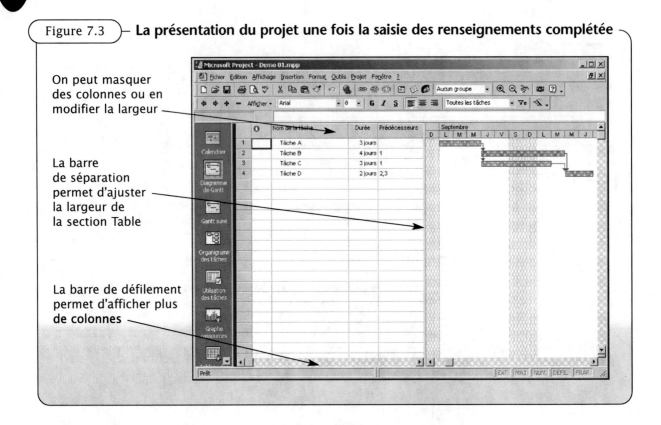

7.3.2   L'affichage Organigramme des tâches

L'affichage Organigramme des tâches est accessible par la barre de navigation, située à l'extrême gauche de la fenêtre de *MS Project*, ou encore par le menu. En tout temps, l'utilisateur peut revenir à l'affichage Diagramme de Gantt par l'un de ces deux moyens.

▶ Affichage/Organigramme des tâches

L'organigramme des tâches représente en fait le réseau du projet. Il permet à l'utilisateur de visualiser l'ordre d'exécution des tâches grâce à une présentation différente de celle du diagramme de Gantt. L'organigramme des tâches est parfois plus facile à utiliser pour procéder à l'inscription des relations de précédence. La figure 7.4 présente l'organigramme des tâches du projet donné comme exemple.

7.3.3   L'affichage Tableau des ressources

L'affichage Tableau des ressources est accessible par la barre de navigation ou par le menu. Il permet de saisir la liste des ressources humaines et matérielles disponibles pour le projet.

▶ Affichage/Tableau des ressources

La figure 7.5 présente le Tableau des ressources pour le projet de l'exemple.

Figure 7.4 — **L'affichage Organigramme des tâches**

Affichage
Organigramme
des tâches

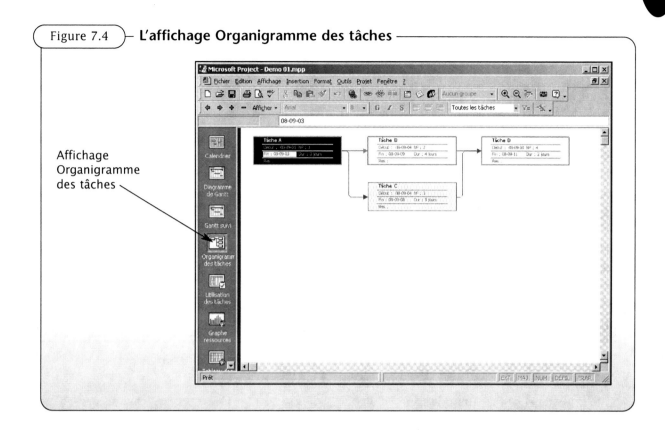

Figure 7.5 — **L'affichage Tableau des ressources**

Trois ressources
sont disponibles
pour le projet

Les ressources
de type Travail
sont des ressources
humaines

Affichage Tableau
des ressources

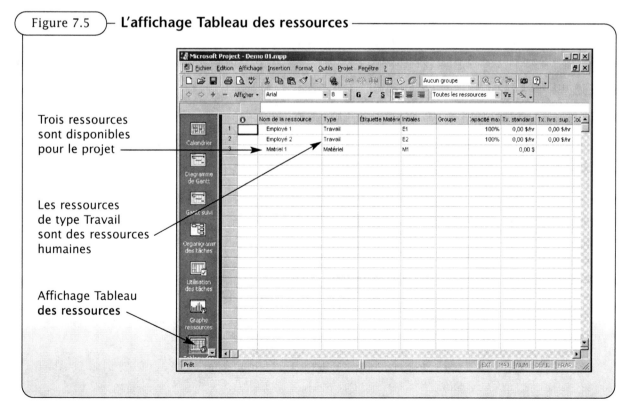

Plusieurs colonnes permettent de saisir l'information nécessaire au logiciel *MS Project* pour l'affectation des ressources aux tâches du projet. Le tableau 7.3 présente ces colonnes et leur signification.

7.4 Un premier projet

Cette section permet de découvrir les fonctions de base de *MS Project* à partir de l'exemple d'un projet simple.

Le service de l'organisation scolaire d'un grand cégep de la région de Montréal entreprend la réorganisation de ses archives. On vous demande

Tableau 7.3 **La signification des colonnes du Tableau des ressources**

Colonne	Explication
Nom de la ressource	Identification de la ressource
Type	• Travail pour une ressource humaine • Matériel pour une ressource matérielle
Étiquette matériel	Permet de saisir les unités de mesure (tonnes, mètres carrés, caisses, etc.) pour une ressource matérielle
Initiales	Identification abrégée de la ressource
Groupe	Permet d'attribuer un groupe d'appartenance à la ressource; particulièrement utile pour trier et regrouper les ressources
Capacité max.	Disponibilité de la ressource pour le projet; une capacité maximale de 100 % signifie que la ressource est disponible pour le projet à temps plein alors qu'une capacité maximale de 50 % signifie que la ressource est disponible à mi-temps
Tx. standard	Taux horaire d'utilisation de la ressource
Tx. hrs. sup.	Taux horaire de la ressource pour les heures supplémentaires
Coût/Utilisation	Coût fixe pour chaque utilisation de la ressource
Allocation	• Début, pour que les coûts soient imputés à la date de début de la tâche • Proportion, pour que les coûts soient répartis sur toute la durée d'exécution de la tâche • Fin, pour que les coûts soient imputés à la date de fin de la tâche
Calendrier de base	Calendrier de travail utilisé par la ressource; par défaut, *MS Project* présente trois choix: Standard, 24 heures et Équipe de nuit
Code	Code d'identification de la ressource utilisé par certaines organisations afin de suivre le travail des ressources entre différents projets

d'évaluer, selon les renseignements disponibles, la date à laquelle il est raisonnable de croire que l'implantation de ce nouveau système sera terminée, sachant que les activités reliées à ce projet débutent le 1er septembre 2008.

7.4.1   La saisie des renseignements sur le projet

La première étape est de démarrer un nouveau projet (un nouveau fichier) à l'aide de *MS Project*, puis de fournir au logiciel l'information nominative du projet. Sauvegardez le fichier sous le nom « Exercice 70.mpp ». Lorsque le logiciel vous offre l'option de sauvegarder avec ou sans planification, choisissez jusqu'à nouvel ordre le second choix. Cette option est expliquée au début du chapitre 10.

La fenêtre Propriétés permet de saisir les renseignements essentiels.

▶ Ficher/Propriétés

Pour faciliter la recherche future du fichier du projet, il est important de fournir certains renseignements, dont ceux présentés à la figure 7.6. Lorsque vous aurez terminé la lecture de ce livre, comme sur le marché du travail, vous aurez plusieurs fichiers de projet en main et vous devrez avoir une méthode de classement afin de retracer quel fichier contient l'information désirée. Prendre le temps de compléter la fenêtre Propriétés est un excellent point de départ.

Figure 7.6 — **La fenêtre Propriétés**

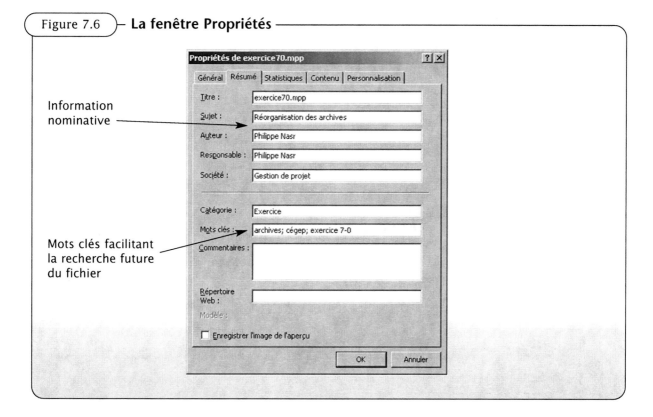

Information nominative

Mots clés facilitant la recherche future du fichier

Avant d'entamer la saisie des tâches, il est essentiel de définir la date de début du projet dans la fenêtre Informations sur le projet. Comme le montre la figure 7.7, indiquez le 1er septembre 2008 comme date de début de projet et comme date actuelle. Notez qu'il est possible de réaliser la planification du projet à partir de la date de sa fin. Cette option permet de commencer par déterminer la date à laquelle un projet doit être terminé et de laisser le logiciel évaluer la date à laquelle il doit être commencé.

▶ Projet/Informations sur le projet

7.4.2 La saisie des tâches

La seconde étape consiste à saisir le nom des tâches, leur durée et les relations de précédence qui les lient. Le tableau 7.4 vous présente la liste des tâches à effectuer pour réaliser le projet.

Il existe, dans *MS Project*, plusieurs moyens différents de saisir les tâches. Nous vous proposons d'utiliser l'affichage Diagramme de Gantt et de saisir d'abord le nom des tâches et leur durée, comme le montre la figure 7.8. Notez que les tâches de durée zéro sont appelées des jalons. Ceux-ci sont des moments importants de l'exécution d'un projet, par exemple la fin d'un livrable.

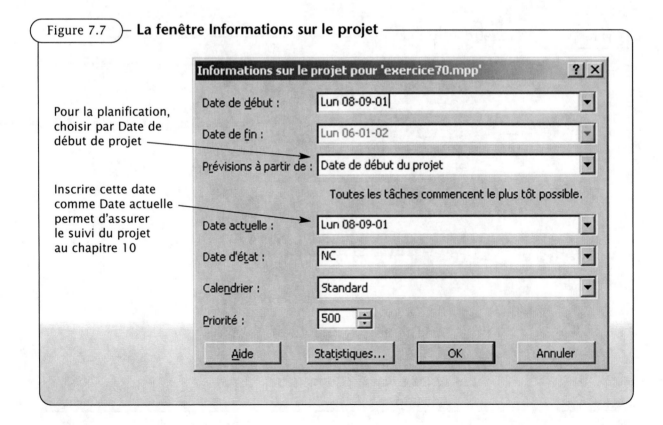

Figure 7.7 – **La fenêtre Informations sur le projet**

Pour la planification, choisir par Date de début de projet

Inscrire cette date comme Date actuelle permet d'assurer le suivi du projet au chapitre 10

Informations sur le projet pour 'exercice70.mpp'

Date de début :	Lun 08-09-01
Date de fin :	Lun 06-01-02
Prévisions à partir de :	Date de début du projet

Toutes les tâches commencent le plus tôt possible.

Date actuelle :	Lun 08-09-01
Date d'état :	NC
Calendrier :	Standard
Priorité :	500

Aide   Statistiques...   OK   Annuler

| Tableau 7.4 | Les tâches du projet d'archive |

	Tâche	Durée	Prédécesseurs
	Début du projet	0	Aucun
A	Étudier l'organisation présente	4 semaines	Début du projet
B	Réviser les procédures actuelles	3 semaines	A
C	Redistribuer les responsabilités	2 semaines	B
D	Commander les classeurs	1 jour	C
E	Élaborer les nouveaux formulaires	1 semaine	C
F	Faire approuver les nouveaux formulaires	1 jour	E
G	Redéfinir les nouvelles tâches	1 semaine	C
H	Former le personnel	5 semaines	G
I	Recevoir et installer les nouveaux classeurs	5 jours	D
J	Élaborer un nouveau système d'indexage	1 semaine	I
K	Roder le nouveau système	1 semaine	J
L	Évaluer les possibilités d'aménagement physique	1 semaine	C
M	Aménager les bureaux	1 semaine	L
N	Implanter le système	2 jours	H, K, M
	Fin du projet	0	N

Les trucs du métier

> Tous les projets comptent au moins deux jalons : l'un qui marque le début du projet et l'autre qui en souligne la fin. Notez également que toutes les durées sont indiquées selon la même unité de mesure (les jours) afin que leur lecture en soit facilitée.

Comme nous l'avons vu au chapitre 4, les tâches d'un projet sont regroupées par lots. Un lot correspond à un groupe de tâches de même nature. Tous les projets comportent au moins un lot, appelé « Tâche récapitulative du projet » ou encore « Lot de niveau 0 ». Ce lot regroupe l'ensemble des tâches du projet. Pour afficher automatiquement le lot de niveau 0, accédez au menu Outils/Options, puis cochez la case Outils/Options/Tâche récapitulative du projet.

Figure 7.8 — **La saisie des tâches**

Les jalons sont indiqués par des losanges noirs

Toutes les durées ont été saisies en nombre de jours

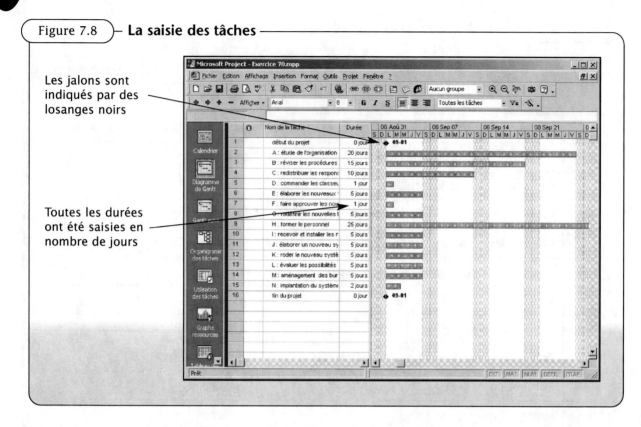

Il est possible d'ajouter d'autres lots pour regrouper certaines tâches du projet. Dans le projet qui sert d'exemple, il est possible d'ajouter trois lots de niveau 1 :

- le lot « Études préliminaires », qui regroupe les tâches A à C ;
- le lot « Système de classement », qui regroupe les tâches D à K ;
- le lot « Aménagement physique », qui regroupe les tâches L à N.

L'insertion d'un lot de travail (autre que la Tâche récapitulative du projet) se fait en quatre étapes :

1. insérer une nouvelle ligne par le menu Insertion/Insérer une tâche ;
2. entrer le nom du lot, mais sans lui assigner de durée ;
3. sélectionner les tâches devant faire partie du lot ;
4. abaisser les tâches d'un niveau grâce au bouton Abaisser de la barre d'outils.

La figure 7.9 présente la structure hiérarchique du projet une fois les lots insérés.

Insérez ces trois lots de travail et, ensuite, utilisez la fiche Informations sur la tâche sous l'onglet Prédécesseurs afin de saisir les prédécesseurs facilement. Vous pouvez accéder à cette fiche à l'aide d'un double-clic sur la tâche à afficher. La figure 7.10 présente la fiche de la tâche N, « Implantation du système ».

▶ Projet/Informations sur la tâche

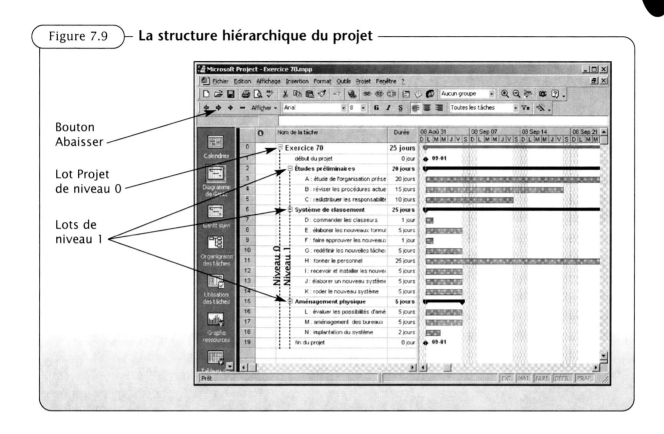

Figure 7.9)— **La structure hiérarchique du projet**

Bouton Abaisser

Lot Projet de niveau 0

Lots de niveau 1

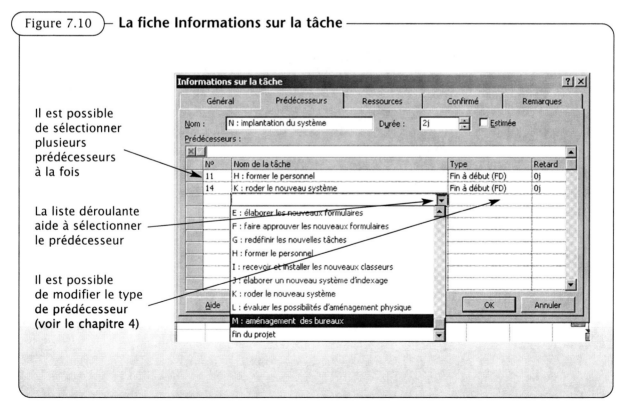

Figure 7.10)— **La fiche Informations sur la tâche**

Il est possible de sélectionner plusieurs prédécesseurs à la fois

La liste déroulante aide à sélectionner le prédécesseur

Il est possible de modifier le type de prédécesseur (voir le chapitre 4)

Une fois les prédécesseurs entrés, jetez un coup d'œil à l'affichage Diagramme de Gantt. Vous verrez que le diagramme n'est pas affiché complètement. En fait, seule la première tâche apparaît dans la fenêtre réservée à l'affichage du Gantt. Pour corriger ce problème, il est nécessaire de modifier l'échelle de temps et le zoom de cette section de la fenêtre. Pour y parvenir, cliquez avec le bouton de droite de la souris sur l'échelle de temps du Gantt, puis choisissez Échelle de temps dans le menu contextuel qui apparaît, comme le montre la figure 7.11.

▶ Format/Échelle de temps

Définissez le découpage principal à Année (fréquence 1), le découpage secondaire à Mois (fréquence 1) et la taille à 300 %. Essayez différentes combinaisons afin de voir leurs effets sur le diagramme de Gantt. La présentation idéale dépend de la résolution d'affichage de votre écran. La figure 7.12 présente la fenêtre Échelle de temps. La saisie des données n'est pas terminée, mais le logiciel prévoit déjà que le projet se terminera le 16 décembre 2008.

7.4.3   La saisie des ressources

L'ordonnancement du projet reste incomplet tant que l'affectation des ressources aux tâches n'est pas effectuée. Cette dernière étape se divise en deux opérations :

Figure 7.11 – **L'échelle de temps du Gantt**

L'échelle de temps du Gantt

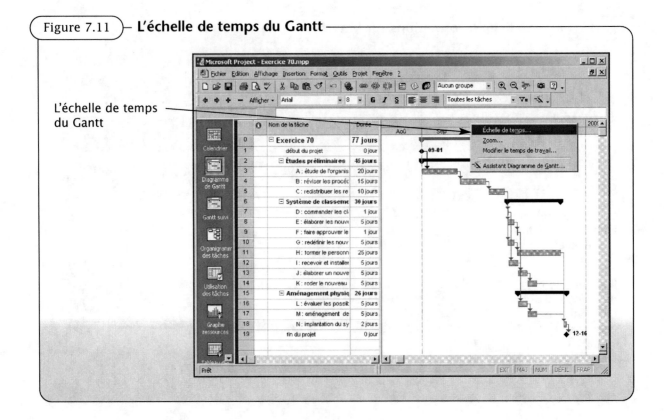

- la saisie des ressources dans le Tableau des ressources;
- l'affectation des ressources aux tâches.

Le tableau 7.5 présente la liste des ressources disponibles pour le projet. Saisissez ces renseignements dans le Tableau des ressources de *MS Project*, comme le montre la figure 7.13.

7.4.4 L'affectation des ressources

Une fois les ressources saisies dans le Tableau des ressources, vous devez les affecter aux tâches. Pour le faire, vous pouvez choisir parmi plusieurs options. Nous vous invitons à afficher le diagramme de Gantt et à utiliser la barre de

Figure 7.12 — **La fenêtre Échelle de temps**

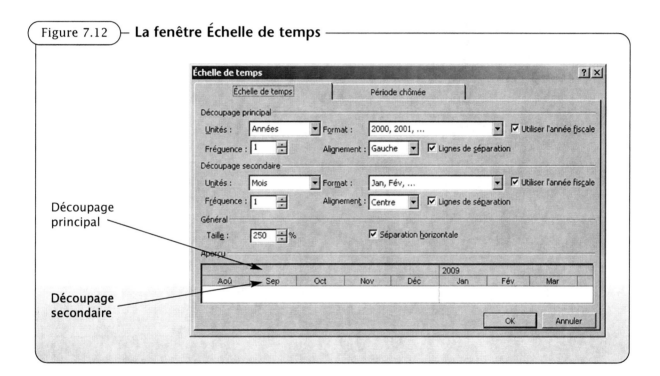

Tableau 7.5 **Les ressources disponibles pour le projet**

Nom de la ressource	Initiales	Capacité max.	Taux standard
Louise	LL	100%	22,00 $/h
Daniel	DD	100%	15,00 $/h
Mike	MK	100%	15,00 $/h
Monique	MN	100%	15,00 $/h

Figure 7.13 — **Le Tableau des ressources**

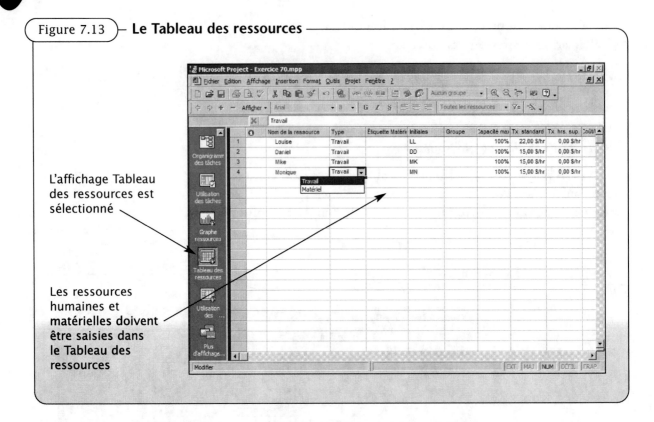

L'affichage Tableau des ressources est sélectionné

Les ressources humaines et matérielles doivent être saisies dans le Tableau des ressources

défilement horizontale de la Table pour afficher la colonne Noms ressources. Vous pouvez alors choisir les ressources parmi celles qui apparaissent dans la liste déroulante, comme il est indiqué à la figure 7.14.

Les trucs du métier

Si plusieurs ressources sont affectées à une même tâche, vous devez les séparer par un point-virgule.

Le tableau 7.6 présente l'affectation des ressources aux tâches du projet. Servez-vous de ce tableau pour affecter les ressources.

Il est à noter qu'aucune ressource n'est affectée à un jalon ou à un lot de travail.

Une fois les ressources affectées aux tâches, la saisie des données de votre projet est complétée. Il ne vous reste plus qu'à analyser les résultats fournis par le logiciel.

7.4.5 L'analyse des résultats

En révisant le projet, on se rend compte qu'il existe une incohérence dans la suite des tâches D, «Commander les classeurs» et I, «Recevoir et installer les nouveaux classeurs». En effet, on vous apprend que la livraison des

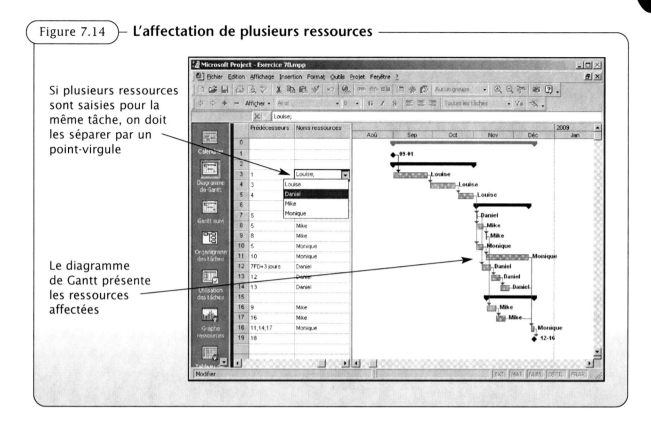

Figure 7.14 — **L'affectation de plusieurs ressources**

Si plusieurs ressources sont saisies pour la même tâche, on doit les séparer par un point-virgule

Le diagramme de Gantt présente les ressources affectées

classeurs est effectuée après un délai de trois jours suivant la commande. Les tâches D et I ne peuvent donc se succéder immédiatement. Pour pallier ce problème, il faut ajouter un retard à la relation de précédence qui unit les deux tâches. Accédez à la fiche Informations sur la tâche I, puis cliquez sur l'onglet Prédécesseurs. Ajoutez un retard de trois jours à la relation de précédence et remarquez l'effet de cet ajout sur la tâche I dans le diagramme de Gantt. Celle-ci a été repoussée de trois jours vers la droite pour tenir compte du délai de livraison.

Tout comme pour la durée des tâches, on peut exprimer la durée des retards en minutes (m ou min), en heures (h ou hr), en jours (j ou jour), en semaines (s ou sms) ou en mois (mois). Ces durées tiennent compte du temps de travail. Pour exprimer un délai en temps réel, par exemple le séchage de la peinture, on exprime la durée en temps écoulé : minutes écoulées (mé), heures écoulées (hé), jours écoulés (jé) ou semaines écoulées (sé). Pour en savoir davantage sur les notions de temps de travail et de temps réel, voir le chapitre 4.

Essayez maintenant de personnaliser l'affichage à l'écran. À l'aide du bouton approprié dans la barre d'outils, lancez l'Assistant Diagramme de Gantt qui permet de présenter le Gantt de façon à mettre en évidence les résultats importants. En effectuant les étapes proposées par l'Assistant, assurez-vous de définir les options suivantes :

Tableau 7.6 **L'affectation des ressources**

	Tâche	Ressource
A	Étudier l'organisation présente	Louise et Daniel
B	Réviser les procédures actuelles	Louise
C	Redistribuer les responsabilités	Louise
D	Commander les classeurs	Daniel
E	Élaborer les nouveaux formulaires	Mike
F	Faire approuver les nouveaux formulaires	Mike
G	Redéfinir les nouvelles tâches	Monique
H	Former le personnel	Monique
I	Recevoir et installer les nouveaux classeurs	Daniel
J	Élaborer un nouveau système d'indexage	Daniel
K	Roder le nouveau système	Daniel
L	Évaluer les possibilités d'aménagement physique	Mike
M	Aménager les bureaux	Mike
N	Implanter le système	Monique

- afficher le chemin critique ;
- afficher les ressources et les dates ;
- afficher les liaisons entre les tâches.

Le diagramme de Gantt vous présente maintenant en rouge le chemin critique (tâches qui ne peuvent être retardées sans que la fin du projet soit elle-même retardée). Rappelez-vous que cette information est primordiale pour le chef de projet. Prenez quelques instants pour repérer les tâches critiques. La figure 7.15 présente la planification du projet complétée.

Le jalon « Fin du projet » est placé à la date du 16 décembre 2008. On constate que l'affectation des ressources et l'ajout du retard n'ont pas retardé la fin planifiée du projet. En effet, le retard ne fait pas partie du chemin critique.

Il est intéressant d'afficher certains rapports lorsque l'ordonnancement du projet est terminé. Le rapport le plus populaire auprès des chefs de projet est le rapport Résumé du projet.

▶ Affichage/Rapports/Vue d'ensemble/Résumé du projet.

Figure 7.15 — **L'ordonnancement du projet complété**

L'Assistant
Diagramme
de Gantt

Le chemin critique
apparaît en rouge

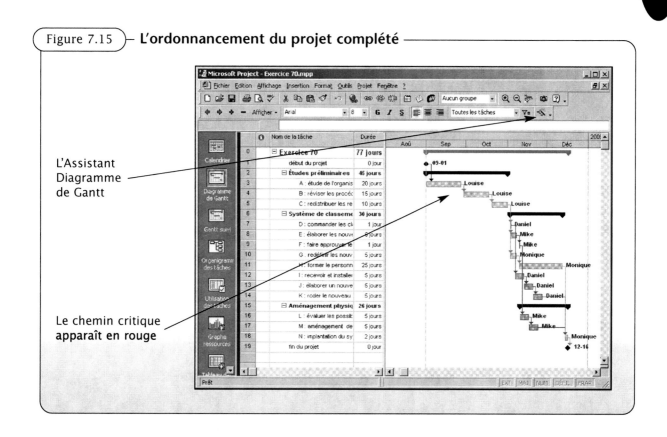

Figure 7.16 — **Le rapport Résumé du projet**

Le rapport Résumé
du projet présente
plusieurs renseigne-
ments importants
pour le chef de projet

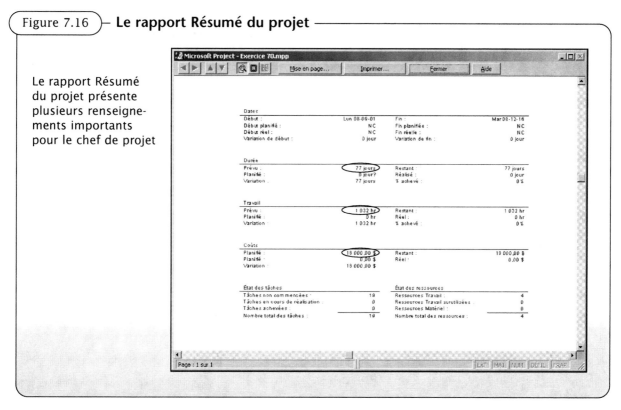

Ce rapport est présenté à la figure 7.16. On y remarque :

- la durée totale prévue du projet, soit 77 jours ;

- le nombre d'heures de travail fournies par les ressources humaines, soit 1 032 heures ;

- le coût total du projet, soit 18 000 $.

7.5   Résumé du chapitre

Dans ce chapitre, nous avons vu que le chef de projet utilise *Microsoft Project* comme outil d'aide à la planification, à l'affectation des ressources, à la répartition du budget et au suivi de l'avancement.

Comme nous l'avons vu à partir d'un exemple, la planification d'un projet simple à l'aide de *Microsoft Project* se réalise en cinq étapes :

1) la saisie des renseignements du projet ;

2) la saisie des tâches dans le diagramme de Gantt ;

3) la saisie des ressources dans le Tableau des ressources ;

4) l'affectation des ressources aux tâches ;

5) l'analyse des résultats.

Puisqu'elle permet de réaliser une planification bien organisée, cette structure de travail sera réutilisée dans les chapitres suivants. D'autres étapes y seront ajoutées au fur et à mesure que nous présenterons de nouvelles fonctions du logiciel.

7.6   Questions de révision

1   **1re étape :** la saisie des renseignements du projet

Vous êtes en charge d'un projet pour la firme Techsure. Le projet doit débuter le lundi 1er septembre 2008.

2e étape : la saisie des tâches dans le diagramme de Gantt

Le premier tableau de la page suivante présente la liste des tâches à inclure dans votre projet.

Il faut ensuite ajouter deux jalons :

- un événement marquant le début de projet ;
- un événement marquant la fin de projet.

Il faut afficher le lot de niveau 0 qui correspond au titre de votre projet.

Les relations de précédence ont été déterminées et il ne reste plus qu'à entrer l'information correspondante, qui apparaît dans le deuxième tableau.

Tâches du projet	
Tâches	**Durée (jours)**
A	15
B	20
C	10
D	25
E	35
F	5
G	20
H	25

Relations de précédence	
Tâches	**Prédécesseurs**
A	Début du projet
B	Début du projet
C	A
D	C
E	B
F	D, E
G	D
H	F, G

3e étape: la saisie des ressources dans le Tableau des ressources

Pour l'exécution du projet, votre entreprise met à votre disposition les ressources présentées dans le tableau suivant.

Tableau des ressources						
Ressource	**Type**	**Initiales**	**Groupe**	**Capacité**	**Taux standard**	**Coût/Utilis.**
Employé 1	Travail	E1	Emp	100%	15 $/h	
Employé 2	Travail	E2	Emp	100%	15 $/h	
Matériel 1	Matériel	M1	Mat			500 $/h

4e étape: l'affectation des ressources aux tâches

Les affectations planifiées sont celles qui sont présentées dans le tableau suivant.

Affectation des ressources	
Tâches	**Ressources**
A	Employé 1
B	Employé 2
C	Employé 1
D	Employé 1
E	Employé 2
F	Employé 2 ; Matériel 1
G	Employé 1
H	Employé 1 ; Employé 2 ; Matériel 1

5e étape: l'analyse des résultats

- Utilisez l'Assistant Diagramme de Gantt afin de mettre en évidence le chemin critique.

- Imprimez le Diagramme de Gantt en respectant les contraintes suivantes :

  a) l'échelle de temps doit permettre de voir les mois et les semaines ;

b) les deux premières colonnes de la Table doivent être imprimées.

- Imprimez le rapport Résumé du projet.
- À quelle date prévoit-on que le projet soit terminé ?
- Quelle est la durée du projet ?
- Quel est le coût total du projet ?
- Sauvegardez le fichier sous le nom « Exercice 71.mpp ».

2　**1re étape** : la saisie des renseignements du projet

Vous êtes en charge de la construction d'un magasin pour la firme Techsure. Vous entreprenez un projet qui vise à démolir un bâtiment en place et à le remplacer par un nouveau, mieux adapté aux besoins futurs pour le commerce. Le projet doit débuter le lundi 14 juillet 2008.

2e étape : la saisie des tâches dans le diagramme de Gantt

Le tableau suivant présente la liste des tâches à inclure dans votre projet.

Tâches du projet	
Tâches	**Durée**
A : Démolition	2 jours
B : Préparation du site	1 jour
C : Excavation	4 jours
D : Fondations	4 jours
E : Dalle	2 jours
F : Structure	7 jours
G : Enveloppe	3 jours
H : Mécanique	5 jours
I : Électricité	3 jours
J : Intérieurs	6 jours

Attention !

Il est à noter que les durées exprimées ici sont celles de l'affectation initiale des ressources (à la quatrième étape). Lors de cette affectation, les durées des tâches devraient rester inchangées.

Il faut ensuite ajouter trois jalons :

- un événement marquant l'obtention du permis (en début de projet) ;
- un événement marquant la fin des fondations, après la tâche E ;
- un événement marquant l'ouverture du magasin (en fin de projet).

Il faut afficher le lot de niveau 0 qui correspond au titre de votre projet.

Il faut aussi ajouter trois lots de niveau 1 :

- Démolition : tâches A et B ;
- Excavation et fondations : tâches C à E ;
- Constructions : tâches F à J.

Les relations de précédence ont été déterminées et il ne reste plus qu'à entrer l'information correspondante, qui est présentée dans le tableau suivant.

Relations de précédence	
Tâches	**Prédécesseurs**
A : Démolition	Obtention du permis
B : Préparation du site	A
C : Excavation	B
D : Fondations	C
E : Dalle	D + retard de 24 heures écoulées
F : Structure	E ; jalon
G : Enveloppe	F
H : Mécanique	F
I : Électricité	F
J : Intérieurs	G ; H ; I

3e étape: la saisie des ressources dans le Tableau des ressources

Pour l'exécution du projet, votre entreprise met à votre disposition les ressources présentées dans le tableau suivant.

Tableau des ressources				
Ressource	**Type**	**Initiales**	**Groupe**	**Capacité**
Excavatrice	Matériel	MATex	MATÉRIEL	
Saint-Pierre	Travail	SP	OP	100%
OPÉRATEURS	Travail	OP	OP	200%
Pince à béton	Matériel	MATpin	MATÉRIEL	
Quenneville	Travail	Q	OP	100%
CARRELEURS	Travail	CA	CA	200%
Robinson	Travail	R	CA	100%
Pagé	Travail	P	CA	100%
MENUISIERS	Travail	ME	ME	300%
Vidro	Travail	V	ME	100%
Griffin	Travail	G	ME	100%
Saint-Louis	Travail	SL	ME	100%
FINITION	Travail	FIN	FIN	300%
DiGiaccomo	Travail	D	FIN	100%
Casavant	Travail	C	FIN	100%
Brulotte	Travail	B	FIN	100%

Dans le Tableau des ressources, triez les ressources par «Groupe», puis par «Capacité» décroissante avec renumérotation des lignes.

4ᵉ étape: l'affectation des ressources aux tâches

Les affectations planifiées sont présentées dans le tableau suivant.

Affectation des ressources	
Tâches	**Ressources**
A: Démolition	Saint-Pierre; Pince à béton
B: Préparation du site	Robinson
C: Excavation	Quenneville; Excavatrice
D: Fondations	Robinson; Pagé (à 50%)
E: Dalle	Pagé
F: Structure	Vidro
G: Enveloppe	Griffin
H: Mécanique	DiGiaccomo
I: Électricité	Casavant
J: Intérieurs	Brulotte

5ᵉ étape: l'analyse des résultats

- Utilisez l'Assistant Diagramme de Gantt afin de mettre en évidence le chemin critique.

- Imprimez le Diagramme de Gantt en respectant les contraintes suivantes:

    a) l'échelle de temps doit permettre de voir chaque journée;

    b) les deux premières colonnes de la Table doivent être imprimées.

- Imprimez le rapport Résumé du projet.

- À quelle date prévoit-on que le projet soit terminé?

- Quelle est la durée du projet?

- Sauvegardez le fichier sous le nom «Exercice 72.mpp».

Chapitre 8

La planification de la structure du projet

8.1 L'étape 1 : saisir les tâches

8.2 L'étape 2 : créer les lots de travail

8.3 L'étape 3 : déterminer les prédécesseurs

8.4 Résumé du chapitre

8.5 Questions de révision

Les chapitres 8 et 9 portent sur l'utilisation de *MS Project* durant la phase de planification du projet. La saisie des renseignements dans le logiciel doit se faire dans un ordre précis afin d'éviter les erreurs. *MS Project* étant un logiciel complexe, il est recommandé de suivre ces étapes :

- étape 1 : saisir les tâches ;
- étape 2 : créer les lots de travail ;
- étape 3 : déterminer les prédécesseurs ;
- étape 4 : déterminer les ressources ;
- étape 5 : affecter les ressources ;
- étape 6 : optimiser le calendrier d'exécution.

Comme l'illustre la figure 8.1, le chapitre 8 présente les trois premières étapes de la planification à l'aide du logiciel, alors que les étapes quatre à six sont traitées au chapitre 9. Tout au long de ce chapitre sur l'utilisation de *MS Project*, nous établissons des parallèles avec les concepts pratiques de planification exposés au chapitre 4.

8.1　L'étape 1 : saisir les tâches

La première étape de la planification du projet, saisir les tâches, correspond à la section 4.1, *La détermination du travail à faire,* au chapitre 4. Elle comporte quatre activités :

- définir le projet, déterminer la date de début du projet et le temps de travail ;
- fractionner le travail en différentes tâches ;
- déterminer la durée des tâches ;
- déterminer les coûts fixes des tâches.

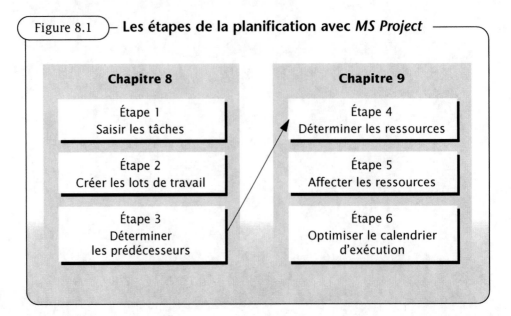

Figure 8.1 — **Les étapes de la planification avec *MS Project***

Chapitre 8	**Chapitre 9**
Étape 1 Saisir les tâches	Étape 4 Déterminer les ressources
Étape 2 Créer les lots de travail	Étape 5 Affecter les ressources
Étape 3 Déterminer les prédécesseurs	Étape 6 Optimiser le calendrier d'exécution

8.1.1 La définition du projet et la détermination de sa date de début et du temps de travail

a) La définition du projet

La définition du projet et la détermination de sa date de début ont été abordées sommairement au chapitre 7. Rappelons qu'il est important d'identifier clairement les fichiers de projet afin de les distinguer facilement lorsque leur nombre est important.

▶ Fichier/Propriétés

b) Le choix de la date de début du projet

La planification du projet peut être effectuée en fonction de sa date de début ou de sa date de fin. Une planification par date de début est utile lorsque l'on connaît le moment où le projet peut être entamé et que l'on veut laisser le logiciel calculer la date de fin. À l'inverse, une planification par date de fin permet de choisir comme date de fin celle à laquelle le promoteur désire disposer de l'extrant du projet (la date de fin) et de laisser le logiciel calculer la date de début.

▶ Projet/Informations sur le projet

Dans la fenêtre Informations sur le projet présentée à la figure 8.2, il est possible de définir la date actuelle. En pratique, cette date doit correspondre à la date du jour. En changeant cette date, on observe qu'une barre verticale se déplace dans le diagramme de Gantt pour indiquer à l'utilisateur la date actuelle. L'utilisation de cette fonction est particulièrement pratique lors de l'étude des opérations de suivi du projet, étape qui est abordée au chapitre 10.

c) Le choix du temps de travail

Chaque organisation adopte son calendrier de travail régulier. Pour certaines organisations, le travail se déroule de 9 h à 17 h du lundi au vendredi ; pour d'autres, le calendrier est de 24 heures, etc. Les possibilités sont illimitées. Il est important d'entrer cette information dans le fichier avant de commencer la saisie des tâches. En effet, lorsque les durées sont entrées, *MS Project* tient compte de la journée normale de travail. Ainsi, une tâche dont la durée est saisie en jours, en semaines ou en mois est convertie en heures par le logiciel. Cette conversion est faite en fonction de l'information incluse dans le calendrier du projet. Le tableau 8.1 en présente quelques équivalences.

Déterminer le temps de travail se fait en trois étapes dont l'ordre ne peut être modifié :

* choisir le calendrier de travail par défaut ;
* ajuster les équivalents de conversion en heures ;
* modifier le temps de travail.

Tableau 8.1 — **Les équivalences selon le calendrier du projet**

Calendrier de travail	Heures travaillées	La tâche de 1 jour correspond à	La tâche de 1 semaine correspond à
Standard	De 8 h à midi et de 13 h à 17 h	8 h	40 h
Équipe de nuit	De 23 h à 3 h et de 4 h à 8 h	8 h	40 h
24 heures	De minuit à minuit, 7 jours	24 h	168 h
Personnalisé	De 9 h à midi et de 13 h à 17 h	7 h	35 h

La première étape est de choisir le calendrier de travail par défaut dans la fenêtre Informations sur le projet, comme le montre la figure 8.2. Ce choix détermine les heures travaillées normalement par les ressources affectées au projet.

▶ Projet/Informations sur le projet

Figure 8.2 — **La fenêtre Informations sur le projet**

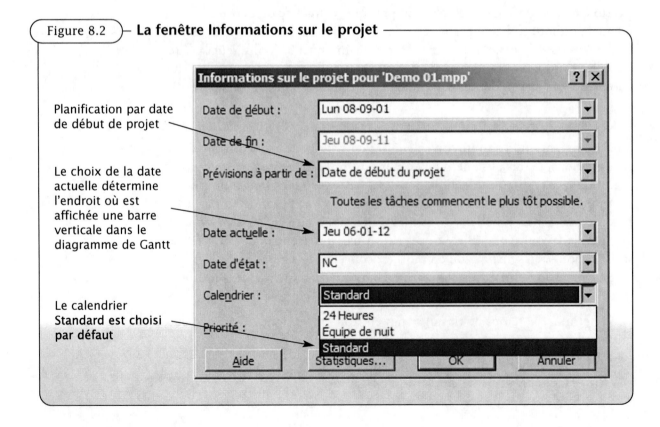

La seconde étape consiste à ajuster les équivalents de conversion en heures pour les tâches saisies en jours, en semaines ou en mois.

▶ Outils/Options/Calendrier

L'onglet Calendrier de la fenêtre Options permet de choisir ces trois renseignements. De plus, il est possible d'y préciser l'heure du début et de la fin par défaut des nouvelles tâches saisies dans le projet.

La troisième étape consiste à modifier le temps de travail, c'est-à-dire définir les heures travaillées quotidiennement. La fenêtre Modifier le temps de travail est présentée à la figure 8.3.

▶ Outils/Modifier le temps de travail

Le calendrier de travail par défaut (qui a été sélectionné lors de la première étape) s'affiche dans la fenêtre Modifier le temps de travail. Elle permet de définir des heures de travail différentes de celles prévues au calendrier par défaut. Sélectionnez les journées à modifier, puis changez les heures de travail dans la section de droite de la fenêtre. La sélection des jours se fait de la façon suivante :

- pour sélectionner une date dans le mois en cours, cliquez sur la date dans le calendrier ;

Figure 8.3 — **La fenêtre Modifier le temps de travail**

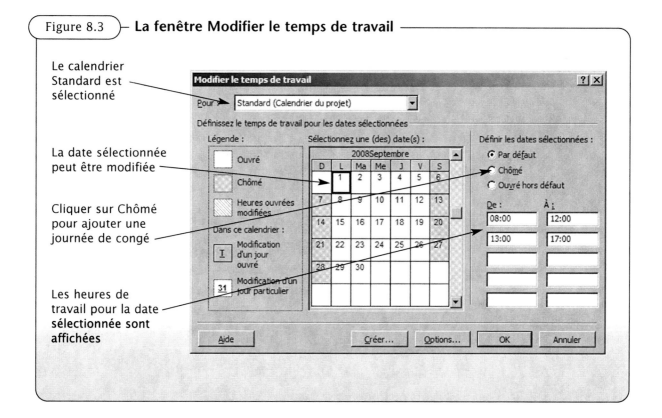

Le calendrier Standard est sélectionné

La date sélectionnée peut être modifiée

Cliquer sur Chômé pour ajouter une journée de congé

Les heures de travail pour la date **sélectionnée sont affichées**

- pour sélectionner une date dans un mois différent, utilisez les flèches de défilement pour atteindre le mois souhaité, puis cliquez sur la date ;

- pour sélectionner plusieurs jours adjacents d'une semaine, faites glisser le pointeur sur ces jours ou utilisez la touche MAJ (SHIFT) pour faire une sélection multiple ;

- pour sélectionner plusieurs jours non adjacents, cliquez sur le premier jour, maintenez la touche CTRL enfoncée, puis cliquez sur tous les autres jours que vous souhaitez modifier de la même manière ;

- pour sélectionner le même jour dans l'ensemble du projet (tous les lundis, par exemple), cliquez sur l'étiquette de la colonne du jour choisi.

Pour annuler une modification faite à une journée particulière, sélectionnez la journée, puis cliquez sur Par défaut. Le calendrier de travail par défaut sera réaffecté à la journée concernée.

Pour ajouter une journée de congé, sélectionnez la journée concernée et cliquez sur Chômé.

8.1.2   La saisie des tâches

La technique la plus directe pour faire la saisie des tâches dans le diagramme de Gantt a été vue au chapitre précédent. Résumons les opérations à effectuer :

- sélectionner la première cellule de la colonne Nom de la tâche dans la Table ;
- saisir la tâche ;
- valider (touche Entrée).

Les trucs du métier

> Pour élargir la colonne Nom de la tâche, placez la souris sur le trait vertical situé à droite du nom de la colonne (le pointeur se transforme alors en flèche double), puis faites un double-clic.

D'autres techniques peuvent servir à saisir les tâches. Il est possible d'utiliser la fiche Informations sur la tâche que l'on fait apparaître par un double-clic sur n'importe quelle tâche du diagramme de Gantt ou par le bouton Informations sur la tâche de la barre d'outils. L'avantage de l'utilisation de cette fiche est qu'elle donne accès à plus d'information, par exemple le pourcentage d'avancement et le niveau de priorité de la tâche, comme le montre la figure 8.4. Toutefois, l'utilisation de la fiche pour la saisie de plusieurs tâches rend le travail plus lourd puisqu'il est impossible de passer d'une tâche à l'autre sans fermer puis rouvrir la fenêtre.

▶ Projet/Informations sur la tâche

Il est aussi possible d'utiliser le fractionnement de l'écran pour afficher à la fois le diagramme de Gantt et l'information complète sur la tâche, comme le montre la figure 8.5. Cette option s'avère la plus efficace pour un utilisateur expérimenté de *MS Project*. Une fois la fenêtre fractionnée, la section du bas présente une foule de renseignements pertinents qui facilitent la saisie des renseignements sur la tâche: nom, durée, pourcentage d'avancement, type, ressources et prédécesseurs. Les boutons Suivante et Précédente permettent de naviguer aisément entre les tâches du diagramme de Gantt.

▶ Fenêtre/Fractionner

a) La saisie des tâches répétitives

Durant l'exécution d'un projet, il est possible qu'une tâche se répète à plusieurs reprises. Ce type de tâche est appelé « tâche répétitive ». Par exemple, la sécurisation d'un chantier de construction doit être faite tous les soirs avant que les employés ne partent et elle constitue donc une tâche répétitive. *MS Project* comprend une fonction simple qui permet d'entrer une seule fois une tâche répétitive et de la faire apparaître dans la structure du projet selon une fréquence déterminée par l'utilisateur, comme le montre la figure 8.6.

▶ Insertion/Tâche répétitive

Figure 8.4 — **La fiche Informations sur la tâche**

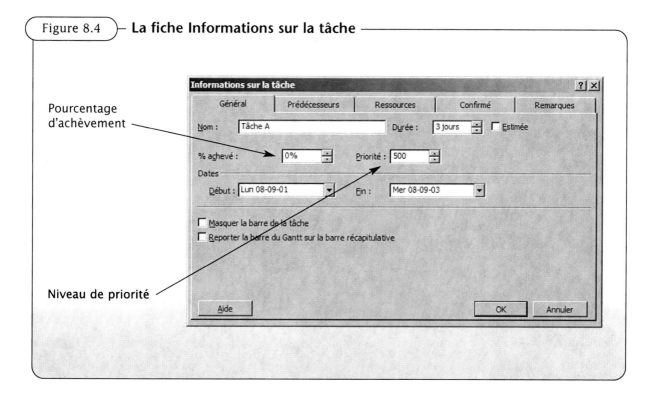

Pourcentage d'achèvement

Niveau de priorité

Figure 8.5 — **Le fractionnement de la fenêtre**

La tâche A est sélectionnée dans la table

Toute l'information sur la tâche A apparaît dans la section du bas

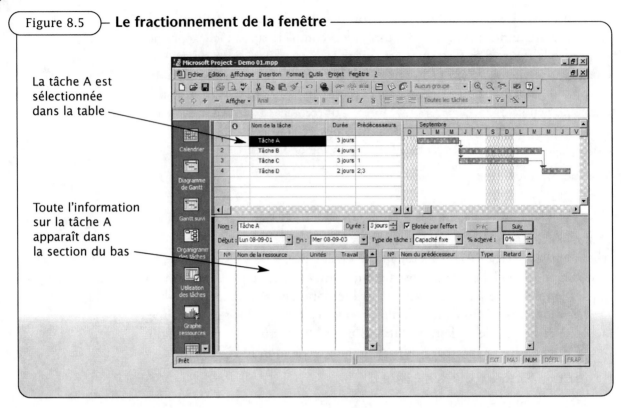

Figure 8.6 — **La fiche Informations sur la tâche répétitive**

Périodicité de la tâche

Cette section s'ajuste selon la périodicité choisie

Début et fin de la répétition de la tâche

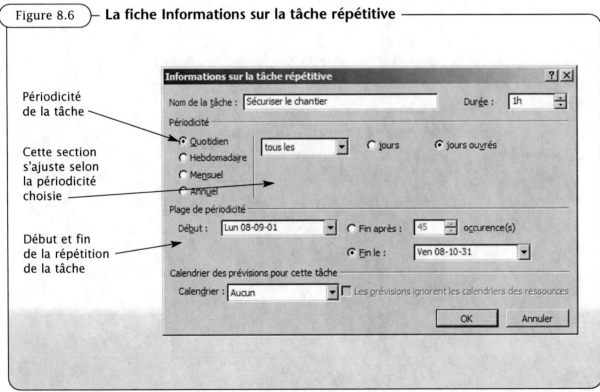

En plus de l'information habituelle sur la tâche, la fenêtre Informations sur la tâche répétitive offre des options sur la fréquence de répétition de la tâche. Les combinaisons de fréquences offertes dans cette fenêtre permettent de spécifier n'importe quel type de récurrence. Il est également possible de spécifier la date de fin de la répétition d'une tâche.

b) La priorité de la tâche

Dans la fenêtre Informations sur la tâche se trouve le champ Priorité, qui permet de spécifier l'importance donnée à une tâche. Cette information indique à *MS Project* quelles tâches peuvent être retardées ou fractionnées lors de l'équilibrage de l'utilisation des ressources (voir le chapitre 4 à ce sujet). *MS Project* dispose d'une fonction automatisée d'Audit des ressources, qui permet d'équilibrer l'utilisation des ressources et qui ne nécessite qu'une intervention minimale de l'utilisateur. Cette fonction est expliquée au chapitre 9. Le niveau de priorité assigné à une tâche varie de 0 à 1 000, la valeur par défaut étant de 500. Plus le niveau de priorité d'une tâche est élevé, moins celle-ci risque d'être affectée par des délais lors de l'équilibrage de l'utilisation des ressources.

c) Le code WBS

WBS est l'abréviation anglaise de « Work Breakdown Structure », expression qui désigne la structure du travail que nous avons nommée « organigramme technique » au chapitre 4. Le code WBS correspond à la numérotation des activités du projet (cette question est traitée à la section 4.2.2). Dans *MS Project*, il est possible de spécifier le type de numérotation qui doit être appliqué à la structure du projet.

▶ Projet/Structure WBS/Définir le code…

Par défaut, la numérotation hiérarchique des activités prend la forme 1 ; 1.1 ; 1.2 ; 1.2.1 ; etc. Dans la fenêtre Définition du code WBS, il est possible de spécifier une forme de hiérarchisation différente. L'utilisateur peut définir le type de caractère à faire apparaître à chaque niveau. Par exemple, on pourrait décider de faire afficher des nombres au niveau 1 et des lettres majuscules au niveau 2, comme l'illustre la figure 8.7. La numérotation qui en résulterait aurait la forme suivante : 1 ; 1.A ; 1.B ; 1.B.1 ; etc.

Les trucs du métier

Pour voir apparaître la numérotation dans la Table, il est nécessaire d'afficher la colonne Index WBS ou de cocher la case Afficher le n° hiérarchique dans le menu Outils/Options.

Figure 8.7 – **La définition du code WBS**

Les nombres sont choisis pour le premier niveau

Les lettres majuscules sont choisies pour le deuxième niveau

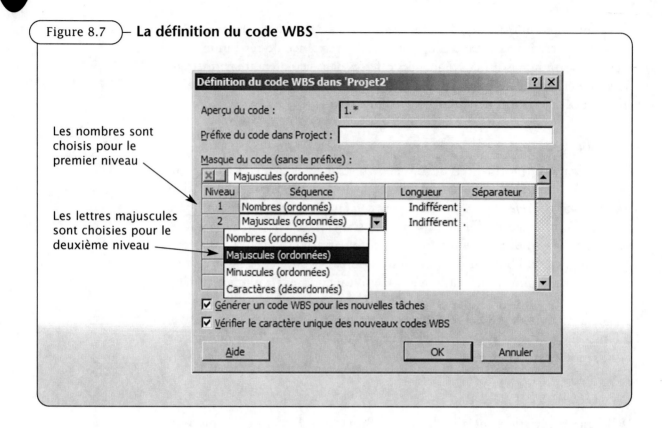

8.1.3   La saisie des durées

La technique la plus directe pour effectuer la saisie des durées dans le diagramme de Gantt a été expliquée au chapitre précédent. Nous résumons ici les opérations à effectuer :

- sélectionner la première cellule de la colonne Durée dans la Table ;
- saisir la durée avec l'une des unités présentées au tableau 8.2 ;
- valider (touche Entrée).

Le tableau 8.2 présente les unités de saisie des durées dans *MS Project*.

Les trucs du métier

La durée des jalons (qui incluent, entre autres, les tâches Début de projet et Fin de projet) doit être égale à 0. Ces tâches sont indiquées par des losanges noirs dans le diagramme de Gantt.

Il est également possible de saisir les durées à partir de la fiche Informations sur la tâche ou par le fractionnement de la fenêtre. La saisie des durées doit être faite en tenant compte de l'affectation des ressources puisque

Tableau 8.2 **Les unités de saisie des durées**

Unité	Abréviation	Affichage par défaut
Minutes	m	min
Heures	h	hr
Jours	j	jour
Semaines	s	sm
Mois		mois

ces deux opérations sont interdépendantes. Par exemple, une tâche d'une durée de trois jours à laquelle on affecte cinq employés ne nécessite pas le même effort qu'une tâche de trois jours à laquelle on affecte un seul employé. Cette distinction, dont il est question au chapitre 9 dans la section 9.2, *L'étape 5 : affecter les ressources,* permet de saisir l'importance de voir dans une même fenêtre la durée d'une tâche et les ressources qui y sont affectées.

8.1.4 La saisie des coûts fixes

Comme il a été expliqué au chapitre 4, le coût total d'un projet se divise en trois coûts principaux :

- le coût en ressources, qui correspond essentiellement au salaire des ressources engagées dans la réalisation de la tâche ;

- le coût fixe de chaque tâche, qui est composé du coût des matériaux à acheter, des licences à acquérir et des autres dépenses nécessaires à la réalisation d'une tâche ;

- les coûts non répartis, soit les autres coûts qui ne peuvent être affectés à une tâche en particulier, comme l'achat d'ordinateurs pour la durée du projet ou la location d'un bureau.

Le coût en ressources est calculé automatiquement par *MS Project*, en fonction du salaire horaire des ressources affectées et de la durée des tâches. Les coûts fixes et les coûts non répartis doivent quant à eux être saisis directement dans la Table. Pour saisir ces coûts, l'utilisateur doit remplacer l'affichage Table : Entrée par l'affichage Table : Coût. Cet affichage est illustré à la figure 8.8.

▶ Affichage/Table : Entrée/Coût

L'affichage Table : Coût présente des colonnes dont certaines n'ont pas encore été expliquées et qui sont définies dans le tableau 8.3. À cette étape-ci,

Figure 8.8 — **L'affichage Table : Coût**

L'affichage
Table : Coût

Les coûts fixes sont
saisis directement
dans la Table

Le diagramme
de Gantt demeure
inchangé

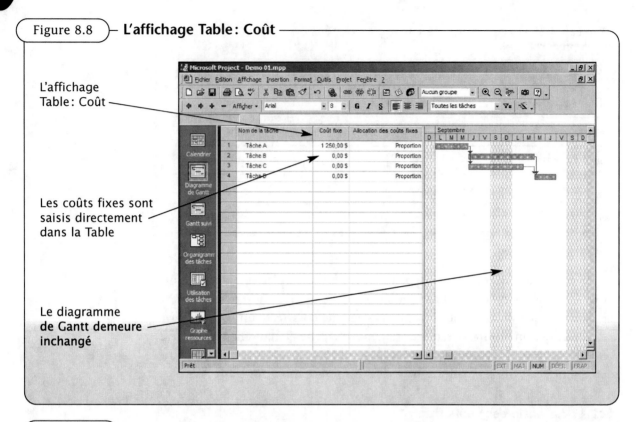

Tableau 8.3   **La signification des colonnes de la Table : Coût**

Colonne	Explication
Coût fixe	Permet de saisir le montant du coût fixe d'une tâche ou d'un lot de travail
Allocation	• Début, pour que les coûts soient imputés à la date de début de la tâche • Proportion, pour que les coûts soient répartis durant toute la durée d'exécution de la tâche • Fin, pour que les coûts soient imputés à la date de fin de la tâche
Coût total	Somme du coût en ressources et du coût fixe d'une tâche ou d'un lot de travail
Planifié	Coût total selon la planification initiale du projet (ce sujet est traité au chapitre 10)
Variation	Différence entre le coût total planifié (colonne Planifié) et le coût total actuel (colonne Coût total)
Réel	Coût total réel de la tâche, calculé une fois la tâche commencée et les sommes engagées
Restant	Montant qu'il reste à dépenser pour atteindre le coût total (utile dans le cas d'une allocation proportionnelle des coûts fixes ou des coûts en ressources)

seules les colonnes Coût fixe et Allocation présentent un intérêt réel. Les autres colonnes apportent des précisions qui ne sont utiles que dans les étapes subséquentes de la mise en œuvre informatisée du projet, plus particulièrement dans les étapes expliquées au chapitre 10.

Quant aux coûts non répartis, il suffit de les affecter en tant que coûts fixes au lot Projet de niveau 0 (voir la section 8.2.1). Ainsi, ces coûts peuvent être alloués en début ou en fin de projet, ou même être distribués proportionnellement sur l'ensemble du projet. Le salaire du chef de projet est un exemple de coût non réparti distribué proportionnellement sur l'ensemble du projet.

8.2 L'étape 2 : créer les lots de travail

La deuxième étape de la planification du projet consiste à créer le lotissement du travail, c'est-à-dire regrouper en lots les tâches de même nature. Cette étape correspond à la section 4.2, *La représentation graphique du projet,* au chapitre 4. Elle se divise en deux activités :

- créer le lot Projet de niveau 0 ;
- créer les lots de travail de niveau 1 et ceux d'autres niveaux, si nécessaire.

8.2.1 Créer le lot Projet de niveau 0

Tout projet doit avoir un lot Projet de niveau 0. En plus de permettre de repérer le projet à l'écran, ce lot permet de saisir des coûts non répartis et d'afficher la durée totale du projet calculée par le logiciel. Pour créer ce lot, activez la case à cocher Tâche récapitulative du projet dans la fenêtre Options, illustrée à la figure 8.9.

▶ Outils/Options

8.2.2 Créer les lots de travail de niveau 1 et ceux d'autres niveaux

Comme nous l'avons expliqué au chapitre 7, la procédure pour insérer des lots de travail de niveau 1 ou plus comprend les étapes suivantes, telles qu'elles sont illustrées à la figure 8.10 :

- insérer une nouvelle ligne par le menu Insertion/Insérer une tâche ;
- entrer le nom du lot, sans lui assigner de durée ;
- sélectionner les tâches élémentaires devant faire partie du lot ;
- abaisser les tâches d'un niveau grâce au bouton Abaisser de la barre d'outils.

Figure 8.9 — **La fenêtre Options**

Cette fonction permet d'afficher la structure WBS sans avoir à afficher la colonne Index WBS

Lot Projet de niveau 0 ou Tâche récapitulative du projet

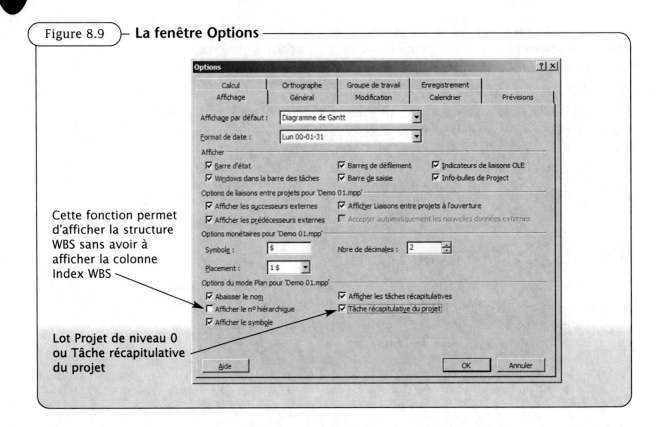

Figure 8.10 — **La structure hiérarchique du projet**

Bouton Abaisser

Bouton Hausser

Le lot de niveau 1 est inséré

Les tâches subordonnées sont abaissées

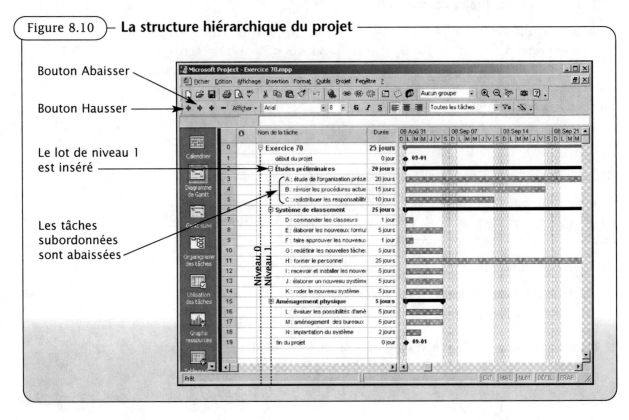

Les trucs du métier

> Créer la structure de lotissement à l'aide de *MS Project* n'est pas une opération qui se réalise intuitivement. Lorsque vous désirez créer ou modifier un lot, gardez en tête qu'il faut toujours travailler sur les tâches subordonnées. Ainsi, pour ajouter un lot, il faut abaisser les tâches subordonnées. Pour ramener un lot au niveau des tâches élémentaires, il faut hausser les tâches subordonnées.

8.3   L'étape 3 : déterminer les prédécesseurs

La détermination des prédécesseurs permet d'obtenir un calendrier d'exécution qui tient compte :

- du temps nécessaire aux ressources pour effectuer les travaux qui leur sont confiés ;
- des relations de précédence entre les tâches.

Cette troisième étape de la planification du projet correspond à la section 4.2.4, *Les relations entre les tâches,* au chapitre 4. Elle compte trois activités :

- créer les relations de précédence ;
- saisir les délais ;
- déterminer le chemin critique.

8.3.1   Créer les relations de précédence

Il existe différentes techniques pour créer les relations de précédence entre les tâches. Celle qui paraît la plus simple au premier abord consiste à saisir les relations directement dans la Table : Entrée. Toutefois, il arrive que cette technique s'avère laborieuse puisqu'elle demande de saisir le prédécesseur à l'aide du numéro de la tâche précédente. De plus, seules les relations de fin à début peuvent être saisies avec cette technique. Voici comment procéder :

- sélectionner la colonne Prédécesseurs de la Table ;
- saisir le numéro de ligne de la tâche préalable ;
- au besoin, séparer les prédécesseurs multiples par des points-virgules ;
- valider (touche Entrée).

Lorsque deux ou plusieurs des tâches à lier sont consécutives, on peut procéder de la façon suivante :

- sélectionner les tâches à lier ;
- appuyer sur CTRL + F2, ou sur l'icône Lier les tâches de la barre d'outils.

La figure 8.11 illustre cette technique permettant de lier des tâches consécutives.

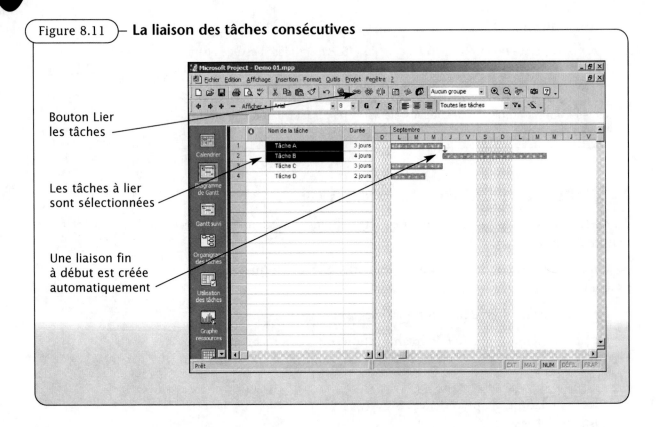

Figure 8.11 — **La liaison des tâches consécutives**

Bouton Lier
les tâches

Les tâches à lier
sont sélectionnées

Une liaison fin
à début est créée
automatiquement

Pour accéder à plus de fonctions concernant les relations de précédence, il est préférable d'afficher la fenêtre Informations sur la tâche et d'accéder à l'onglet Prédécesseurs. Comme le montre la figure 8.12, la fenêtre Informations sur la tâche permet de spécifier le type de relation (fin à début, fin à fin, début à début ou début à fin) ainsi que le retard entre les deux tâches. De plus, une liste déroulante permet de sélectionner le prédécesseur à partir du nom de la tâche plutôt que de son numéro.

▶ Projet/Information sur la tâche

Comme pour la saisie des tâches et des durées, la technique la plus efficace pour saisir les relations de précédence demeure le fractionnement de l'écran. Une fois la fenêtre fractionnée, la section du bas présente une foule de renseignements pertinents qui facilitent la saisie des renseignements sur la tâche, incluant les prédécesseurs, leurs types et les retards. Les boutons Suivante et Précédente permettent de naviguer aisément entre les tâches du diagramme de Gantt.

▶ Fenêtre/Fractionner

Figure 8.12 — **Les relations de précédence par la fenêtre Informations sur la tâche**

Identification du prédécesseur

Type du prédécesseur

Délai (retard) entre les tâches

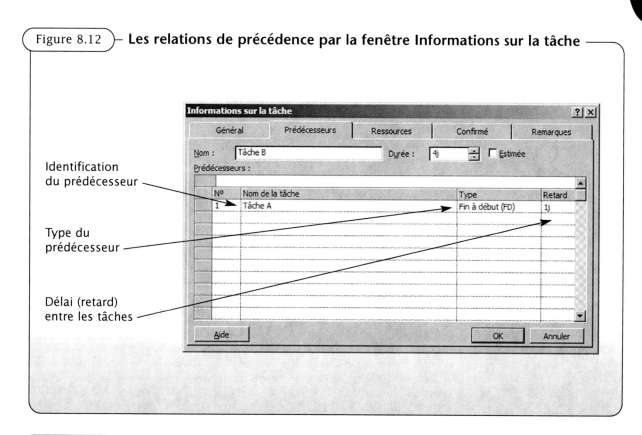

Figure 8.13 — **Les relations de précédence avec le Fractionnement de l'écran**

La tâche C est sélectionnée dans la Table

Saisie de la tâche A comme prédécesseur de la tâche C

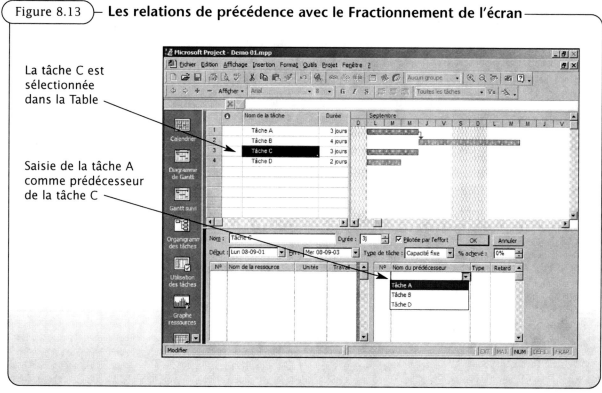

8.3.2 Saisir les délais

Les délais sont des moments improductifs dans le projet. Dans *MS Project*, aucune distinction n'est faite entre les délais et les retards. Sur le plan technique, les délais et les retards peuvent être traités de la même manière dans le logiciel.

Rappelons que les délais peuvent être exprimés en temps de travail ou en temps réel. Par exemple, un délai de livraison de trois jours ouvrables est calculé en temps de travail, alors qu'un délai de séchage de 24 heures est calculé en temps réel. *MS Project* permet de saisir des délais en temps réel (ou temps écoulé) et en temps de travail. Le tableau 8.4 présente les unités de saisie des délais en temps réel.

Les délais peuvent être positifs ou négatifs. Un délai positif permet de déplacer la tâche vers la droite sur le diagramme de Gantt (retard) alors qu'un délai négatif permet de déplacer la tâche vers la gauche (avance). La figure 8.14 présente un exemple de délai positif alors que la figure 8.15 présente un délai négatif pour les mêmes tâches.

8.3.3 Déterminer le chemin critique

La détermination du chemin critique est une opération importante pour le chef de projet. Il faut se rappeler que le chemin critique est constitué des tâches dont la marge libre est nulle, c'est-à-dire qu'elles ne peuvent être retardées sans que la fin du projet soit retardée elle aussi. Bien que la planification du projet ne soit pas complétée à cette étape-ci, il est important de déterminer quelles sont les tâches critiques avant de procéder à l'affectation des ressources. La détermination du chemin critique aide le chef de projet à apporter une attention particulière à l'affectation des ressources aux tâches critiques.

La technique la plus simple pour déterminer le chemin critique est d'utiliser l'Assistant Diagramme de Gantt à partir du bouton correspondant situé

Tableau 8.4   **Les unités de saisie des délais en temps réel (temps écoulé)**

Unité	Abréviation	Affichage par défaut
Minutes	mé	miné
Heures	hé	hré
Jours	jé	jouré
Semaines	sé	smé

Figure 8.14 — **Un retard positif sur la tâche B**

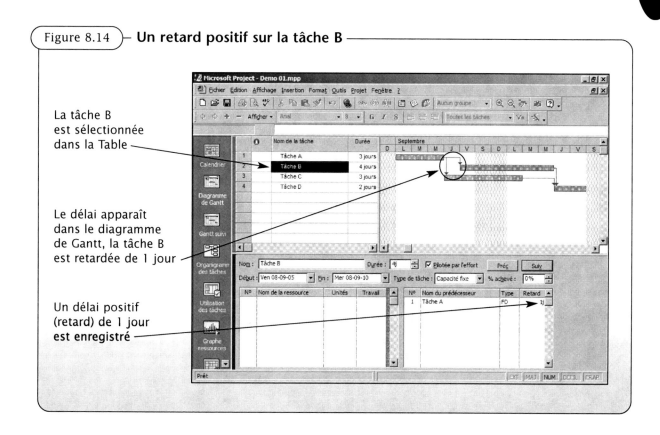

La tâche B
est sélectionnée
dans la Table

Le délai apparaît
dans le diagramme
de Gantt, la tâche B
est retardée de 1 jour

Un délai positif
(retard) de 1 jour
est enregistré

Figure 8.15 — **Un retard négatif sur la tâche B**

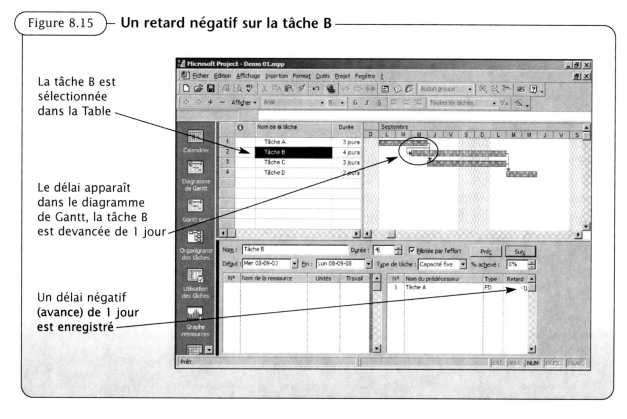

La tâche B est
sélectionnée
dans la Table

Le délai apparaît
dans le diagramme
de Gantt, la tâche B
est devancée de 1 jour

Un délai négatif
(avance) de 1 jour
est enregistré

dans la barre d'outils. Au cours des étapes que vous propose l'Assistant, assurez-vous de choisir les options suivantes :

- afficher le chemin critique ;
- afficher les ressources et les dates ;
- afficher les liaisons entre les tâches.

La figure 8.16 présente le chemin critique du projet.

▶ Format/Assistant Diagramme de Gantt

Les trucs du métier

Lors de la saisie des tâches, il est possible qu'une contrainte apparaisse sans que vous ne l'ayez vraiment souhaité. Par exemple, si vous déplacez involontairement la barre d'une tâche à l'aide de la souris, le logiciel croit que vous désirez forcer une date particulière pour l'exécution de cette tâche. *MS Project* vous indique alors qu'une contrainte a été définie en affichant un calendrier dans la colonne Informations de la Table : Entrée. Pour remédier à ce problème, accédez à l'onglet Confirmé de la fiche Informations sur la tâche. Définissez ensuite le type de contrainte à Dès Que Possible, comme le présente la figure 8.17.

Figure 8.16 — **La détermination du chemin critique**

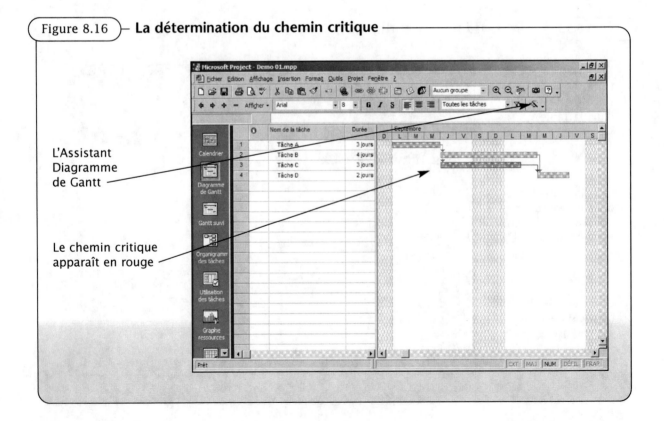

L'Assistant Diagramme de Gantt

Le chemin critique apparaît en rouge

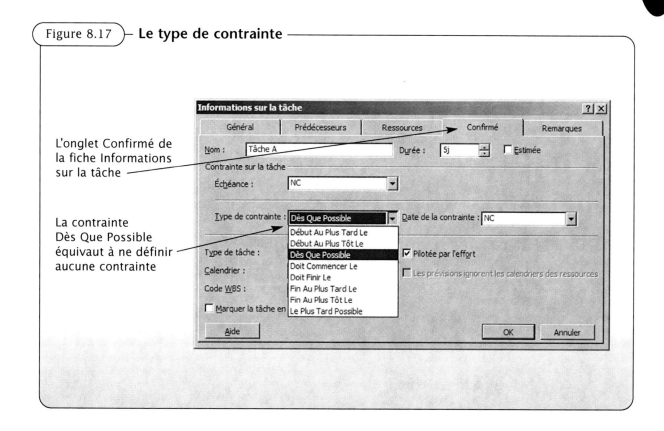

Figure 8.17 — **Le type de contrainte**

L'onglet Confirmé de la fiche Informations sur la tâche

La contrainte Dès Que Possible équivaut à ne définir aucune contrainte

8.4 Résumé du chapitre

Dans ce chapitre, vous avez découvert les trois premières étapes de la mise en œuvre informatisée d'un projet à l'aide de *MS Project*. Nous résumons ici les apprentissages pour chacune des étapes.

a) Étape 1 : saisir les tâches

La saisie des tâches commence par la définition du projet (Fichier/Propriétés) et le choix de sa date de début (Projet/Informations sur le projet). Ensuite, les noms de tâches et les durées doivent être saisis directement dans la Table : Entrée. Nous avons expliqué que les utilisateurs expérimentés préfèrent fractionner la fenêtre (Fenêtre/Fractionner) pour avoir accès à plusieurs options lors de la saisie des renseignements. Nous avons aussi mentionné qu'une tâche de durée 0 se nomme « jalon ». Par la suite, la saisie des coûts fixes des tâches et des coûts non répartis du projet se fait à l'aide de la Table : Coût (Affichage/Table : Entrée/Coût).

b) Étape 2 : créer les lots de travail

La création des lots de travail se réalise en deux temps : d'abord la création du lot Projet de niveau 0, puis la création des lots de niveau 1 et d'autres niveaux, si nécessaire. La création du lot Projet de niveau 0 se réalise automa-tiquement à l'aide de la fonction Tâche récapitulative de projet (Outils/Options/Affichage). Pour créer un lot de niveau 1 et plus, il suffit d'insérer une nouvelle tâche et d'abaisser le niveau des tâches subordonnées à l'aide du bouton Abaisser de la barre d'outils.

c) Étape 3 : déterminer les prédécesseurs

La détermination des prédécesseurs permet de créer le calendrier d'exécution du projet. La saisie des prédécesseurs peut se faire directement dans la Table : Entrée ou par le fractionnement de la fenêtre (Fenêtre/Fractionner). Les prédécesseurs sont qualifiés par leur type (FD, FF, DD ou DF) et les délais. Les délais peuvent être exprimés en temps de travail ou en temps réel. Ils peuvent aussi être positifs (retards) ou négatifs (avances). Avant de terminer cette troisième étape, le chef de projet fait afficher le chemin critique à l'aide de l'Assistant Diagramme de Gantt (Affichage/Assistant Diagramme de Gantt). Cette opération lui permet de déterminer les tâches critiques avant d'entamer l'affectation des ressources.

8.5   Questions de révision

1   Cet exercice est un problème continu qui commence au chapitre 8, se poursuit au chapitre 9 et se termine au chapitre 10. Sauvegardez le fichier sous le nom « Exercice 81.mpp » et conservez-le précieusement. Il vous servira pour la suite de l'exercice dans les prochains chapitres.

Vous êtes en charge de la production des bureaux de travail pour la firme ARTOTECH. Le président de la compagnie vous commande une nouvelle gamme de bureaux adaptés aux besoins technologiques des clients de l'entreprise. Vous entreprenez donc un projet qui vise à produire le prototype d'un bureau qui permet d'accueillir des composantes électroniques avancées.

1re étape : saisir les tâches

Vous savez déjà que la semaine normale de travail est la suivante : cinq jours de travail de huit heures, soit du lundi au vendredi, de 8 h à 17 h. De plus, les jours chômés pour votre firme sont les suivants :

- 1er septembre 2008 : Fête du Travail
- 13 octobre : Action de grâces
- 25 décembre : Noël
- 26 décembre : Lendemain de Noël

Le projet doit débuter le 21 juillet 2008. La liste des tâches à inclure dans votre projet est présentée dans le tableau suivant.

Tâches du projet	
Tâches	**Durée**
A : Bureau	3 semaines
B : Bureau électronique	2 semaines
C : Atelier de découpage	8 jours
D : Atelier électronique	2 semaines
E : Montage	3 jours
F : Fonctionnement	2 semaines
G : Solidité	1 semaine
H : Bureau	3 jours
I : Bureau électronique	2 jours
J : Finition	1 semaine
K : Derniers essais	3 jours
L : Retouches essais	3 jours
M : Analyse coût de revient	2 jours

Attention !

Il est à noter que les durées exprimées ici sont celles de l'affectation initiale des ressources (cinquième étape). Lors de cette affectation, les durées des tâches élémentaires devraient rester inchangées.

2ᵉ étape : créer les lots de travail

Il faut ajouter deux jalons :

- un événement marquant l'autorisation du prototype (en début de projet) ;

- un événement marquant le lancement de la production (en fin de projet).

Il faut afficher le lot Projet de niveau 0.

Il faut ajouter quatre lots de niveau 1 :

- Études : tâches A et B ;
- Fabrication : tâches C à E ;
- Essais : tâches F à L ;
- Conclusion : tâche M.

Il faut ajouter un lot de niveau 2 :

Essais préliminaires : tâches F et G.

3ᵉ étape : déterminer les prédécesseurs

Les relations de précédence ont été déterminées et il ne reste plus qu'à entrer l'information correspondante, qui apparaît dans le tableau suivant.

Relations de précédence	
Tâches	**Prédécesseurs**
A : Bureau	Autorisation du prototype
B : Bureau électronique	Autorisation du prototype
C : Atelier de découpage	1 jour avant la fin de A ; B
D : Atelier électronique	A ; B
E : Montage	C ; D
F : Fonctionnement	E
G : Solidité	3 jours après le début de F
H : Bureau	F ; G
I : Bureau électronique	F ; G
J : Finition	H ; I
K : Derniers essais	H ; I
L : Retouches essais	K
M : Analyse coût de revient	J ; L

Enregistrez le fichier et conservez-le, car il vous servira pour la suite de l'exercice, aux chapitres 9 et 10.

2 Cet exercice est un problème continu qui commence au chapitre 8, se poursuit au chapitre 9 et se termine au chapitre 10. Sauvegardez le fichier sous le nom « Exercice 82.mpp » et conservez-le précieusement. Il vous servira pour la suite de l'exercice dans les prochains chapitres.

Comme vous êtes chef de projet chez un éditeur de la région de Montréal, on vous confie la gestion de la production d'un ouvrage complexe nommé l'*Encyclopédie de l'ingénierie*. Pour la rédaction du document, vous disposez de plusieurs ressources que vous devrez gérer le plus efficacement possible. Servez-vous du logiciel *Microsoft Project* afin de mettre sur pied l'échéancier de production du livre. Plus spécifiquement, on vous demande d'évaluer la date à laquelle la production de l'ouvrage pourrait être terminée, sachant que les activités reliées à ce projet débuteront le 1er septembre 2008.

1re étape : saisir les tâches

Vous savez déjà que la semaine normale de travail de votre entreprise est la suivante : cinq jours de travail de 7 heures pour un total de 35 heures, soit du lundi au vendredi de 9 h à 17 h, avec une pause d'une heure pour le lunch. De plus, les jours chômés pour cet éditeur sont les suivants :

- 1er septembre 2008 : Fête du Travail
- 13 octobre : Action de grâces
- Du 24 décembre au 2 janvier : Vacances de Noël

Voici le tableau des tâches.

Tâches du projet		
Tâches	**Méthode d'évaluation**	**Durée**
A : Démarrer le projet	Durée fixe	2 j
B : Établir les budgets	Durée fixe	1 j
C : Chercher les auteurs	Durée fixe	1 s
D : Contacter les auteurs	Durée fixe	2 j
E : Signer les contrats	Durée fixe	2 j
F : Effectuer les recherches	Travail fixe	voir l'affectation
G : Rédiger l'ouvrage	Durée fixe	45 j
H : Corriger les textes	Durée fixe	1 s
I : Préparer les épreuves	Durée fixe	5 s
J : Préparer le texte final	Durée fixe	1 s
K : Faire la mise en pages	Durée fixe	4 j
L : Préparer la bibliographie	Durée fixe	3 j
M : Réviser et faire la correction des épreuves	Travail fixe	voir l'affectation
N : Traduire vers l'anglais	Travail fixe	voir l'affectation
O : Traduire vers l'espagnol	Travail fixe	voir l'affectation
P : Imprimer	Durée fixe	3 s
Q : Mettre en marché	Durée fixe	1 s

Notes

Le tableau d'affectation des ressources présenté à l'exercice 9-2 précise quelles sont les heures de travail des ressources affectées pour les tâches à travail fixe.

Les durées spécifiées ici tiennent compte de l'affectation initiale des ressources réalisée à la cinquième étape. La durée des tâches à durée fixe ne devrait pas varier lors de l'affectation des ressources.

2e étape : créer les lots de travail

Il faut ajouter trois jalons :

- un événement marquant le début du projet (aucun prédécesseur) ;
- un événement marquant la fin du projet après la tâche Q et la tâche P (prédécesseurs : Mettre en marché et Imprimer) ;
- un événement marquant la création de la première édition après la tâche M (prédécesseur : Réviser et Faire la correction des épreuves).

Il faut ajouter le lot Projet de niveau 0 qui correspond au titre du projet.

Il faut ajouter quatre lots de niveau 1 :

- Travail préliminaire : tâches A à E ;
- Conception de l'ouvrage : tâches F à J ;
- Révision finale : tâches K à O ;
- Commercialisation : tâches P et Q.

3e étape : déterminer les prédécesseurs

Le tableau suivant présente les relations de précédence entre les tâches du projet.

Relations de précédence	
Tâches	**Prédécesseurs**
A: Démarrer le projet	Aucun
B: Établir les budgets	A
C: Chercher les auteurs	B
D: Contacter les auteurs	2 jours après le début de C
E: Signer les contrats	D
F: Effectuer les recherches	A
G: Rédiger l'ouvrage	E; 5 jours après le début de F
H: Corriger les textes	G
I: Préparer les épreuves	H
J: Préparer le texte final	H
K: Faire la mise en pages	I
L: Préparer la bibliographie	H
M: Réviser et faire la correction des épreuves	I
N: Traduire vers l'anglais	J
O: Traduire vers l'espagnol	J
P: Imprimer	N; O
Q: Mettre en marché	N; O

Enregistrez le fichier et conservez-le, car il vous servira pour la suite de l'exercice, aux chapitres 9 et 10.

Chapitre 9

La planification de l'organisation du projet

9.1 L'étape 4 : déterminer les ressources

9.2 L'étape 5 : affecter les ressources

9.3 L'étape 6 : optimiser le calendrier d'exécution

9.4 Les améliorations de la présentation

9.5 L'impression des rapports

9.6 Résumé du chapitre

9.7 Questions de révision

Les chapitres 8 et 9 portent sur l'utilisation de *MS Project* durant la phase de planification du projet. La saisie de l'information dans le logiciel doit se faire dans un ordre précis afin d'éviter les risques d'erreur. *MS Project* étant un logiciel complexe, il est recommandé de suivre les étapes suivantes :

- étape 1 : saisir les tâches ;
- étape 2 : créer les lots de travail ;
- étape 3 : déterminer les prédécesseurs ;
- étape 4 : déterminer les ressources ;
- étape 5 : affecter les ressources ;
- étape 6 : optimiser le calendrier d'exécution.

Alors que les étapes un à trois sont traitées au chapitre 8, le chapitre 9 présente les trois dernières étapes de la planification à l'aide du logiciel. Tout au long de ce chapitre, nous faisons des parallèles avec les concepts et les conseils pratiques de planification expliqués au chapitre 4.

9.1   L'étape 4 : déterminer les ressources

La quatrième étape de la planification du projet, déterminer les ressources, correspond à la section 4.3.1, *L'établissement de la liste des ressources disponibles,* au chapitre 4. Elle comporte trois activités :

- déterminer les ressources humaines et matérielles ;
- choisir le calendrier de travail de la ressource ;
- préciser l'information sur la fiche Informations sur la ressource.

9.1.1   La détermination des ressources humaines et matérielles

Les ressources disponibles pour le projet doivent être entrées dans le Tableau des ressources. Ce tableau comporte plusieurs colonnes qui permettent la saisie de l'information relative à chaque ressource. Le tableau 9.1 présente la signification des colonnes du Tableau des ressources, alors que la figure 9.1 présente la saisie de l'information dans le Tableau des ressources.

9.1.2   Le choix du calendrier de travail de la ressource

Par défaut, les ressources humaines travaillent selon le calendrier sélectionné lors de la création du projet, généralement le calendrier Standard. Toutefois, il arrive que certaines ressources du projet fonctionnent selon un calendrier qui leur est propre. Par exemple, il est possible de faire travailler une équipe de jour et une équipe de soir. Aussi, un employé peut choisir de réduire volontairement son temps de travail en prenant congé les vendredis. Le recours à un calendrier particulier permet aussi de spécifier les dates de

Tableau 9.1	La signification des colonnes du Tableau des ressources

Colonne	Explication
Nom de la ressource	Identification de la ressource
Type	• Travail pour une ressource humaine • Matériel pour une ressource matérielle
Étiquette matériel	Saisie des unités de mesure (tonnes, mètres carrés, caisses, etc.) pour une ressource matérielle
Initiales	Identification abrégée de la ressource
Groupe	Groupe d'appartenance de la ressource, dans le cas où on veut le spécifier; est particulièrement utile pour trier les ressources en les regroupant
Capacité max.	Disponibilité de la ressource pour le projet; une capacité maximale de 100 % signifie que la ressource est disponible pour le projet à temps plein alors qu'une capacité maximale de 50 % signifie que la ressource est disponible à mi-temps
Tx. standard	Taux horaire pour l'utilisation normale de la ressource
Tx. hrs sup.	Taux horaire pour les heures supplémentaires de la ressource
Coût/Utilisation	Montant fixe pour chaque utilisation de la ressource; remplace ou complète l'utilisation d'un taux horaire
Allocation	• Début pour que les coûts soient imputés à la date de début de la tâche • Proportion pour que les coûts soient répartis durant toute la durée d'exécution de la tâche • Fin pour que les coûts soient imputés à la date de fin de la tâche
Calendrier de base	Calendrier de travail utilisé par la ressource; par défaut, *MS Project* présente trois choix: Standard, 24 heures et Équipe de nuit
Code	Code d'identification de la ressource utilisé par certaines organisations afin de suivre le travail des ressources entre différents projets

vacances de chacun des employés. Pour tenir compte de ces possibilités, *MS Project* permet de sélectionner un calendrier particulier pour une ou plusieurs ressources du projet avec la colonne Calendrier de base du Tableau des ressources. Les opérations suivantes permettent de modifier le calendrier d'une ressource particulière.

1. Sélectionnez la ressource concernée.

2. Accédez au menu Outils/Modifier le temps de travail.

Figure 9.1 — **Le Tableau des ressources** —

Les ressources humaines et matérielles sont saisies dans le Tableau des ressources —

Accéder au Tableau des ressources →

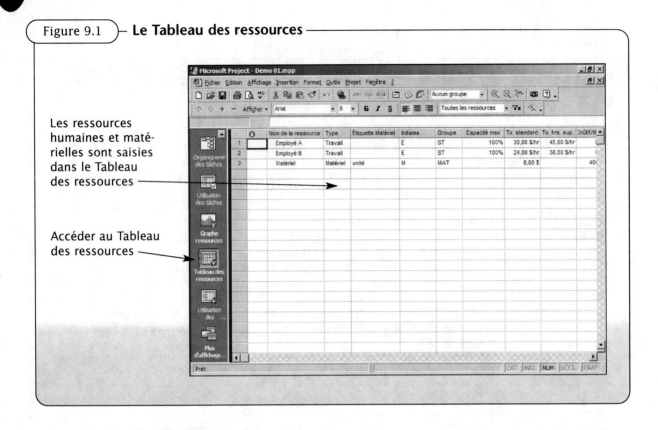

3. Dans la fenêtre Modifier le temps de travail, la section Pour indique le nom de la ressource à laquelle s'appliquent les modifications; vérifiez bien qu'il s'agit de la bonne ressource.

4. Apportez les modifications nécessaires au calendrier (référez-vous à la section 8.1.1.c *Le choix du temps de travail,* au chapitre 8, pour la procédure exacte).

▶ Outils/Modifier le temps de travail ou

▶ Projet/Informations sur la ressource

La figure 9.2 montre la fenêtre telle qu'elle apparaît après les modifications apportées au calendrier d'un employé.

Les trucs du métier

Pour accéder de nouveau au calendrier particulier d'une ressource, il suffit de faire un double-clic sur la ressource ou de passer par le menu Projet pour faire afficher la fenêtre Informations sur la ressource. L'onglet Temps travaillé permet d'accéder au calendrier de la ressource.

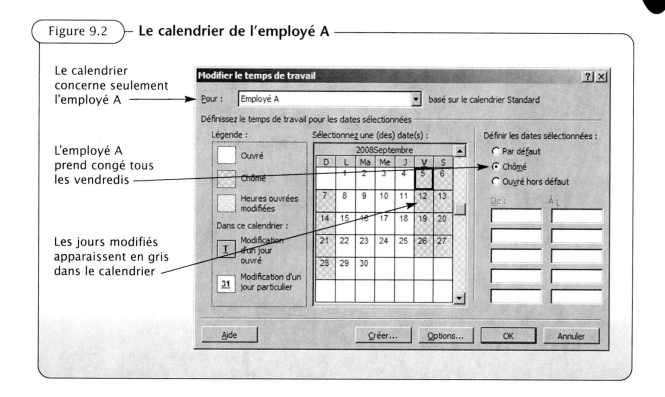

Figure 9.2 — **Le calendrier de l'employé A**

Le calendrier concerne seulement l'employé A

L'employé A prend congé tous les vendredis

Les jours modifiés apparaissent en gris dans le calendrier

9.1.3 La fenêtre Informations sur la ressource

La fenêtre Informations sur la ressource présente plusieurs champs qui peuvent s'avérer d'une grande utilité pour le chef de projet. Sous l'onglet Général, il est possible de spécifier des dates de disponibilité pour la ressource si celle-ci n'est pas disponible pour toute la durée du projet.

L'onglet Temps travaillé permet d'accéder au calendrier spécifique de la ressource, tel qu'il a été vu à la section précédente.

L'onglet Coûts permet de spécifier le taux horaire pour les heures régulières et pour les heures supplémentaires de la ressource, ou le coût par utilisation dans le cas d'une ressource matérielle. De plus, il est possible de spécifier la date d'effet d'une modification de coût. Le logiciel tient compte du changement uniquement à compter de la date choisie.

L'onglet Remarques permet d'ajouter de l'information sur la ressource.

▶ Projet/Informations sur la ressource

9.2 L'étape 5 : affecter les ressources

La cinquième étape de la planification du projet, affecter les ressources, correspond à la section 4.3, *L'affectation des ressources,* au chapitre 4. Elle comprend trois activités :

- réaliser l'affectation initiale;
- modifier l'affectation initiale;
- évaluer la durée et les coûts.

L'affectation initiale des ressources aux tâches revêt une importance particulière pour ceux qui utilisent *MS Project*. Cette opération permet de préciser la quantité de travail nécessaire pour exécuter une tâche. Le logiciel calcule la durée d'une tâche en fonction de deux paramètres définis lors de l'affectation initiale : le travail nécessaire pour exécuter la tâche (en heures) et la capacité des ressources (en pourcentage).

$$\text{durée de la tâche} = \frac{\text{travail nécessaire pour exécuter la tâche}}{\text{capacité des ressources}}$$

À cette étape, vous avez fourni une seule information au logiciel, soit la durée de la tâche. Comme aucune ressource n'est affectée, *MS Project* ne peut pas calculer le travail nécessaire à l'exécution de la tâche. L'exemple suivant permet d'illustrer le processus effectué par le logiciel. Comme le montre la figure 9.3, la tâche « Développement » a une durée de quatre jours.

Une seule ressource est affectée à cette tâche, soit un programmeur, disponible à 100 % pour le projet. Le travail nécessaire pour exécuter la tâche est calculé à l'aide de la formule vue précédemment :

Figure 9.3 — **La tâche avant l'affectation**

La tâche « Développement » est sélectionnée

La durée de la tâche est de quatre jours

Le fractionnement de l'écran affiche le détail : aucune affectation n'a été réalisée

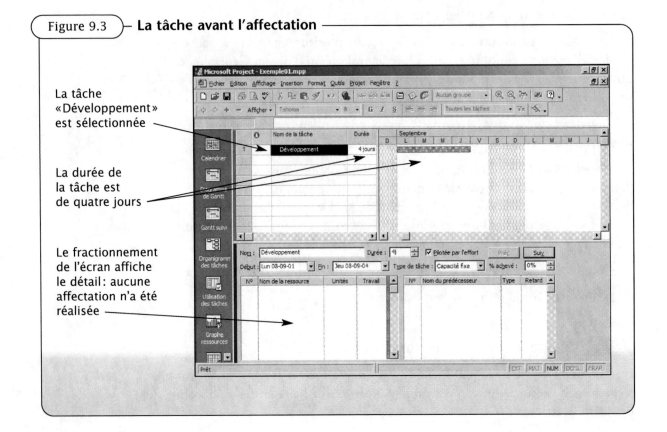

$$\text{durée} = \frac{\text{travail}}{\text{capacité}}$$

Donc,

$$\begin{aligned}
\text{travail} &= \text{durée} \times \text{capacité} \\
&= 4 \text{ jours} \times 100\% \\
&= 4 \text{ jours} \\
&= 32 \text{ heures}
\end{aligned}$$

Comme le présente la figure 9.4, 32 heures de travail sont nécessaires pour réaliser la tâche. Selon les paramètres définis par défaut dans *MS Project*, le travail de la tâche est fixé **après** l'affectation initiale. Une modification de l'affectation des ressources produit un effet sur la durée de la tâche, mais pas sur le travail nécessaire pour l'exécuter.

Pour l'exemple donné précédemment, on peut supposer que le chef de projet décide d'affecter à la tâche une seconde ressource disponible à 100 %. La nouvelle durée est alors calculée à partir des paramètres connus :

Figure 9.4 — **L'affectation initiale dans l'exemple 1**

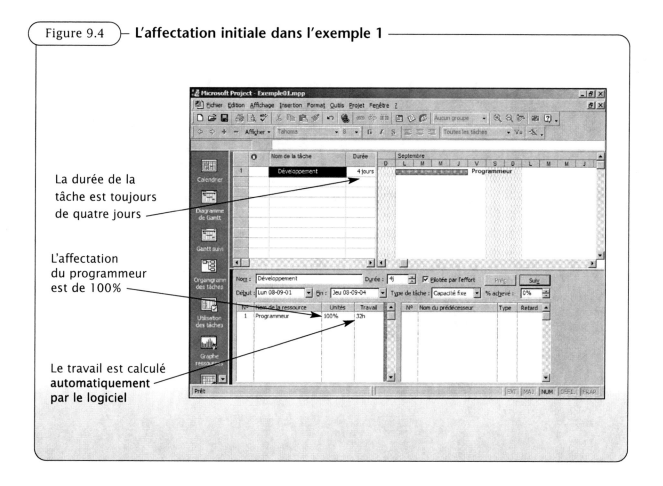

La durée de la tâche est toujours de quatre jours

L'affectation du programmeur est de 100%

Le travail est calculé **automatiquement** par le logiciel

$$\text{durée} = \frac{\text{travail}}{\text{capacité}}$$

$$= \frac{32 \text{ heures}}{200\%}$$

$$= 16 \text{ heures}$$

$$= 2 \text{ jours}$$

En affectant une seconde ressource à 100 %, la durée de la tâche est réduite de moitié, mais le travail nécessaire pour son exécution demeure le même (32 heures). La figure 9.5 permet de voir les effets de cette modification sur le diagramme de Gantt.

Le deuxième exemple qui suit permet d'illustrer l'importance de l'affectation initiale. La tâche « Développement » a une durée de quatre jours. À cette tâche sont affectées deux ressources : des programmeurs, disponibles à 200 % pour le projet. Calculons le travail nécessaire pour exécuter la tâche :

$$\text{travail} = \text{durée} \times \text{capacité}$$

$$= 4 \text{ jours} \times 200\%$$

$$= 8 \text{ jours}$$

$$= 64 \text{ heures}$$

Figure 9.5 ── **La modification de l'affectation dans l'exemple 1**

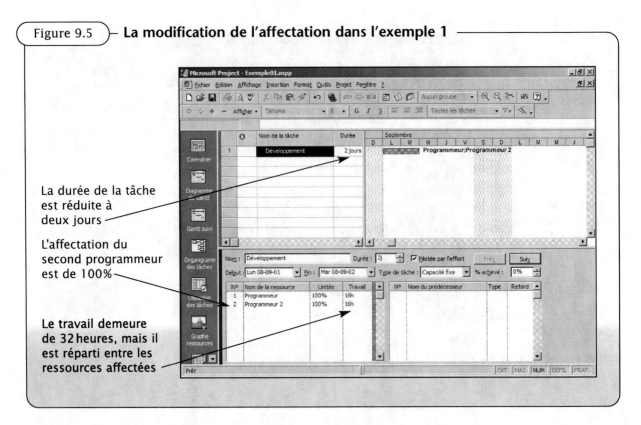

La durée de la tâche est réduite à deux jours

L'affectation du second programmeur est de 100%

Le travail demeure de 32 heures, mais il est réparti entre les ressources affectées

Comme le montre la figure 9.6, 64 heures de travail sont nécessaires pour réaliser la tâche. Rappelons que le travail de la tâche est fixé après l'affectation initiale. Comme deux ressources ont été affectées à la tâche, *MS Project* a calculé que le travail nécessaire pour réaliser la tâche est deux fois plus grand que dans le premier exemple.

Maintenant, si on suppose que le chef de projet décide de retirer l'une des ressources de la tâche, la nouvelle durée est calculée à partir des paramètres suivants :

$$\text{durée} = \frac{\text{travail}}{\text{capacité}}$$

$$= 64 \text{ heures} \div 100\%$$

$$= 64 \text{ heures}$$

$$= 8 \text{ jours}$$

En retirant la seconde ressource, la durée de la tâche a doublé, mais le travail nécessaire pour son exécution demeure le même (64 heures). La figure 9.7 permet de voir les effets de cette modification sur le diagramme de Gantt.

Figure 9.6 — **L'affectation initiale dans l'exemple 2**

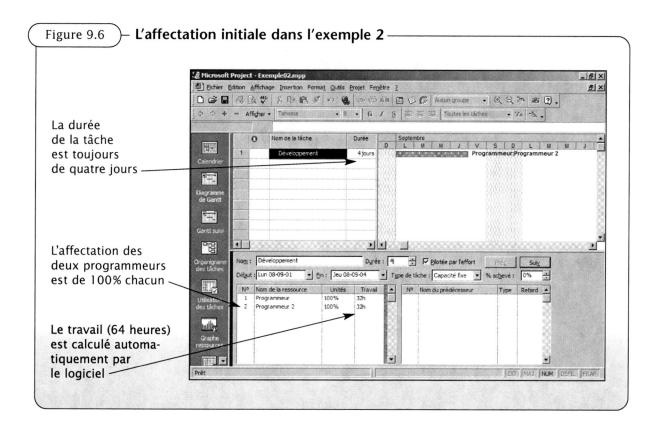

La durée de la tâche est toujours de quatre jours

L'affectation des deux programmeurs est de 100% chacun

Le travail (64 heures) est calculé automatiquement par le logiciel

Figure 9.7 – **La modification de l'affectation dans l'exemple 2**

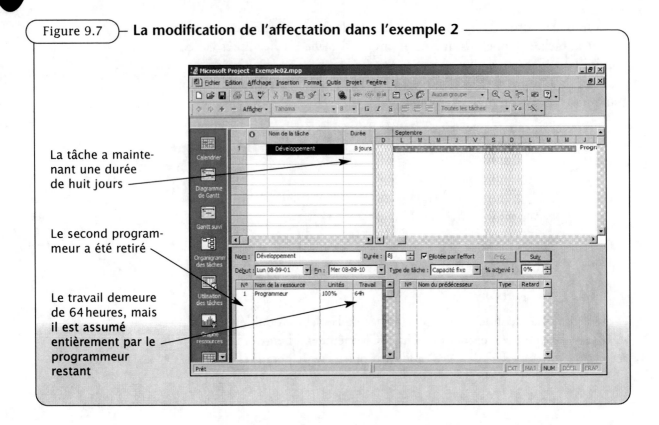

La tâche a maintenant une durée de huit jours

Le second programmeur a été retiré

Le travail demeure de 64 heures, mais il est assumé entièrement par le programmeur restant

Ces deux exemples permettent de voir que deux tâches identiques à l'origine («Développement», durée de quatre jours) sont grandement influencées par l'affectation initiale. Il est donc essentiel d'apporter une attention particulière à cette opération.

9.2.1 La saisie de l'affectation initiale

Différents moyens permettent d'affecter les ressources aux tâches. Le premier moyen consiste à utiliser la fiche Informations sur la tâche, que l'on affiche par un double-clic sur n'importe quelle tâche du diagramme de Gantt ou à l'aide du bouton Informations sur la tâche de la barre d'outils. L'onglet Ressources présente l'information de base pour la saisie des affectations. Cette fiche permet d'affecter une ou plusieurs ressources à une tâche. Toutefois, l'utilisation de la fiche pour l'affectation à plusieurs tâches s'avère difficile puisqu'il est impossible de passer d'une tâche à l'autre sans fermer puis rouvrir la fenêtre.

▶ Projet/Informations sur la tâche

Les trucs du métier

Puisque l'affectation initiale d'une tâche influence le calcul du travail fait par le logiciel, il est essentiel d'entrer toutes les ressources en une seule fois. Lorsque toutes les ressources sont entrées, validez en cliquant sur OK, comme l'indique la figure 9.8. Cette action lance le signal à *MS Project* que l'affectation initiale de la tâche active est terminée. Le logiciel calcule alors le travail nécessaire pour exécuter la tâche.

Une autre option s'offre pour saisir les affectations : il s'agit d'utiliser le fractionnement de l'écran pour afficher à la fois le diagramme de Gantt et l'information complète sur la tâche, comme le montre la figure 9.9. Cette option est la plus efficace pour l'utilisateur avancé de *MS Project*. Une fois la fenêtre fractionnée, la section du bas présente une foule de renseignements pertinents pour faciliter la saisie : nom de la ressource, unités (disponibilité de la ressource en pourcentage), travail, type de tâche, etc. Les boutons Suivante et Précédente permettent de naviguer aisément entre les tâches du diagramme de Gantt.

▶ Menu Fenêtre/Fractionner

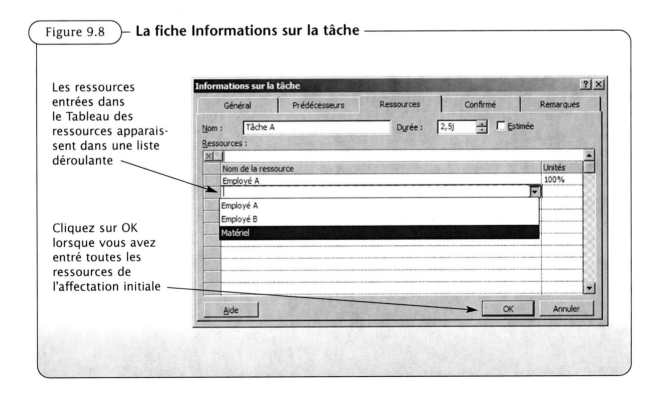

Figure 9.8 — **La fiche Informations sur la tâche**

Les ressources entrées dans le Tableau des ressources apparaissent dans une liste déroulante

Cliquez sur OK lorsque vous avez entré toutes les ressources de l'affectation initiale

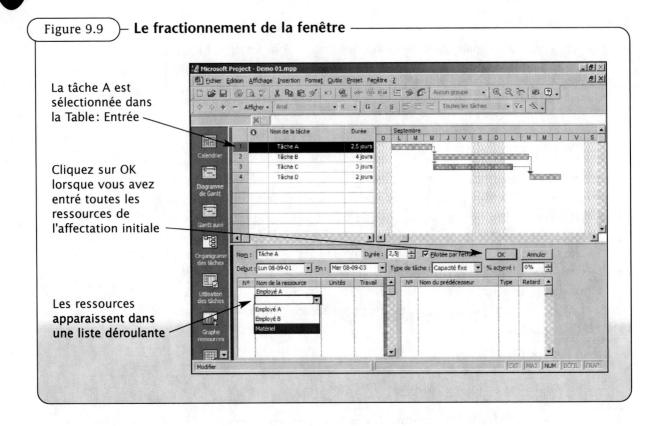

Figure 9.9 — **Le fractionnement de la fenêtre**

La tâche A est sélectionnée dans la Table: Entrée

Cliquez sur OK lorsque vous avez entré toutes les ressources de l'affectation initiale

Les ressources apparaissent dans une liste déroulante

9.2.2 La modification de l'affectation initiale

L'affectation initiale peut être modifiée aussi souvent que nécessaire. Toutefois, le chef de projet doit garder en tête que toute modification produit un effet sur la durée de la tâche saisie.

Les trucs du métier

> Les modifications de l'affectation sont effectuées par les mêmes opérations que la saisie initiale des affectations. Le bouton OK permet d'enregistrer l'information saisie et lance le calcul de la durée de la tâche par le logiciel.

Lors de la modification de l'affectation initiale, il est possible que le chef de projet désire changer les affectations sans modifier la durée d'une tâche. Par exemple, s'il se rend compte qu'un employé est moins productif que prévu, le chef de projet peut décider de lui apporter de l'aide en affectant une ressource supplémentaire à la tâche. Cette affectation permet de maintenir la durée de la tâche, sans toutefois la réduire. Mais comment effectuer cette modification dans *MS Project* puisqu'une nouvelle affectation modifie automatiquement la durée?

Il faut se servir du champ Type de tâche, qu'on trouve dans la fiche Informations sur la tâche (ou qu'on fait apparaître par le fractionnement de l'écran) et qui permet de modifier les paramètres par défaut de la tâche. Le Type de tâche spécifie l'effet d'un changement de travail, de capacité ou de durée sur les deux autres champs de la tâche. Rappelons que ces trois champs sont liés par l'équation suivante :

$$\text{durée} = \frac{\text{travail}}{\text{capacité}}$$

Comme le montre la figure 9.10, le type de tâche peut prendre trois formes :

- durée fixe ;
- capacité fixe ;
- travail fixe.

▶ Menu Projet/Informations sur la tâche

a) La tâche à durée fixe

Le type de tâche Durée fixe indique que la durée de la tâche doit rester inchangée advenant une modification de la capacité ou du travail pour la tâche. Pour les tâches à durée fixe :

Figure 9.10 — **Les types de tâches**

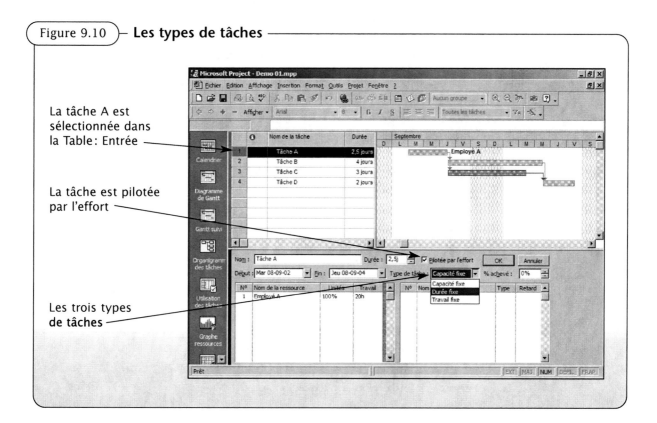

La tâche A est sélectionnée dans la Table : Entrée

La tâche est pilotée par l'effort

Les trois types de tâches

- si vous modifiez la capacité, *MS Project* recalcule le travail ;

- si vous modifiez la durée (bien qu'il s'agisse d'une tâche à durée fixe), *MS Project* recalcule le travail ;

- si vous modifiez le travail, *MS Project* recalcule la capacité.

L'exemple suivant permet d'illustrer notre propos. La durée de la tâche « Développement » est de quatre jours, l'affectation initiale prévoit la ressource « Programmeur » à 300 % et la tâche est définie à Durée fixe. *MS Project* calcule le travail à 96 heures (4 jours × 8 heures par jour × 300 %). Si vous modifiez l'affectation des ressources en retirant un programmeur, la capacité de la ressource passe à 200 %. En Durée fixe, *MS Project* maintient la durée à quatre jours et recalcule le travail à 64 heures (4 jours × 8 heures par jour × 200 %).

b) La tâche à capacité fixe

Le type de tâche Capacité fixe indique que la capacité de la tâche (c'est-à-dire la disponibilité de la ressource à la tâche en pourcentage) doit rester inchangée advenant une modification de la durée ou du travail pour la tâche. Pour les tâches à capacité fixe :

- si vous modifiez la capacité (bien qu'il s'agisse d'une tâche à capacité fixe), *MS Project* recalcule la durée ;

- si vous modifiez la durée, *MS Project* recalcule le travail ;

- si vous modifiez le travail, *MS Project* recalcule la durée.

L'exemple précédent permet aussi d'illustrer notre propos. La durée de la tâche « Développement » est de quatre jours, l'affectation initiale prévoit la ressource « Programmeur » à 300 % et la tâche est définie à Capacité fixe. *MS Project* calcule le travail à 96 heures (4 jours × 8 heures par jour × 300 %). Si vous modifiez l'affectation des ressources en retirant un programmeur, la capacité de la ressource passe à 200 %. En Capacité fixe, *MS Project* recalcule la durée à six jours (96 heures ÷ 200 % ÷ 8 heures par jour). C'est un exemple très commun qui est présenté depuis le début de ce chapitre. En effet, le type de tâche Capacité fixe est la valeur par défaut dans le logiciel.

Nous allons maintenant présenter l'effet d'une modification du travail à partir de l'exemple initial : la durée de la tâche « Développement » est de quatre jours, l'affectation initiale prévoit la ressource « Programmeur » à 300 % et la tâche est définie à Capacité fixe. Si vous modifiez l'affectation des ressources en considérant que l'exécution de la tâche prend 72 heures plutôt que 96 heures, la durée passe donc à trois jours. En Capacité fixe, *MS Project* maintient la capacité à 300 % et recalcule la durée à trois jours (72 heures ÷ 300 % ÷ 8 heures par jour).

c) La tâche à travail fixe

Le type de tâche Travail fixe indique que le travail de la tâche doit rester inchangé advenant une modification de la capacité ou de la durée pour la tâche. Pour les tâches à travail fixe :

- si vous modifiez la capacité, *MS Project* recalcule la durée ;

- si vous modifiez la durée, *MS Project* recalcule la capacité ;

- si vous modifiez le travail (bien qu'il s'agisse d'une tâche à travail fixe), *MS Project* recalcule la durée.

L'exemple précédent permet encore d'illustrer notre propos. La durée de la tâche « Développement » est de quatre jours, l'affectation initiale prévoit la ressource « Programmeur » à 300 % et la tâche est définie à Travail fixe. *MS Project* calcule le travail à 96 heures (4 jours × 8 heures par jour × 300 %). Si vous modifiez la durée en réduisant l'exécution à deux jours, la capacité de la ressource passe à 600 %. En Travail fixe, *MS Project* maintient le travail à 96 heures et recalcule la capacité à 600 % (96 heures de travail ÷ 2 jours ÷ 8 heures par jour).

Le tableau 9.2 fournit un résumé des calculs effectués par *MS Project* à la suite d'une modification à l'affection initiale.

Tableau 9.2   **Les paramètres calculés par le logiciel après un changement d'affectation**

Type de tâche	Si vous modifiez		
	la capacité	la durée	le travail
Durée fixe	Travail	Travail	Capacité
Capacité fixe	Durée	Travail	Durée
Travail fixe	Durée	Capacité	Durée

d) Les tâches pilotées par l'effort

Par définition, les tâches à travail fixe sont pilotées par l'effort, c'est-à-dire que *MS Project* conserve la quantité de travail inchangée lors d'une modification de la capacité ou de la durée de la tâche. La durée d'une tâche pilotée par l'effort augmente ou diminue lorsque des ressources sont retirées ou ajoutées, alors que la quantité de travail demeure inchangée.

Les trucs du métier

La combinaison de la case à cocher Pilotée par l'effort et du Type de tâche permet de choisir quel paramètre doit changer lors d'une modification de l'affectation. L'exemple suivant permet d'illustrer cette circonstance. La tâche « Charpente » est à capacité fixe : le nombre de ressources affectées à la tâche ne peut changer, il n'y a que cinq charpentiers disponibles pour le projet (capacité de 500 %). Le chef de projet évalue à 400 heures le travail nécessaire à la réalisation de la tâche. Il s'agit d'une tâche pilotée par l'effort puisque la quantité de travail est évaluée directement par le chef de projet. Avec la combinaison de Capacité fixe et Pilotée par l'effort, on demande au logiciel de calculer automatiquement la durée de la tâche dès l'affectation initiale. De plus, toute modification ultérieure de l'affectation fait varier la durée de la tâche, mais conserve la capacité et le travail à leurs niveaux actuels.

9.2.3 L'évaluation de la durée et du coût des tâches

Il existe quelques méthodes pour estimer la durée et le coût d'exécution des tâches d'un projet. Le tableau 9.3 présente quatre méthodes et le contexte dans lequel on devrait les utiliser. Chacune de ces méthodes est ensuite décrite et expliquée en détail dans les sections suivantes.

a) L'évaluation globale du coût et de la durée d'une tâche

L'évaluation globale du coût et de la durée d'une tâche est une méthode simple qui est choisie lorsque le mandataire confie la tâche à un sous-traitant. Celui-ci est alors responsable de ses ressources et des autres coûts d'exécution de la tâche, par exemple une tâche confiée à un entrepreneur en plomberie, en électricité, etc. Pour chaque tâche à évaluer par cette méthode, on estime le coût global de la tâche pour le mandataire et sa durée d'exécution.

Les trucs du métier

Pour réaliser la saisie de la durée dans *MS Project* :

- dans l'affichage Diagramme de Gantt, sélectionnez Affichage/Table : Entrée ;
- la Table : Entrée apparaît et présente une série de colonnes sur les durées ;
- entrez la durée de la tâche dans la colonne Durée.

Pour la saisie des coûts dans *MS Project* :

- dans l'affichage Diagramme de Gantt, sélectionnez Affichage/Table : Coûts ;
- la Table : Coûts apparaît et présente une série de colonnes sur les coûts ;
- entrez le coût total de la tâche dans la colonne Coût fixe.

Tableau 9.3   **La méthode d'évaluation de la durée et du coût des tâches**

Nom de la méthode	Contexte d'utilisation
L'évaluation globale du coût et de la durée	À utiliser lorsqu'une tâche est donnée en sous-traitance. On doit alors indiquer le montant à verser au sous-traitant et la durée de l'exécution. Aucune ressource n'est affectée à la tâche.
L'évaluation du coût et de la durée par la méthode à travail fixe	À utiliser lorsque la tâche exige des ressources spécialisées (non interchangeables) pour lesquelles on doit indiquer spécifiquement le nombre d'heures de travail à fournir. Le logiciel calcule la durée et le coût en fonction du travail de ressources.
L'évaluation du coût et du travail par la méthode à durée fixe	À utiliser lorsque la tâche fait appel à des ressources interchangeables. On doit alors indiquer la durée prévue de la tâche. Le logiciel calcule le travail et le coût des ressources en fonction de la durée d'exécution de la tâche.
L'évaluation des autres coûts du projet	Les coûts fixes doivent être saisis pour toutes les tâches qui comportent des coûts autres que le coût en ressources.

b) L'évaluation du coût et de la durée par la méthode à travail fixe

S'il réalise l'évaluation du coût et de la durée par la méthode à travail fixe, le chef de projet doit évaluer séparément le coût en ressources et les autres coûts d'exécution de chaque tâche. Cette méthode est choisie lorsque la tâche est exécutée par des ressources non interchangeables. Elle permet d'évaluer en même temps le coût en ressources de ces tâches et leur durée d'exécution.

Pour évaluer le coût en ressources de la tâche, le chef de projet détermine la disponibilité des ressources pour la tâche (plein temps, mi-temps, etc.) et estime en nombre d'heures la quantité de travail de chaque ressource. À partir de ces deux données, le logiciel calcule le coût en ressources et la durée d'exécution de la tâche.

L'exemple suivant permet de mieux comprendre le fonctionnement du logiciel avec la méthode à travail fixe. Dans un projet de recherche, les ressources A et B sont affectées à la tâche 1. Le tableau 9.4 présente le calcul du coût et de la durée de la tâche.

- La ressource A y est affectée à plein temps et coûte au projet 100 $/h.

- La ressource B y est affectée à mi-temps et coûte au projet 150 $/h.

- Le chef de projet évalue le niveau de travail des deux ressources à 50 heures pour A et à 30 heures pour B. Le logiciel calcule ainsi le coût de la tâche :

$$(50 \text{ h} \times 100 \text{ \$/h}) + (30 \text{ h} \times 150 \text{ \$/h}) = 9\,500 \text{ \$}$$

Le logiciel calcule aussi la durée d'exécution :

- Ressource A (temps plein) : 50 h ÷ 100 % = 50 heures
- Ressource B (mi-temps) : 30 h ÷ 50 % = 60 heures

Tableau 9.4　**Le calcul du coût et de la durée par la méthode à travail fixe**

Ressource	Capacité	Tx standard	Travail fixe	Coût	Durée
A	100 %	100 $/h	50 h	5 000 $	50 h
B	50 %	150 $/h	30 h	4 500 $	60 h
Total				9 500 $	60 h

La durée de la tâche est donc déterminée par la ressource B. Le logiciel traduit alors la durée de 60 heures en journées de travail : 7,5 jours si la journée de travail est de 8 heures (60 heures ÷ 8 heures par jour).

Les trucs du métier

Pour la saisie du travail dans *MS Project*, il faut évaluer la quantité de travail que chaque ressource doit fournir pour l'exécution de chaque tâche à laquelle elle est affectée. Pour chaque tâche, il faut saisir ces quantités de travail en suivant ces instructions :

- dans l'affichage Diagramme de Gantt, fractionnez la fenêtre pour faire apparaître la Fiche détaillée de la tâche ;

- dans Type de tâche, sélectionnez Travail fixe ;

- n'entrez rien dans la case Durée, puisque celle-ci est calculée par le logiciel ;

- évaluez la quantité de travail (en heures) à faire par chaque ressource et saisissez-la dans la colonne Travail ;

- cliquez sur OK, ce qui active le calcul du coût et de la durée de la tâche.

c) L'évaluation du coût et du travail par la méthode à durée fixe

S'il réalise l'évaluation du coût et du travail par la méthode à durée fixe, le chef de projet doit évaluer séparément le coût en ressources et les autres coûts d'exécution de la tâche. Cette méthode est choisie lorsque la tâche est exécutée par des ressources interchangeables. Elle est utilisée pour évaluer le coût des tâches exécutées par le mandataire avec ses propres ressources.

Pour évaluer le coût en ressources de la tâche, le chef de projet détermine la disponibilité des ressources pour la tâche (plein temps, mi-temps, etc.) et évalue la durée de la tâche. À partir de ces deux données, le logiciel calcule la quantité de travail de chaque ressource contribuant à la tâche et le coût des ressources.

L'exemple suivant permet de mieux comprendre le fonctionnement du logiciel lorsque la méthode à durée fixe est choisie.

Dans un projet d'ingénierie, l'exécution de la tâche 2 doit durer 10 jours. Le tableau 9.5 présente le calcul du coût et du travail de la tâche.

- La ressource C y est affectée à temps plein et coûte au projet 35 $/h.
- La ressource D y est affectée à temps plein et coûte au projet 40 $/h.

Le chef de projet saisit la durée de la tâche et y affecte les deux ressources. Le logiciel calcule ainsi le travail des ressources :

- Ressource C (temps plein) :
  10 jours × 8 heures par jour × 100 % = 80 heures

- Ressource D (temps plein) :
  10 jours × 8 heures par jour × 100 % = 80 heures

Le logiciel calcule aussi le coût d'exécution de la tâche :

(80 heures × 35 $/h) + (80 heures × 40 $/h) = 6 000 $

Tableau 9.5   **Le calcul du coût et du travail pour la méthode à durée fixe**

Ressource	Capacité	Tx standard	Travail fixe	Travail	Coût
C	100 %	35 $/h	10 j	80 h	2 800 $
D	100 %	40 $/h	10 j	80 h	3 200 $
Total				160 h	6 000 $

Les trucs du métier

Pour la saisie de la durée dans *MS Project*, il faut que le chef de projet évalue la durée d'exécution de chaque tâche en tenant compte du nombre de ressources affectées. Pour chaque tâche, il faut saisir ces durées en suivant ces instructions :

- dans l'affichage Diagramme de Gantt, fractionnez la fenêtre pour faire apparaître la Fiche détaillée de la tâche ;
- dans Type de tâche, sélectionnez Durée fixe ;
- évaluez la durée d'exécution de la tâche et saisissez-la dans le champ Durée ;
- déterminez les ressources à affecter et saisissez-les dans la colonne Nom de la ressource ;
- n'entrez rien dans la colonne Travail puisque la quantité de travail est calculée par le logiciel ;
- cliquez sur OK, ce qui active le calcul du coût et du travail de la ressource.

d) L'évaluation des autres coûts du projet

Il faut ensuite évaluer tous les autres coûts du projet, soit les coûts fixes des tâches et les coûts fixes non répartis qui ne peuvent être imputés à des tâches spécifiques.

Les éléments suivants entraînent des coûts fixes de tâches :

- la location d'équipement pour la durée d'une tâche ;
- l'achat d'un logiciel pour les besoins d'une tâche ;
- l'achat ou la location de matériaux nécessaires à la réalisation d'une tâche.

Les éléments suivants entraînent pour le projet des coûts fixes non répartis :

- les honoraires du chef de projet ;
- les loyers ;
- la location d'équipement pour la durée du projet ;
- certains coûts qui pourraient être associés à des lots plutôt qu'à des tâches.

Les trucs du métier

Pour la saisie des coûts fixes dans *MS Project*, il faut que le chef de projet évalue indépendamment le coût fixe de chaque tâche. Il faut saisir ces coûts fixes en suivant ces instructions :

- dans l'affichage Diagramme de Gantt, sélectionnez Affichage/Table : Coûts ;
- la Table : Coûts apparaît et présente une série de colonnes sur les coûts ;
- entrez le coût fixe de la tâche dans la colonne Coût fixe de cette tâche ;
- entrez les coûts fixes non répartis du projet dans la colonne Coût fixe du lot Projet de niveau 0 ;
- entrez les coûts fixes non répartis d'un lot dans la colonne Coût fixe de ce lot.

9.3 L'étape 6 : optimiser le calendrier d'exécution

La dernière étape de la planification du projet, optimiser le calendrier d'exécution, correspond à la section 4.3.2, *L'équilibrage de l'utilisation des ressources,* au chapitre 4. Elle comporte trois activités :

- réaliser l'audit des ressources ;
- autoriser des heures supplémentaires ;
- optimiser l'utilisation des ressources.

9.3.1 L'audit des ressources

Il faut se rappeler qu'il est possible qu'au moment de l'affectation, le chef de projet remarque certaines inégalités dans l'utilisation des ressources, comme lors de périodes de pointe ou de périodes où la demande pour une ressource est plus faible. Le chef de projet doit alors vérifier l'équilibre des affectations et corriger les situations pour lesquelles il dispose d'une marge de manœuvre.

MS Project dispose d'une fonction pour aider le chef de projet dans ce travail. Cette fonction se nomme l'Audit des ressources. Elle permet de devancer, de retarder ou même de fractionner certaines tâches afin de résoudre des problèmes de surutilisation des ressources.

Avant de lancer l'Audit des ressources, il est utile de vérifier l'utilisation qui est faite de chacune des ressources du projet. On effectue cette opération à l'aide de l'affichage Utilisation des ressources. Dans cette fenêtre, on retrouve la liste des ressources et leur utilisation quotidienne, comme le montre la figure 9.11.

▶ Affichage/Utilisation des ressources

Les trucs du métier

Dans le Tableau des ressources ou dans l'affichage Utilisation des ressources, les ressources en surutilisation apparaissent en rouge. Il y a surutilisation lorsque la planification actuelle oblige une ressource à travailler sur plus d'une tâche en même temps. La fonction Audit des ressources permet de résoudre les problèmes de surutilisation. Toutefois, l'optimisation de l'affectation, telle qu'elle a été vue au chapitre 4, ne peut être réalisée uniquement par le logiciel. Le chef de projet doit intervenir lui-même afin de niveler l'utilisation des ressources du projet. Cette opération est traitée à la section 9.3.3.

On réalise l'audit des ressources en exécutant les quatre opérations suivantes.

1. Établir la priorité des tâches

À l'aide du champ Priorité de la fiche Informations sur la tâche, il est possible d'assigner un niveau d'importance, variant de 0 à 1 000, à chacune des tâches du projet. Plus la priorité d'une tâche est élevée, moins elle a de risques d'être affectée par l'audit des ressources. Par défaut, le niveau de priorité de toutes les tâches est de 500.

2. Choisir les ressources à auditer

Il est possible d'auditer l'ensemble des ressources du projet ou seulement quelques ressources spécifiques. Pour auditer toutes les ressources, il faut lancer l'opération d'audit à partir de l'affichage Diagramme de Gantt. Si on désire auditer certaines ressources seulement, il faut passer à l'affichage Tableau des ressources, sélectionner les ressources concernées, puis lancer l'audit.

3. Auditer les ressources

L'audit est lancé à partir de la fenêtre Audit des ressources, présentée à la figure 9.12 et dans laquelle on retrouve plusieurs options qui sont expliquées dans le tableau 9.6.

▶ Outils/Audit des ressources

Les trucs du métier

On fait s'effectuer l'audit en cliquant sur le bouton Auditer maintenant de la fenêtre Audit des ressources. Il est toujours possible d'annuler les effets de l'audit à l'aide du bouton Supprimer l'audit.

4. Contrôler l'audit

Une fois l'audit complété, il est utile de vérifier les effets de cette opération sur la planification du projet. Pour faire cette vérification, l'affichage Audit du Gantt est particulièrement indiqué. La Table : Retard affichée dans la section de gauche permet de voir la colonne Retard d'audit qui présente les retards créés par la fonction d'audit des ressources. Utilisée conjointement avec le diagramme de Gantt, cette information permet de constater les modifications réalisées par le logiciel au moment d'auditer les ressources.

▶ Affichage/Plus d'affichages/Audit du Gantt

L'exemple présenté au tableau 9.7 permet d'illustrer la réalisation d'un audit des ressources. Comme on peut le remarquer dans ce tableau, un projet de développement d'un logiciel simple comporte trois tâches. La figure 9.13 présente le diagramme de Gantt du projet.

En accédant au Tableau des ressources, on remarque que la ressource Programmeur est affichée en rouge et qu'elle est donc en surutilisation. On remarque également que cette ressource est utilisée en même temps sur les tâches 2, « Développement A », et 3, « Développement B ». Dans un projet

Figure 9.11 — **L'utilisation des ressources**

La section de gauche présente les ressources et les tâches auxquelles elles sont affectées

La section de droite présente les heures quotidiennes de travail de la ressource

L'affichage Utilisation des ressources est **sélectionné**

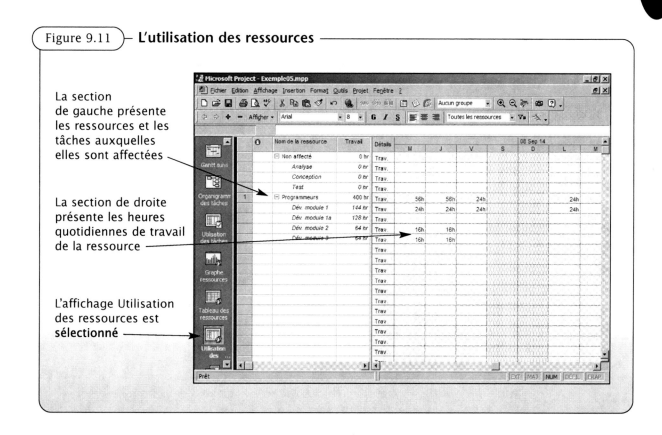

Figure 9.12 — **L'audit des ressources**

L'audit sur ordre Jour par jour est l'option d'audit la plus fréquemment utilisée

Le bouton Auditer maintenant sert à lancer l'audit

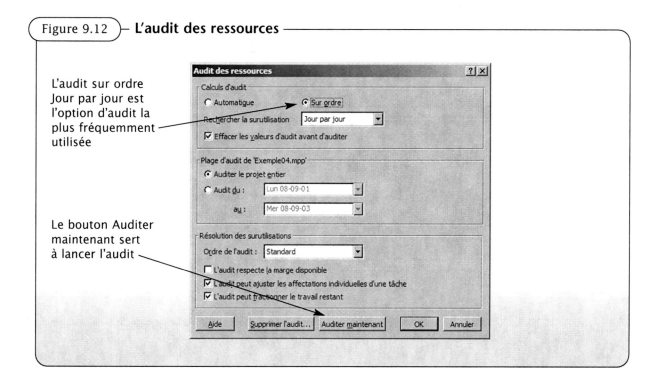

Tableau 9.6   **Les options de la fenêtre Audit des ressources**

Option	Possibilités	Explication
Calculs d'audit	Automatique	L'audit est calculé automatiquement à chaque modification faite à une ressource ou à une tâche
	Sur ordre	L'audit est réalisé lorsque l'utilisateur clique sur Auditer maintenant
Effacer les valeurs d'audit avant d'auditer	Oui/Non	Si vous choisissez l'audit automatique, désactivez cette case à cocher puisque son activation ralentit les calculs d'audits
Rechercher la surutilisation	Jour par jour	L'audit recherche un dépassement de la capacité quotidienne d'une ressource (plus de 8 heures de travail par jour)
	Semaine par semaine	L'audit recherche un dépassement de la capacité hebdomadaire d'une ressource (plus de 40 heures de travail par semaine)
Plage d'audit	Auditer le projet entier	Permet d'auditer l'ensemble des tâches du projet
	Audit du: au:	Permet d'auditer seulement les tâches comprises entre deux dates spécifiées
Ordre de l'audit	N° seulement	Permet d'auditer les tâches par ordre croissant de leurs numéros
	Standard	L'audit traite d'abord les prédécesseurs, la marge, les dates, les priorités et les contraintes
	Priorité, Standard	L'audit traite d'abord les priorités des tâches, avant de vérifier les critères de l'ordre Standard
L'audit respecte la marge disponible	Oui/Non	Empêche que la date de fin du projet soit déplacée lors de l'audit
L'audit ne peut ajuster les affectations individuelles d'une tâche	Oui/Non	Permet à l'audit d'ajuster le moment auquel une ressource travaille sur une tâche indépendamment des autres ressources travaillant sur la même tâche
L'audit peut fractionner le travail restant	Oui/Non	Permet de fractionner les tâches lors de la réalisation de l'audit

Tableau 9.7 Un exemple de la conception et du développement d'un logiciel

Tâche	Description	Prédécesseur	Durée	Ressource
1	Conception	–	1 jour	1 programmeur
2	Développement A	1	2 jours	1 programmeur
3	Développement B	1	2 jours	1 programmeur

Figure 9.13 — La conception et le développement d'un logiciel

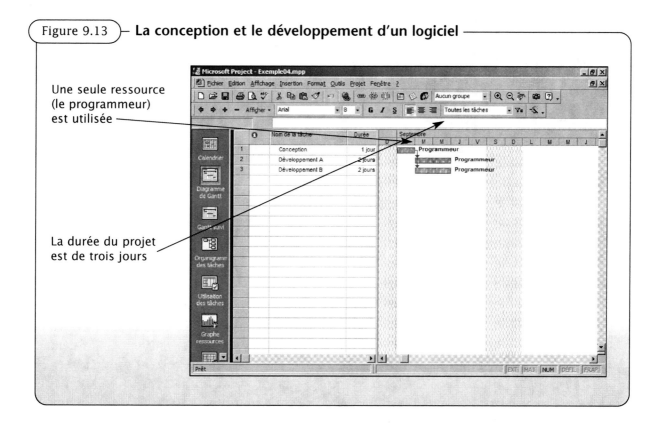

Une seule ressource (le programmeur) est utilisée

La durée du projet est de trois jours

de plus grande envergure, il est parfois difficile de déterminer le moment de la surutilisation d'une ressource. Pour y parvenir, il faut accéder à l'affichage Utilisation des ressources, qui présente en rouge les dates où la ressource est surutilisée. La figure 9.14 présente l'utilisation des ressources du projet étudié. On peut y constater que la ressource Programmeur est surutilisée les deuxième et troisième journées du projet (mardi et mercredi).

Figure 9.14 — **La surutilisation des ressources**

La ressource Programmeur apparaît en rouge: elle est en surutilisation

Le Programmeur travaille 16 heures mardi et 16 heures mercredi

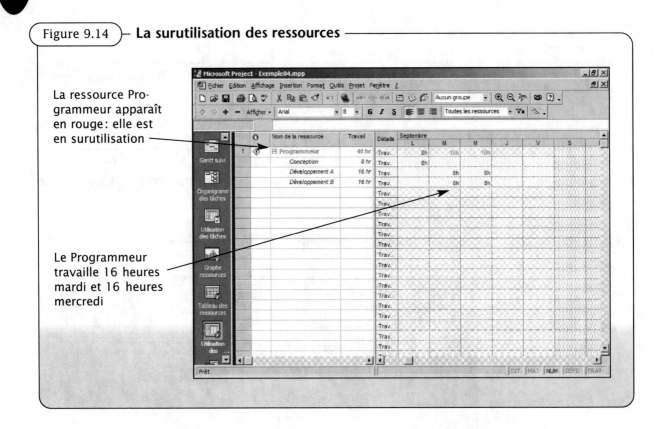

Pour résoudre cette surutilisation, on doit lancer l'audit des ressources jour par jour. La figure 9.15 permet de constater que l'audit a retardé l'exécution de la tâche 3, «Développement B», de deux jours. Pour l'instant, aucune donnée ne permet au logiciel de déterminer laquelle des deux tâches (2, «Développement A», ou 3, «Développement B») doit être retardée pour résoudre la surutilisation. Lorsque cette situation se présente, les tâches sont auditées par ordre croissant de leurs numéros. Si la tâche 3, «Développement B», est plus importante et doit être réalisée d'abord, il faut l'indiquer au logiciel. On entre cette information par le champ Priorité de la fiche Informations sur la tâche. Faites-en l'expérience:

- supprimez l'audit;

- définissez une priorité de 600 à la tâche 3, «Développement B»;

- lancez de nouveau l'audit.

Vous pouvez constater que, cette fois-ci, *MS Project* a retardé l'exécution de la tâche 2, «Développement A», dont la priorité est maintenant plus faible que celle de la tâche 3, «Développement B».

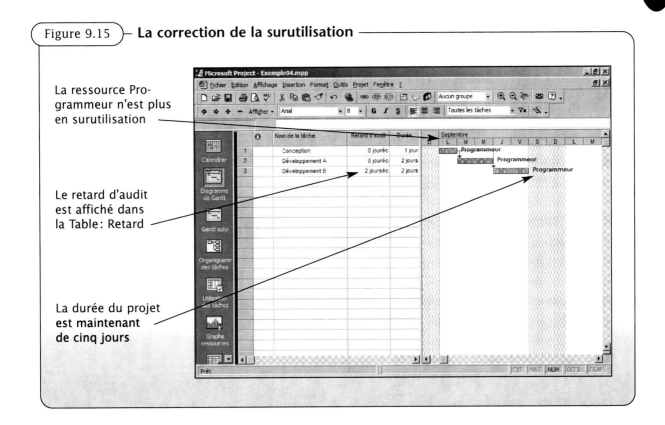

Figure 9.15 — **La correction de la surutilisation**

La ressource Programmeur n'est plus en surutilisation

Le retard d'audit est affiché dans la Table : Retard

La durée du projet est maintenant de cinq jours

9.3.2 Les heures supplémentaires

Il est possible d'autoriser des heures supplémentaires afin de réaliser le travail d'une tâche dans un délai plus court. L'exemple suivant est tout indiqué pour découvrir comment le chef de projet peut autoriser les heures supplémentaires de ses employés : un projet de développement informatique comporte deux tâches, soit la conception (d'une durée de 8 heures) et le développement (d'une durée de 18 heures). Les tâches sont successives et la ressource Programmeur est affectée aux deux tâches. La figure 9.16 présente le diagramme de Gantt du projet, qui dure un peu plus de trois jours.

Le projet comporte quelques contraintes, dont le fait qu'il doit être terminé dans un délai de trois jours. Le chef de projet décide d'autoriser des heures supplémentaires afin de compléter la tâche 2, « Développement », durant la troisième journée du projet (mercredi). La fiche Travail de la ressource permet au chef de projet d'affecter des heures supplémentaires au travail du Programmeur. Pour afficher le Travail de la ressource, fractionnez l'écran, puis cliquez avec le bouton de droite de la souris dans la section du bas, comme le présente la figure 9.17. Sélectionnez ensuite la fiche Travail de la ressource.

– **Le diagramme de Gantt du projet**

La durée du projet
est de 3,25 jours
(26 heures)

Une seule ressource
(le programmeur)
est utilisée

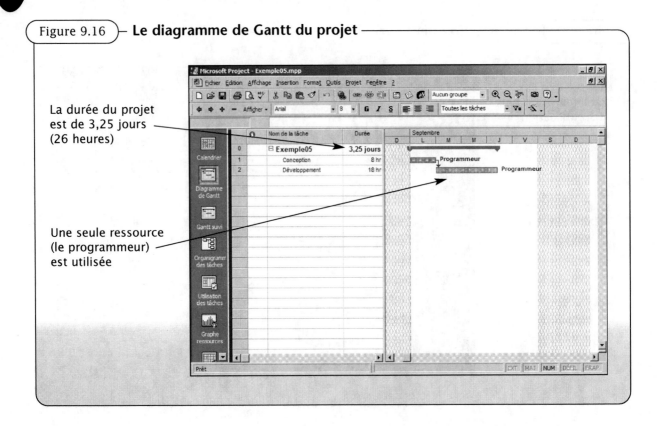

Le chef de projet autorise deux heures supplémentaires au travail du programmeur. On constate que cette opération permet de réduire la durée de la tâche à 16 heures et celle du projet à trois jours. Néanmoins, la durée du travail à accomplir pour terminer l'exécution de la tâche 2, « Développement », demeure de 18 heures. La formule suivante permet de calculer la durée d'une tâche sur laquelle des heures supplémentaires ont été autorisées.

durée = travail − heures supplémentaires

La figure 9.17 présente le travail de la ressource Programmeur sur la tâche 2, « Développement ».

9.3.3 L'optimisation de l'utilisation des ressources

Une fois les problèmes d'utilisation des ressources résolus, il est souvent possible d'améliorer encore le calendrier d'exécution afin de niveler l'utilisation des ressources. Cette opération, dont il a été question au chapitre 4, doit être réalisée avec beaucoup d'attention. En effet, pour optimiser l'utilisation des ressources, le chef de projet ajoute volontairement des retards à certaines tâches, ce qui réduit la marge libre et augmente le niveau de risque du calendrier d'exécution.

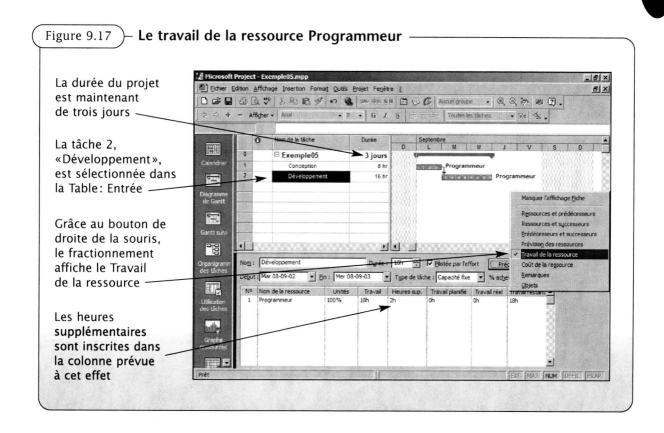

Figure 9.17 — **Le travail de la ressource Programmeur**

La durée du projet est maintenant de trois jours

La tâche 2, «Développement», est sélectionnée dans la Table: Entrée

Grâce au bouton de droite de la souris, le fractionnement affiche le Travail de la ressource

Les heures supplémentaires sont inscrites dans la colonne prévue à cet effet

Pour illustrer notre propos, nous présentons un exemple de conception d'un logiciel informatique. Le logiciel doit être programmé en trois modules distincts, et le premier de ces modules comporte deux tâches: «Développement du module 1» et «Développement du module 1A». La première tâche est un prédécesseur de la seconde. La figure 9.18 présente le diagramme de Gantt de cet exemple avec l'affectation des programmeurs, une ressource interchangeable. Pour optimiser l'utilisation des ressources, l'affichage Graphe des ressources (présenté à la figure 9.19) fournit au chef de projet des données précieuses. Ce graphique nous permet d'observer un certain nombre d'éléments importants:

- à son plus fort, le projet engage sept programmeurs;
- à son plus faible, le projet engage trois programmeurs;
- l'utilisation de la ressource est inconstante au cours du projet.

Pour pallier ces faiblesses, le chef de projet doit procéder à l'équilibrage des ressources. Il faut se rappeler que, pour équilibrer les ressources, le chef de projet doit utiliser la marge libre des tâches auxquelles la ressource est affectée. Dans l'exemple du projet de logiciel, à la Table: Prévisions présentée à la figure 9.20, on remarque que la marge libre des tâches «Développement du

Figure 9.18 — **Le diagramme de Gantt du projet**

La durée du projet
est de 17 jours

Les programmeurs
sont affectés
aux tâches
de développement

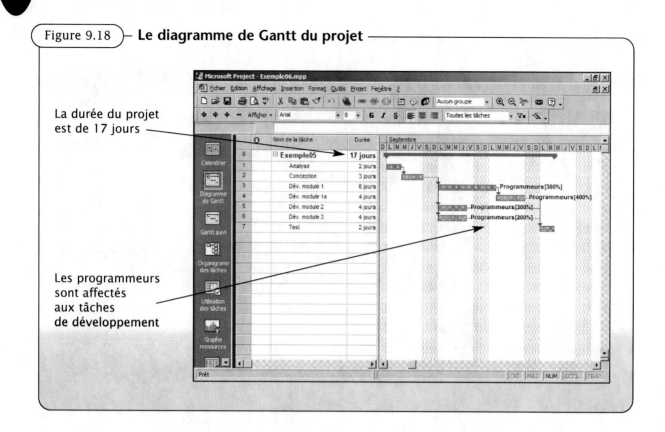

Figure 9.19 — **L'affichage Graphe des ressources**

En période de pointe,
le projet utilise
sept ressources

Au plus bas,
le projet utilise
trois ressources

L'affichage Graphe
des ressources est
sélectionné

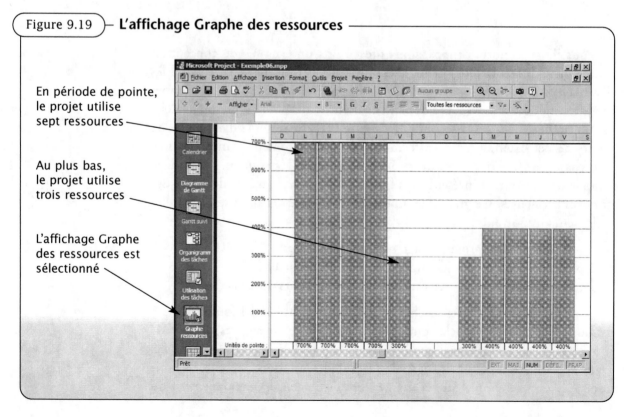

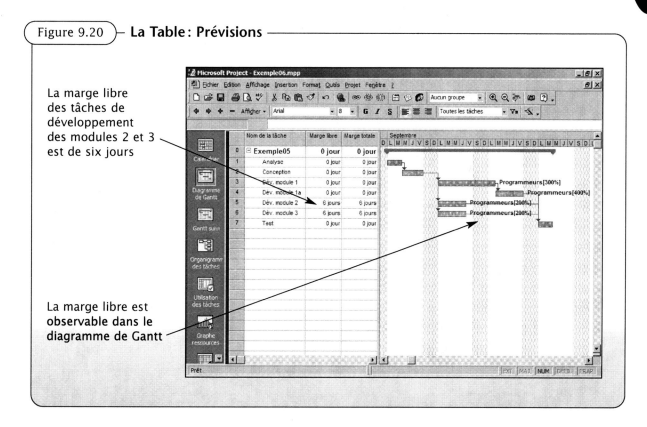

Figure 9.20 — **La Table : Prévisions**

La marge libre des tâches de développement des modules 2 et 3 est de six jours

La marge libre est **observable dans le diagramme de Gantt**

module 2 » et « Développement du module 3 » est de six jours. Le chef de projet peut donc se permettre de retarder l'une ou l'autre de ces tâches, sans repousser la date de fin du projet.

▶ Affichage/Table : Entrée/Prévisions

Le chef de projet détermine que la meilleure solution est de retarder la tâche « Développement du module 3 » de quatre jours, comme l'illustre la figure 9.21. Faire glisser la tâche permet de niveler le graphe des ressources. On voit, sur la figure 9.22, que l'utilisation de la ressource Programmeurs est plus uniforme dans le nouveau graphique généré. À la lecture du graphique, on constate aussi que le nombre total de programmeurs à engager est passé de sept à six : l'utilisation des ressources disponibles est donc meilleure. De plus, la fluctuation du nombre de programmeurs engagés est réduite, ce qui permet d'assurer une meilleure stabilité des ressources dans le projet.

Les trucs du métier

Le retard de quatre jours est ajouté à la tâche « Développement du module 3 » par une modification des prédécesseurs. Il est préférable d'utiliser ce moyen plutôt que de définir une date de début pour la tâche. Ajouter le retard de cette dernière façon pourrait fausser les résultats du projet lors des opérations de suivi, par exemple, si une tâche préalable était retardée ou devancée.

Figure 9.21 — **Un retard dans le diagramme de Gantt**

La tâche Dév. module 3 est sélectionnée dans la Table : Prévisions

La marge libre est réduite à deux jours avec le retard

La tâche est retardée de quatre jours dans le diagramme de Gantt

Un retard de quatre jours a été ajouté au prédécesseur

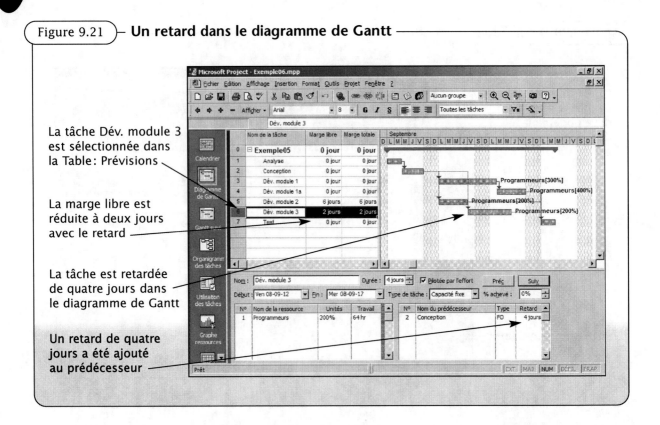

Figure 9.22 — **L'affichage Graphe des ressources**

En période de pointe, le projet utilise six ressources

Au plus bas, le projet utilise quatre ressources

L'affichage Graphe des ressources est sélectionné

L'utilisation des ressources présente une meilleure uniformité

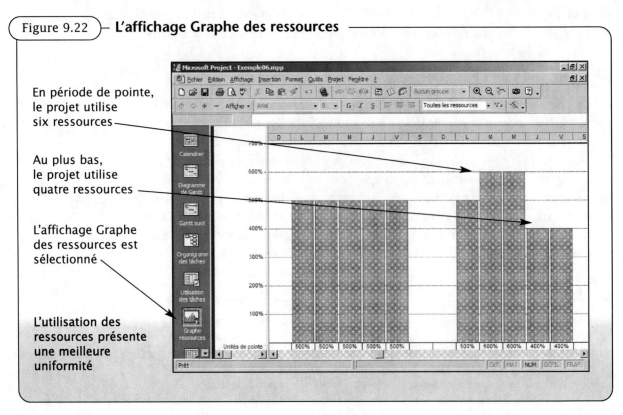

9.4 Les améliorations de la présentation

La section suivante présente quelques améliorations que l'on peut apporter au fichier du projet afin d'en personnaliser la présentation.

9.4.1 Le style des barres et le texte

En plus de l'Assistant Diagramme de Gantt, qui permet de distinguer les barres des tâches critiques de celles qui ne le sont pas, la fenêtre Styles des barres permet une personnalisation complète de l'affichage Diagramme de Gantt.

▶ Format/Styles des barres

La personnalisation des barres peut porter sur les barres elles-mêmes, comme le présente la figure 9.23, par exemple leur couleur, leur forme, leur remplissage, etc.; elle peut aussi porter sur le texte qui accompagne les barres. Par défaut, le nom des ressources apparaît au long. Il peut être avantageux d'afficher uniquement les initiales des ressources plutôt que leur nom au complet, car cela permet d'épargner de l'espace à l'écran et à l'impression.

Figure 9.23 — **La fenêtre Styles des barres**

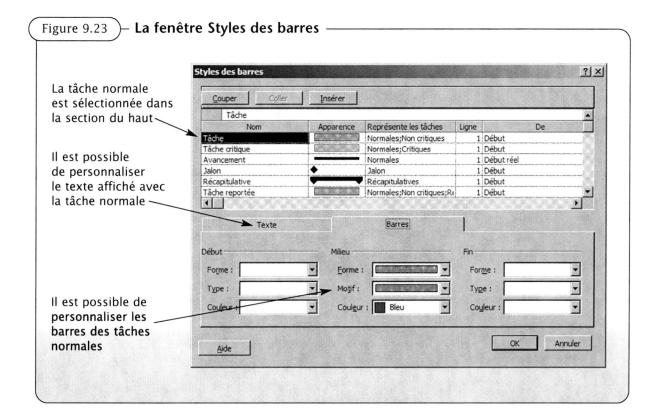

La tâche normale est sélectionnée dans la section du haut

Il est possible de personnaliser le texte affiché avec la tâche normale

Il est possible de personnaliser les barres des tâches normales

9.4.2 Le quadrillage

La fenêtre Quadrillage permet de modifier la couleur et la présentation des barres verticales et horizontales qui apparaissent dans le diagramme de Gantt. Entre autres, il est utile de modifier la couleur de la ligne Date du jour afin de la faire contraster avec le reste des éléments du diagramme de Gantt.

▶ Format/Quadrillage

9.4.3 La disposition des barres de tâches

La fenêtre Disposition permet de modifier l'apparence des liaisons entre les tâches, la hauteur des barres et le format d'affichage de la date, comme le montre la figure 9.24.

▶ Format/Disposition

9.4.4 Le filtre des tâches

MS Project permet d'appliquer divers filtres sur les tâches du projet, à l'aide du bouton prévu à cet effet dans la barre d'outils, comme le montre la figure 9.25. Par exemple, le chef de projet peut décider d'afficher uniquement

Figure 9.24 — **La fenêtre Disposition**

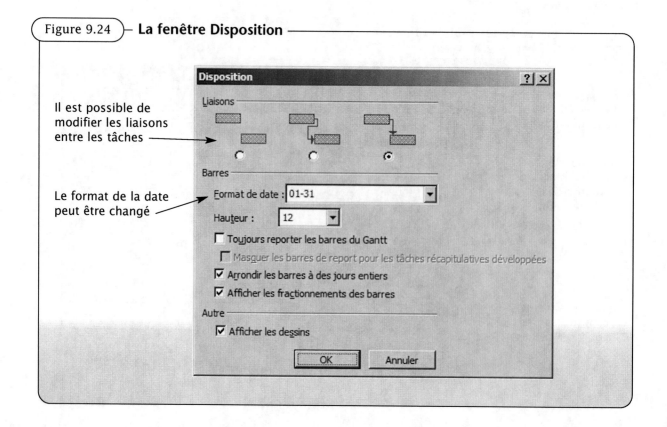

Il est possible de modifier les liaisons entre les tâches

Le format de la date peut être changé

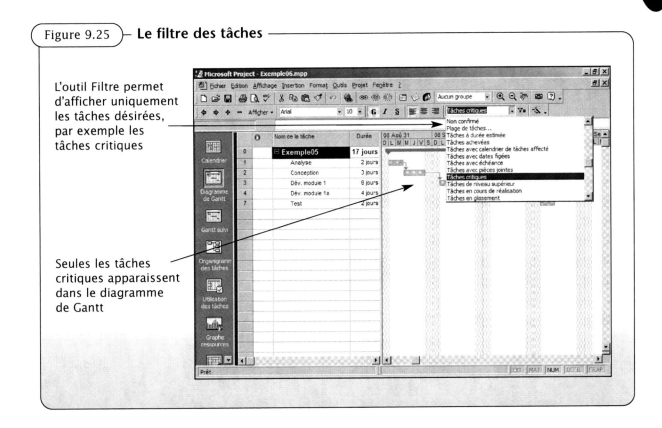

Figure 9.25 — **Le filtre des tâches**

L'outil Filtre permet d'afficher uniquement les tâches désirées, par exemple les tâches critiques

Seules les tâches critiques apparaissent dans le diagramme de Gantt

les tâches critiques, uniquement les jalons, ou encore seulement les tâches utilisant une ressource spécifique. Cette dernière option est particulièrement utile si l'on désire imprimer la liste des tâches d'une ressource pour les présenter.

▶ Projet/Filtrer pour

Les trucs du métier

Le filtre Toutes les tâches permet d'annuler l'effet d'un filtre qui a été appliqué.

9.5 L'impression des rapports

MS Project propose une foule de formats de rapports qui permettent d'imprimer plusieurs renseignements pertinents sur le projet. Nous ne présentons dans les sections suivantes que trois rapports particulièrement importants, mais l'utilisateur du logiciel doit savoir qu'il existe plusieurs autres formats de rapports qui conviennent à des besoins d'information spécifique.

9.5.1   L'impression du diagramme de Gantt

Pour imprimer le diagramme de Gantt, il faut d'abord s'assurer d'afficher à l'écran ce que l'on veut imprimer. Si le projet n'est pas très long, il est possible de l'imprimer sur une seule page, en largeur et en hauteur. Pour y parvenir, il est recommandé d'utiliser l'option Ensemble du projet de la fenêtre Zoom, comme le présente la figure 9.26.

▶ Affichage/Zoom

L'option Aperçu avant impression permet de voir le document avant de lancer la commande vers l'imprimante. Il faut aussi savoir que l'option Mise en page permet de spécifier le format de la page (portrait ou paysage), la mise à l'échelle (fonction identique à celle qu'on retrouve dans *Excel*), les marges, les en-têtes et les pieds de pages, de définir une légende et de choisir les colonnes de la table à imprimer.

9.5.2   Le rapport Résumé du projet

Il est toujours pratique d'avoir en main un rapport simple, qui présente toute l'information générale du projet. C'est précisément ce que permet le rapport Résumé du projet. Ce rapport présente en une seule page les dates

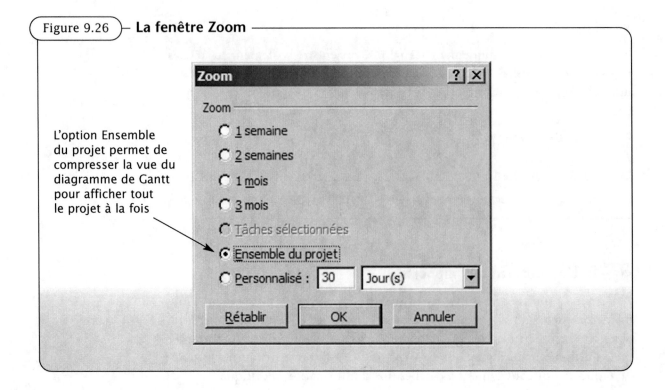

Figure 9.26 — **La fenêtre Zoom**

L'option Ensemble du projet permet de compresser la vue du diagramme de Gantt pour afficher tout le projet à la fois

de début et de fin des tâches, leur durée, leur état d'avancement, les coûts et l'utilisation des ressources. En un clin d'œil, le chef de projet a accès à toute l'information essentielle.

▶ Affichage/Rapports/Vue d'ensemble/Résumé du projet

9.5.3 Le rapport Qui fait quoi quand

Le rapport Qui fait quoi quand présente en détail les affectations quotidiennes des ressources. Pour chaque jour du projet, le rapport affiche les heures de travail de chaque ressource à chaque tâche. Le niveau de détail est très élevé et le rapport est assez volumineux dans le cas d'un projet de grande envergure, mais toute l'information nécessaire au suivi des ressources s'y trouve. C'est un outil essentiel au travail du chef de projet.

▶ Affichage/Rapports/Affectations/Qui fait quoi quand

Il est à noter que tous les rapports présentés dans *MS Project* sont personnalisables. Il est possible de prendre un rapport existant, puis de le modifier afin qu'il affiche l'information spécifique désirée. La personnalisation peut porter sur les champs à inclure dans le rapport, les calculs à y faire et même sur sa mise en pages.

▶ Affichage/Rapports/Personnalisé

9.6 Résumé du chapitre

Dans ce chapitre, vous avez découvert les trois dernières étapes de la mise en œuvre informatisée d'un projet à l'aide de *MS Project*. Les apprentissages pour chacune des étapes sont résumés.

a) Étape 4 : déterminer les ressources

On effectue l'identification des ressources humaines et matérielles dans le Tableau des ressources. Chaque ressource y est saisie avec son pourcentage de disponibilité au projet. Un calendrier de travail est ensuite défini pour les ressources (Outils/Modifier le temps de travail). Ce calendrier doit tenir compte des jours fériés, des vacances et des autres congés.

b) Étape 5 : affecter les ressources

L'affectation initiale des ressources revêt une importance particulière puisqu'elle détermine le travail nécessaire à la réalisation d'une tâche. En effet, le logiciel calcule la quantité de travail nécessaire à l'exécution d'une tâche en fonction de deux paramètres : la durée de la tâche et la capacité des ressources affectées initialement. La saisie de l'affectation initiale peut se faire soit dans la Table : Entrée, soit dans la fiche Informations sur la tâche

(Projet/Informations sur la tâche) ou en activant le fractionnement de la fenêtre (Fenêtre/Fractionner). La modification de l'affectation initiale produit un effet sur la durée de la tâche, la capacité des ressources et le travail, selon le Type de tâche choisi (Projet/Informations sur la tâche). La tâche peut être à capacité fixe, à durée fixe ou à travail fixe. En utilisant conjointement l'option Pilotée par l'effort et le Type de tâche, il est possible de définir le paramètre qui doit varier lors d'une modification de l'affectation.

L'évaluation de la durée d'une tâche et des coûts peut se réaliser selon quatre méthodes :

- l'évaluation globale, utilisée pour les tâches en sous-traitance ;

- l'évaluation par la méthode à travail fixe, utilisée pour des ressources non interchangeables (le chef de projet doit alors indiquer le nombre d'heures de travail de chaque ressource) ;

- l'évaluation par la méthode à durée fixe, utilisée pour des ressources interchangeables (le chef de projet doit alors indiquer une durée unique à la tâche et laisser le logiciel répartir le travail entre les ressources) ;

- l'évaluation des autres coûts fixes du projet, qui permet de spécifier les coûts fixes des tâches et les coûts fixes non répartis du projet.

c) Étape 6 : optimiser le calendrier d'exécution

L'optimisation du calendrier d'exécution commence d'abord par l'audit des ressources (Outils/Audit des ressources) affectées aux tâches. Cet audit permet de résoudre les problèmes de surutilisation. L'effet de l'audit réalisé par le logiciel peut être observé à l'aide de l'affichage Audit du Gantt (Affichage/Plus d'affichages/Audit du Gantt). Le chef de projet peut autoriser des heures supplémentaires à l'aide de la fiche Travail de la ressource accessible par le fractionnement de la fenêtre (Fenêtre/Fractionnement). L'optimisation du calendrier passe aussi par le nivellement des ressources. Le Graphe des ressources (Affichage/Graphe des ressources) permet de voir le niveau d'utilisation des ressources et de repérer les périodes de pointe. La Table : Prévisions (Affichage/Table : Entrée/Prévisions) permet au chef de projet de constater la marge libre des tâches, ce qui lui laisse la possibilité de retarder l'exécution de certaines d'entre elles pour équilibrer l'utilisation des ressources.

Ce chapitre se conclut sur quelques recommandations sur la personnalisation de l'interface du logiciel et l'impression des principaux rapports de projet.

9.7 Questions de révision

1 Cet exercice est un problème continu qui a été commencé au chapitre 8 sous le nom «Exercice 81.mpp». Il se poursuit au chapitre 9 et se termine au chapitre 10. Ouvrez le fichier «Exercice 81.mpp», sauvegardez-le sous «Exercice 91.mpp» et conservez-le précieusement. Il vous sera utile à la suite des exercices dans le prochain chapitre.

4e étape: déterminer les ressources

L'entreprise met à votre disposition les ressources suivantes pour l'exécution du projet:

Tableau des ressources					
Ressource	Initiales	Groupe	Capacité	Coût	Heures sup.
Chantal Saint-Pierre	CSP	COMPTA	100%	65,00 $/h	97,50 $/h
Claude Quesnel	CQ	TEST	100%	45,00 $/h	67,50 $/h
Denis Clermont	DC	TEST	100%	50,00 $/h	75,00 $/h
DIVISION COMPTABILITÉ	DC	COMPTA	200%		
DIVISION D'ÉTUDE	DE	ÉTUDES	200%		
DIVISION FABRICATION	DF	FAB	200%		
DIVISION TEST	DT	TEST	500%		
François Blouin	FB	ÉTUDES	100%	55,00 $/h	82,50 $/h
Jean Pierre	JP	COMPTA	100%	65,00 $/h	97,50 $/h
Josée Vallée	JV	TEST	100%	40,00 $/h	60,00 $/h
Marc Gratton	MG	ÉTUDES	100%	45,00 $/h	67,50 $/h
Martine Saint-Louis	MSL	FAB	100%	35,00 $/h	52,50 $/h
Maude DeGuise	MD	TEST	100%	45,00 $/h	67,50 $/h
Robert Gingras	RG	FAB	100%	35,00 $/h	52,50 $/h
Ronald Brulotte	RB	TEST	100%	50,00 $/h	75,00 $/h

Triez les ressources par groupe, puis par capacité décroissante avec renumérotation des lignes. Après le tri, remarquez que chaque ressource se retrouve avec sa propre division.

5e étape : affecter les ressources

Les affectations planifiées sont les suivantes :

Affectation des ressources		
Tâches	**Ressource 1**	**Ressource 2**
A : Bureau	François Blouin	
B : Bureau électronique	Marc Gratton	
C : Atelier de découpage	Robert Gingras	
D : Atelier électronique	Martine Saint-Louis	
E : Montage	Robert Gingras (50 %)	Martine Saint-Louis (50 %)
F : Fonctionnement	Josée Vallée	
G : Solidité	Ronald Brulotte	
H : Bureau	Josée Vallée	François Blouin
I : Bureau électronique	Ronald Brulotte	Marc Gratton
J : Finition	Maude DeGuise	
K : Derniers essais	Denis Clermont	
L : Retouches essais	Claude Quesnel	
M : Analyse coût de revient	Chantal Saint-Pierre	

Les tâches suivantes comportent aussi des coûts fixes à considérer :

Coûts fixes du projet		
Tâches	**Description**	**Coût**
C : Atelier de découpage	Matière première	2 000 $
D : Atelier électronique	Composants électroniques	2 500 $
J : Finition	Vernis et équipements	250 $
L : Retouches essais	Vernis et équipements	150 $

6e étape : optimiser le calendrier d'exécution

Personnalisation

- Inscrivez les renseignements pertinents dans les Propriétés du document ;

- Utilisez l'Assistant Diagramme de Gantt afin de mettre en évidence le chemin critique ;

- Affichez uniquement les initiales de la ressource dans le diagramme de Gantt, pour les tâches critiques et non critiques ;

- Imprimez le diagramme de Gantt en respectant les contraintes suivantes :

  a) l'échelle de temps doit permettre de voir chaque journée ;

  b) les quatre premières colonnes de la Table : Entrée doivent être imprimées sur chaque page ;

- Imprimez le rapport Résumé du projet dans la section Vue d'ensemble.

Ajustement des ressources

- La tâche E, « Montage », étant critique, on décide d'y affecter Gingras et Saint-Louis à temps complet (plutôt qu'à 50 %) afin de réduire la durée de la tâche.

- Pour la tâche J, « Finition », signalez que Maude DeGuise ne doit travailler qu'à 75 % de son temps puisqu'elle est occupée avec un autre projet. La durée de la tâche sera modifiée.

- Puisque la tâche J, « Finition », devient critique, il est impératif de réduire sa nouvelle durée. DeGuise sera donc assistée par Josée Vallée sur cette tâche à raison de 25 % de son temps. La durée de la tâche sera réduite.

- On réalise que Vallée n'est pas aussi productive que DeGuise sur la tâche J, « Finition ». On décide donc d'assigner Ronald Brulotte à 25 % de son temps, sans modifier la durée de la tâche.

- L'analyse des ressources disponibles (Affichage/Utilisation des ressources) nous montre que la ressource Jean Pierre (groupe comptabilité) n'est pas utilisée, bien qu'elle soit disponible pour le projet. De plus, le chemin critique présente une tâche réalisée par la comptabilité, la tâche M, « Analyse coût de revient ». On décide donc d'y assigner Pierre à 100 % afin de réduire sa durée.

Enregistrez le fichier et conservez-le pour le chapitre 10.

2 Cet exercice est un problème continu qui a été commencé au chapitre 8 sous le nom «Exercice 82.mpp». Il se poursuit au chapitre 9 et se termine au chapitre 10. Ouvrez le fichier «Exercice 82.mpp», sauvegardez-le sous «Exercice 92.mpp» et conservez-le précieusement. Il vous sera utile à la suite des exercices dans le prochain chapitre.

4e étape: déterminer les ressources

Le tableau suivant présente les ressources affectées au projet:

Tableau des ressources					
Ressource	**Initiales**	**Groupe**	**Capacité**	**Coût**	**Heures sup.**
Adjoint administratif	AA	ADM	100%	20$/h	30$/h
Directeur marketing	DM	ADM	100%	45$/h	60$/h
Graphiste	GR	RÉD	50%	30$/h	45$/h
Linguiste	LI	RÉD	100%	30$/h	45$/h
Recherchistes	RC	RÉD	300%	20$/h	30$/h
Rédacteurs	RD	RÉD	200%	20$/h	30$/h
Traducteur anglais	TA	TRA	50%	30$/h	45$/h
Traducteur espagnol	TE	TRA	75%	30$/h	45$/h
Auteurs	AT	RÉD	1000%	0$/h	0$/h

5e étape: affecter les ressources

Le tableau suivant présente la répartition des ressources pour les différentes tâches:

Affectation des ressources		
Nom de la ressource	**Tâches**	
Adjoint administratif	A	Démarrer le projet
	B	Établir les budgets
	D	Contacter les auteurs
	E	Signer les contrats
	H	Corriger les textes
	M	Réviser et faire la correction des épreuves
	N	Traduire vers l'anglais
	O	Traduire vers l'espagnol
Directeur marketing	Q	Mettre en marché
Recherchistes (300 %)	C	Chercher les auteurs
	F	Effectuer les recherches
Rédacteurs (200 %)	I	Préparer les épreuves
	J	Préparer le texte final
	L	Préparer la bibliographie
Graphiste (50 %)	K	Faire la mise en pages
Linguiste	M	Réviser et faire la correction des épreuves
	N	Traduire vers l'anglais
	O	Traduire vers l'espagnol
Traducteur anglais (50 %)	N	Traduire vers l'anglais
Traducteur espagnol (75 %)	O	Traduire vers l'espagnol
Auteurs (1 000 %)	G	Rédiger l'ouvrage

Attention! Prenez le temps de vérifier s'il y a surutilisation des ressources. Quelles ressources sont concernées? Quelles tâches sont concernées?

Le tableau suivant présente la répartition du travail des ressources pour les tâches à travail fixe:

Affectation des ressources		
Tâches	Ressources	Travail
F Effectuer les recherches	Recherchistes	315 heures
M Réviser et faire la correction des épreuves	Adjoint administratif	21 heures
	Linguiste	77 heures
N Traduire vers l'anglais	Adjoint administratif	21 heures
	Linguiste	7 heures
	Traducteur anglais	105 heures
O Traduire vers l'espagnol	Adjoint administratif	21 heures
	Linguiste	7 heures
	Traducteur espagnol	105 heures

On vous informe aussi que la tâche P, «Imprimer», est donnée en sous-traitance à l'imprimeur La Page d'or. Un montant global de 16 750 $ nous est facturé pour l'impression de 3 000 exemplaires de la première édition de l'encyclopédie.

De plus, le projet nécessite les coûts fixes suivants:

Honoraires du chef de projet . . . . 5 200 $

Remboursement des frais de représentation lors
de la signature des contrats . . . . 7 000 $

6ᵉ étape: optimiser le calendrier d'exécution

Personnalisation du projet

- Inscrivez les renseignements pertinents dans les Propriétés du document.

- Utilisez l'Assistant Diagramme de Gantt afin de mettre en évidence le chemin critique.

- Affichez les initiales des ressources dans le diagramme de Gantt.

- Confirmez les durées des tâches qui affichent toujours un point d'interrogation.

Modification à l'utilisation des ressources

- Procédez à l'audit des ressources. Les retards créés sont-ils acceptables? Pourquoi?

- La tâche P, «Imprimer», retarde la fin du projet. Par conséquent, vous décidez de prendre les moyens afin de réduire sa durée. Comme la tâche est donnée en sous-traitance, l'imprimerie La Page d'or vous renseigne que, pour la somme de 3 000 $, votre commande d'impression sera traitée en priorité et vous sera livrée en deux semaines. Apportez cette modification au projet.

Enregistrez le fichier et conservez-le pour le chapitre 10.

Chapitre 10

Le suivi de l'avancement du projet

10.1 Les opérations préalables au suivi du projet

10.2 Les opérations de suivi du projet

10.3 L'impression des rapports de gestion

10.4 Résumé du chapitre

10.5 Questions de révision

Périodiquement, le chef de projet procède au suivi de l'avancement, des coûts et de la qualité. Comme la planification reflète rarement les faits avec exactitude, il est essentiel d'ajuster les prévisions pour tenir compte de la réalisation effective du projet. Nous avons expliqué au chapitre 5 que le chef de projet doit produire, de façon hebdomadaire, un rapport de projet qui fait état du contrôle de l'avancement, du contrôle des coûts, du contrôle de la qualité et des actions correctrices. *Microsoft Project* aide le chef de projet à contrôler l'avancement et les coûts. Ce chapitre traite des opérations à effectuer avec le logiciel pour réaliser le suivi du projet et préparer les documents nécessaires à la production du rapport de suivi.

10.1 Les opérations préalables au suivi du projet

Les opérations de suivi sont effectuées de façon hebdomadaire. Ce rythme est parfois difficile à maintenir, surtout si le chef de projet ne maîtrise pas parfaitement les fonctions de suivi du logiciel. Pour bien comprendre l'utilité de ces fonctions, il est important de situer l'intervention du chef de projet dans le temps. La figure 10.1 présente la chronologie des événements relatifs au suivi du projet. On y remarque que le suivi effectué durant la phase d'exécution est itératif, c'est-à-dire qu'il se répète à plusieurs reprises selon la durée du projet. Lorsque le projet est terminé (lorsque l'extrant du projet est livré au promoteur, ce qui marque la fin de la phase d'exécution), le dernier suivi effectué constitue une mise à jour finale qui est consignée au rapport de clôture du mandataire.

10.1.1 Enregistrer la planification initiale

Avant de commencer l'exécution du projet, le chef de projet communique d'abord la planification initiale des tâches à son équipe. Il a aussi la responsabilité d'enregistrer cette planification initiale pour pouvoir par la suite y faire référence dans les rapports de suivi. La planification initiale constitue le principal élément de comparaison tout au long de l'exécution du projet, puisqu'elle est approuvée par le promoteur et le mandataire. Pour la planification initiale, le logiciel mémorise les dates prévues de début et de fin des tâches, les ressources affectées et les coûts planifiés.

Lors de l'enregistrement de la planification initiale, *MS Project* copie l'information contenue dans les champs présentés au tableau 10.1. Les modifications apportées ultérieurement au fichier de projet affectent les champs présentés à gauche (champs source), mais les champs présentés à droite (champs destination) restent intacts, ce qui permet d'effectuer des comparaisons entre la planification du projet et sa réalisation effective.

La planification initiale est enregistrée une seule fois, avant le début de la phase d'exécution du projet. La figure 10.2 présente la fenêtre Enregistrer

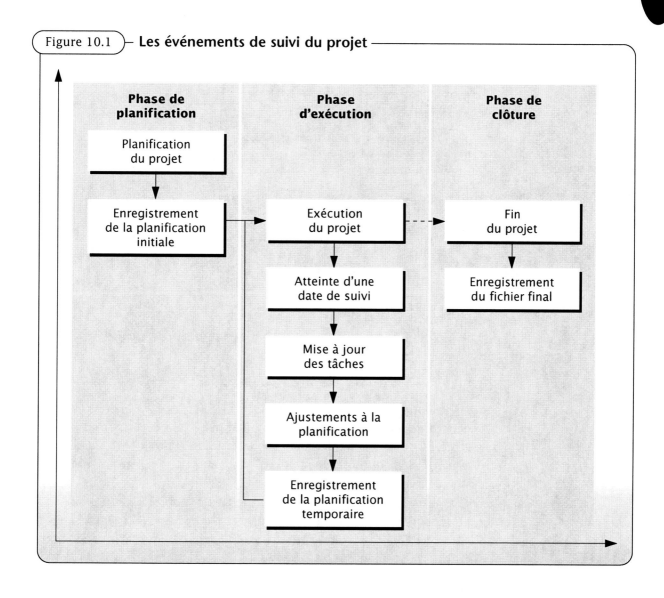

Figure 10.1 — **Les événements de suivi du projet**

Tableau 10.1 **L'enregistrement de la planification initiale**

Champ source	Copié vers	Champ destination
Début	▶	Début planifié
Fin	▶	Fin planifiée
Durée	▶	Durée planifiée
Travail	▶	Travail planifié
Coût	▶	Coût planifié

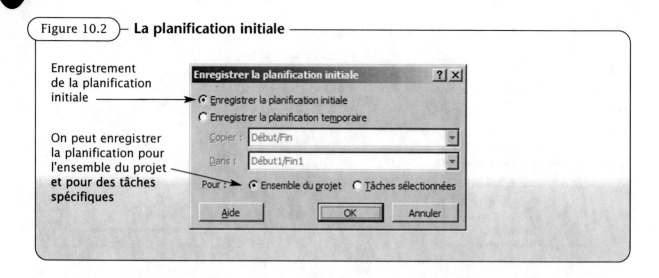

Figure 10.2 — **La planification initiale**

Enregistrement de la planification initiale

On peut enregistrer la planification pour l'ensemble du projet **et pour des tâches spécifiques**

la planification initiale. Notons qu'il est possible d'enregistrer la planification initiale pour l'ensemble du projet ou de le faire seulement pour un nombre défini de tâches du projet.

▶ Outils/Suivi/Enregistrer la planification initiale

Lors de l'enregistrement de la planification initiale, *MS Project* ne crée pas un fichier distinct qu'on peut consulter par la suite. Seuls les champs présentés au tableau 10.1 sont enregistrés. Il est donc impossible, à partir de la planification initiale, de faire apparaître le diagramme de Gantt planifié ou l'affectation originale des ressources. Si l'utilisateur désire obtenir un fichier identique à celui qui existe au début de l'exécution du projet, il doit faire une copie de sauvegarde du fichier du projet. La commande Enregistrer sous permet de créer une copie du fichier tel qu'il apparaît avant que les opérations de suivi du projet débutent.

▶ Fichier/Enregistrer sous

Les trucs du métier

Si vous en êtes à vos premiers pas avec *MS Project*, il est préférable de faire une copie de sauvegarde du fichier du projet avant chaque opération de suivi. Ainsi, si vous faites une erreur lors de la modification des tâches, il est toujours possible de revenir en arrière grâce au fichier d'origine. Assurez-vous d'identifier clairement chacun des fichiers générés. Par exemple, les noms de fichiers présentés au tableau 10.2 peuvent être utilisés pour le projet ÉMILI.

10.1.2 Enregistrer la planification temporaire

En cours de projet, il peut être utile de conserver l'information intermédiaire produite par les opérations de suivi. Tout comme la planification initiale

Tableau 10.2   **Les noms de fichiers d'un projet**

Nom du fichier	Description du contenu
Emili_PlanificationInitiale.mpp	Fichier contenant la planification initiale
Emili_Suivi20080915.mpp Emili_Suivi20080930.mpp Emili_Suivi20081015.mpp	Fichiers de suivi aux dates mentionnées
Emili.mpp	Fichier en cours

dans laquelle sont enregistrés les renseignements originaux, la planification temporaire permet de conserver les renseignements intermédiaires (dates, durée, coût, travail) des tâches du projet. *MS Project* permet d'enregistrer jusqu'à 10 planifications temporaires. L'enregistrement de la planification temporaire permet de comparer la réalisation effective des tâches aux planifications précédentes, réalisées en cours de projet. La figure 10.3 présente l'enregistrement de la planification temporaire.

▶ Outils/Suivi/Enregistrer la planification initiale

10.1.3 Ajuster la date actuelle

Une fois que la planification initiale ou la planification temporaire est enregistrée, il est essentiel d'indiquer au logiciel la date du jour. Dans un contexte réel, *MS Project* utilise la date du système comme date du jour. Par conséquent, le logiciel affiche toujours la date du jour comme «date actuelle» dans le diagramme de Gantt. Dans un contexte scolaire, il est possible qu'un exercice

Figure 10.3 – **La planification temporaire**

Enregistrement de la planification temporaire

La planification actuelle est **enregistrée dans la planification temporaire 1**

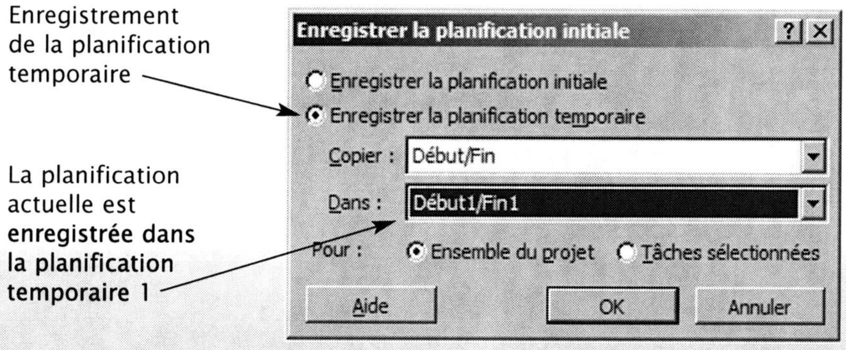

vous indique que le suivi est effectué le 10 novembre 2025… Et dans ce cas, comme la date actuelle est antérieure à celle du suivi, le logiciel vous indique que le projet n'est pas encore commencé! Pour contourner ce problème, il suffit de donner, comme date actuelle, la date de suivi du projet. Ainsi, si le suivi doit être effectué le 15 septembre 2008, il est préférable de définir la date actuelle à cette date. La figure 10.4 illustre l'ajustement de la date actuelle.

▶ Projet/Informations sur le projet

10.2 Les opérations de suivi du projet

Pour assurer le suivi, le chef de projet doit vérifier l'avancement des tâches auprès des membres de l'équipe qui en sont responsables. Pour chaque tâche, le chef de projet détermine le pourcentage d'avancement et inscrit cette information dans le logiciel. *MS Project* calcule l'avancement global du projet et, le cas échéant, le retard ou l'avance. Ce suivi s'effectue en quatre étapes:

- mettre à jour le projet;
- mettre à jour les tâches complétées et en cours;
- faire des ajustements aux tâches;
- vérifier les incidences sur le chemin critique.

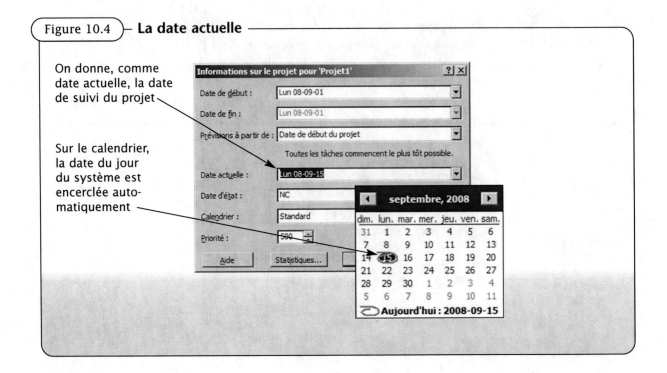

Figure 10.4 — **La date actuelle**

On donne, comme date actuelle, la date de suivi du projet

Sur le calendrier, la date du jour du système est encerclée automatiquement

10.2.1 Mettre à jour le projet

La mise à jour du projet permet d'indiquer à *MS Project* la date à laquelle le suivi est effectué. La date de suivi ne correspond pas forcément à la date actuelle, quoique, dans un contexte académique, il est recommandé de fonctionner ainsi. Au moment de la mise à jour du projet, le logiciel calcule l'avancement du projet comme si sa planification avait été respectée. L'avancement des tâches peut être calculé de deux façons :

- définir 0 % - 100 % achevé ;
- définir 0 % ou 100 % achevé seulement.

La première méthode permet de spécifier un pourcentage d'avancement de la tâche, alors que, pour la seconde, le logiciel vérifie seulement deux états possibles pour la tâche : complétée ou non commencée. La figure 10.5 présente la fenêtre de mise à jour du projet et les options qu'elle offre.

▶ Outils/Suivi/Mettre à jour le projet

Comme le présente la figure 10.6, une barre horizontale noire indique l'avancement du projet dans le diagramme de Gantt une fois le projet mis à jour. Cette barre représente le travail achevé.

10.2.2 Mettre à jour les tâches

Une fois le projet mis à jour, le chef de projet doit corriger dans le logiciel l'information concernant les tâches qui ne se sont pas déroulées selon la planification. Le chef de projet corrige d'abord les tâches complétées, puis les tâches en cours de réalisation. Pour illustrer les complexes opérations de suivi, nous présentons un exemple complet, celui d'un projet de construction d'une maison, pour lequel les tableaux 10.3 et 10.4 fournissent l'information essentielle.

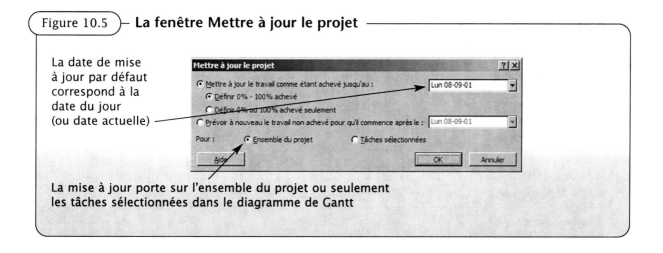

Figure 10.5 — **La fenêtre Mettre à jour le projet**

La date de mise à jour par défaut correspond à la date du jour (ou date actuelle)

Mettre à jour le projet

- Mettre à jour le travail comme étant achevé jusqu'au : Lun 08-09-01
  - Définir 0 % - 100 % achevé
  - Définir 0 % ou 100 % achevé seulement
- Prévoir à nouveau le travail non achevé pour qu'il commence après le : Lun 08-09-01

Pour : Ensemble du projet   Tâches sélectionnées

Aide   OK   Annuler

La mise à jour porte sur l'ensemble du projet ou seulement les tâches sélectionnées dans le diagramme de Gantt

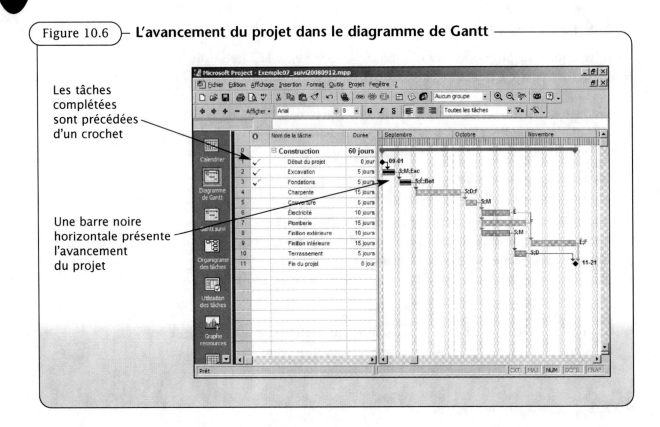

Figure 10.6 — **L'avancement du projet dans le diagramme de Gantt**

Les tâches complétées sont précédées d'un crochet

Une barre noire horizontale présente l'avancement du projet

Tableau 10.3 **Le projet de construction d'une maison**

Nº	Tâche	Durée	Prédécesseurs	Ressources
1	Début du projet	0 j	(aucun)	
2	Excavation	5 j	1	S, M, Exc
3	Fondations	4 j	2	S, E, Bet
4	Charpente	15 j	3 + 24 h écoulées	S, D, F
5	Couverture	5 j	4	S, M
6	Électricité	10 j	5	E
7	Plomberie	15 j	5	F
8	Finition extérieure	10 j	5	S, M
9	Finition intérieure	15 j	6 et 7	E, F
10	Terrassement	5 j	8	S, D
11	Fin du projet	0 j	9 et 10	

Tableau 10.4 — **Le tableau des ressources pour le projet**

N°	Ressource	Type	Initiales	Taux standard	Coût/utilisation
1	Stéphane	Travail	S	25,00 $/h	
2	Martin	Travail	M	25,00 $/h	
3	Étienne	Travail	E	30,00 $/h	
4	Daniel	Travail	D	30,00 $/h	
5	François	Travail	F	35,00 $/h	
6	Excavatrice	Matériel	Exc		500,00 $
7	Bétonneuse	Matériel	Bet		300,00 $

La figure 10.7 présente le diagramme de Gantt du projet. On constate que le projet débute le 1er septembre 2008 et se termine 60 jours plus tard, soit le 21 novembre 2008.

Figure 10.7 — **Le diagramme de Gantt du projet**

La durée du projet est de 60 jours

Il débute le 1er septembre 2008

Il se termine le 21 novembre 2008

Dans le diagramme de Gantt, le chemin critique et les initiales des ressources sont affichés

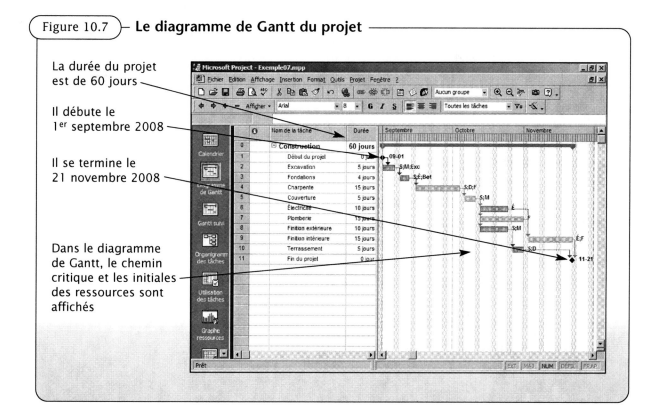

Les trucs du métier

Si vous décidez de faire cet exercice parallèlement à la lecture du chapitre, n'oubliez pas d'enregistrer la planification initiale avant d'entamer les opérations de suivi.

a) Les tâches complétées

Lorsque les tâches sont complétées, le logiciel montre que leur pourcentage d'avancement est égal à 100 %. Elles sont signalées dans la Table : Entrée par un crochet. Il arrive qu'au moment du suivi, la durée réelle de certaines tâches complétées diffère de celle de l'échéancier planifié originalement.

Dans l'exemple du projet de construction, le chef de projet réalise une opération de suivi le vendredi 12 septembre 2008. Lors de ce suivi, les tâches 2, « Excavation », et 3, « Fondations », sont terminées. Toutefois, le chef de projet constate que la tâche 3 s'est terminée avec une journée de retard. Après avoir modifié la date actuelle puis défini la date de suivi du projet, il effectue le suivi des tâches complétées. Seule la tâche 3 nécessite une mise à jour. Pour mettre à jour cette tâche, il faut la sélectionner, puis accéder aux options de mise à jour de la tâche, comme le présente la figure 10.8.

▷ Outils/Suivi/Mettre à jour les tâches

La fenêtre Mettre à jour les tâches présente un champ qui permet à l'utilisateur de tenir compte du délai réel pour compléter les tâches : le champ Durée réelle. Lors d'une mise à jour, l'utilisateur doit corriger l'information du champ Durée réelle pour refléter ce qui s'est effectivement passé dans le projet. Dans l'exemple du projet de construction, la tâche est complétée en

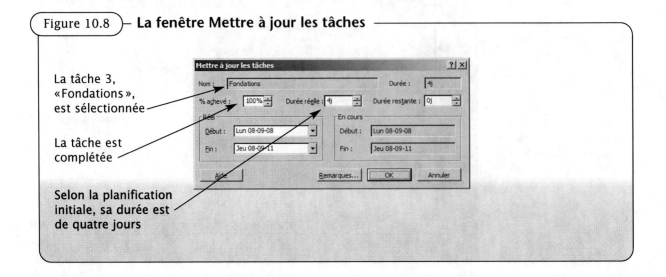

Figure 10.8 — **La fenêtre Mettre à jour les tâches**

La tâche 3, « Fondations », est sélectionnée

La tâche est complétée

Selon la planification initiale, sa durée est de quatre jours cinq jours plutôt que quatre. Le chef de projet entre cette information dans le logiciel, comme le présente la figure 10.9.

Le chef de projet doit répéter cette opération autant de fois qu'il y a de tâches complétées à mettre à jour. Une fois que la mise à jour des tâches complétées est terminée, le chef de projet doit réaliser le suivi des tâches en cours.

b) Les tâches en cours

Dans le cas des tâches en cours, certains chefs de projet préfèrent ne réaliser aucun suivi, considérant qu'il est impossible de déterminer avec exactitude l'avancement réel d'une tâche. S'il décide de ne pas faire de suivi pour ces tâches, le chef de projet doit spécifier, lors du choix de la date de suivi (voir la section 10.2.1, *Mettre à jour le projet*), que le pourcentage d'avancement des tâches est de « 0 % ou 100 % achevé seulement ». Ainsi, une tâche en cours apparaît comme étant non commencée et échappe au processus de contrôle de l'avancement.

D'autres chefs de projet préfèrent réaliser le suivi des tâches en cours. Cette opération présente une difficulté plus grande que celle des tâches complétées. Le suivi des tâches en cours se réalise également à l'aide de la fenêtre Mettre à jour les tâches, qui présente trois champs interdépendants dans le calcul des effets de la mise à jour. Ces champs sont :

- le pourcentage d'avancement ;
- la durée réelle ;
- la durée restante.

Lors d'une mise à jour, l'utilisateur doit remplir deux champs et laisser *MS Project* calculer le troisième. Dans l'exemple du projet de construction d'une maison, le chef de projet réalise un suivi le vendredi 26 septembre 2008.

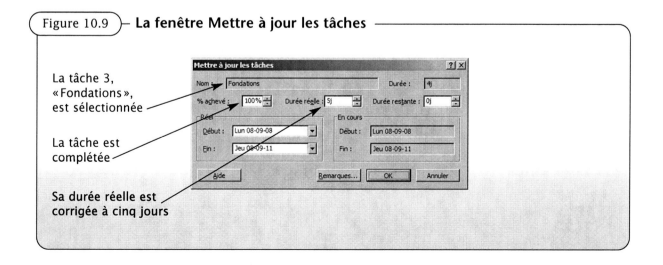

Figure 10.9 – **La fenêtre Mettre à jour les tâches**

La tâche 3, «Fondations», est sélectionnée

La tâche est complétée

Sa durée réelle est corrigée à cinq jours

L'utilisateur du logiciel doit déplacer la date actuelle et la date de suivi du projet au 26 septembre 2008. Le projet est mis à jour et on constate que la tâche 4, «Charpente», est la seule tâche en cours à cette date. Selon le diagramme de Gantt, la tâche devrait être complétée au deux tiers après 10 jours de travail. La durée restante est de 5 jours. Après discussion avec le responsable de la tâche, le chef de projet constate que, dans les faits, seulement 50 % de la tâche est complétée. Un retard semble très probable. Le chef de projet détient toute l'information nécessaire à la saisie dans le logiciel : après 10 jours de travail, la tâche est complétée à 50 %. Le chef de projet entre ces deux renseignements dans le logiciel, comme le présente la figure 10.10.

▶ Outils/Suivi/Mettre à jour les tâches

Le chef de projet doit répéter cette opération autant de fois qu'il y a de tâches en cours à mettre à jour. Une fois terminée la mise à jour des tâches en cours, il doit ensuite vérifier les incidences des modifications sur le chemin critique.

Les trucs du métier

Il est essentiel de remplir deux des trois champs lors de la mise à jour d'une tâche en cours. En entrant deux paramètres, on oblige *MS Project* à calculer le troisième. Même si l'un des trois champs contient déjà l'information exacte, l'utilisateur doit la réécrire de nouveau pour indiquer au logiciel qu'elle est correcte. Dans notre exemple, la tâche est complétée à 50 % après 10 jours de travail. Lors de la mise à jour de la tâche, le logiciel présente l'information suivante :

- Pourcentage d'avancement = 67 % ;
- Durée réelle = 10 jours ;
- Durée restante = 5 jours.

(*suite* ▶)

Figure 10.10 – **La fenêtre Mettre à jour les tâches**

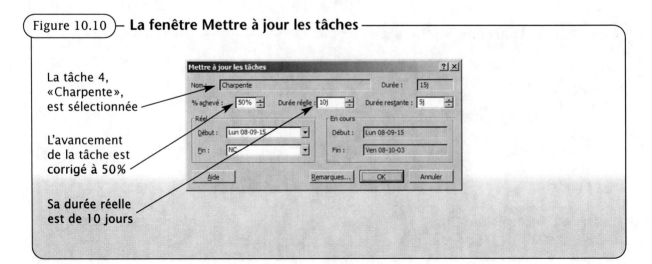

La tâche 4, «Charpente», est sélectionnée

L'avancement de la tâche est corrigé à 50%

Sa durée réelle est de 10 jours

L'utilisateur corrige l'information en indiquant au logiciel que le pourcentage d'avancement est de 50 %. S'il validait l'information en cliquant sur OK immédiatement, l'utilisateur laisserait deux opérations possibles au logiciel, soit de recalculer la durée réelle et la durée restante ou qui ne fonctionnerait pas. L'utilisateur doit donc entrer une deuxième information, la durée réelle (celle qu'il connaît), et laisser le logiciel calculer la durée restante en cliquant ensuite sur OK. Le résultat est de 10 jours restants. En entrant deux des trois paramètres, l'utilisateur s'assure de fournir l'information complète à *MS Project*.

10.2.3 Vérifier les incidences sur le chemin critique

Le logiciel calcule la durée restante de la tâche, qui passe de 5 à 10 jours. La tâche 4, «Charpente», fait partie du chemin critique du projet, ce qui repousse la date de fin du projet d'un nombre de jours équivalent. Le projet, dont la durée planifiée est de 60 jours, se termine maintenant après 65 jours. La figure 10.11 présente le diagramme de Gantt du projet ainsi modifié.

Le chef de projet doit réagir à cette modification du calendrier d'exécution. Il doit prendre une décision à propos de l'exécution des tâches à venir, en tenant compte, bien sûr, des trois contraintes du projet (coût, temps et qualité). Les options qui s'offrent à lui sont nombreuses et le tableau 10.5 en présente quelques-unes.

(Figure 10.11)– **Le diagramme de Gantt du projet**

La durée du projet est de 65 jours

La durée de la tâche 4, «Charpente», est de 20 jours plutôt que de 15 jours

Le projet se termine le 28 novembre 2008

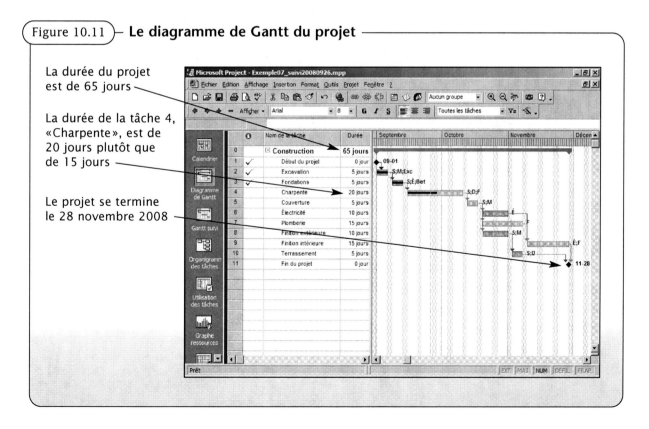

Tableau 10.5   **Une synthèse des corrections possibles**

Correction	Effet sur les coûts	Effet sur le temps	Effet sur la qualité
Ne rien faire	Augmentation	Retard	Aucun
Ajouter une ressource à la tâche 4, «Charpente»	Augmentation	Aucun	Risque de diminution
Autoriser des heures supplémentaires	Augmentation	Aucun	Risque de diminution
Comprimer le temps de travail	Aucun	Aucun	Diminution
Réduire de cinq jours la durée de la tâche 9, «Finition intérieure», en y ajoutant une ressource	Augmentation	Aucun	Aucun

À la lecture du tableau 10.5, on constate que la première option, celle de ne rien faire, n'est pas acceptable pour le chef de projet. Deux des trois contraintes ne sont pas respectées.

La seconde option, celle d'ajouter une ressource à la tâche 4, «Charpente», est risquée. En effet, ajouter une ressource à une tâche en cours peut en compromettre la qualité. De plus, si aucune ressource qualifiée n'est disponible immédiatement, cette option n'est pas applicable.

La troisième option, celle d'autoriser des heures supplémentaires, peut s'avérer très intéressante. Toutefois, une surcharge de travail peut survenir si le chef de projet autorise trop d'heures supplémentaires, ce qui risque de diminuer la qualité des livrables du projet et fatiguer les ressources.

La quatrième option, celle de comprimer le temps de travail afin de respecter l'échéancier, peut avoir des conséquences négatives sur la qualité du travail. Dans un cas comme celui-ci, on demande aux mêmes ressources de compléter la tâche à la date prévue, peu importe le niveau de qualité livré.

Finalement, l'option d'ajouter une ressource à la tâche 9, «Finition intérieure», s'avère intéressante sur plusieurs plans:

• la seule contrainte touchée est celle du coût;

• puisque la tâche ne débute que le 10 novembre 2008, le chef de projet dispose de temps pour choisir une ressource supplémentaire compétente;

• la nouvelle ressource engagée pourrait aussi travailler à d'autres tâches critiques afin de réduire la durée du projet.

Les trucs du métier

> On remarque que, lorsqu'une tâche critique accumule du retard, il est très difficile de corriger la situation sans autoriser une augmentation des coûts. Les chefs de projet aguerris calculent toujours une provision pour imprévus lors de la planification du projet. Cette provision est souvent utilisée pour combler les retards durant la phase d'exécution.

La figure 10.12 présente le diagramme de Gantt du projet tel qu'il apparaît une fois que la ressource supplémentaire est affectée à la tâche 9, «Finition intérieure». On remarque que la durée de la tâche passe de 15 à 10 jours, ce qui réduit d'autant la durée du projet.

10.3 L'impression des rapports de gestion

Il a été expliqué, au chapitre 5, que les opérations de suivi réalisées par le chef de projet sont incluses dans le rapport de suivi du projet. Dans la section «Le contrôle de l'avancement», le rapport de suivi présente quatre renseignements:

- le diagramme de Gantt suivi;

- la liste des tâches en cours et leur pourcentage d'avancement;

Figure 10.12 — **Le diagramme de Gantt du projet**

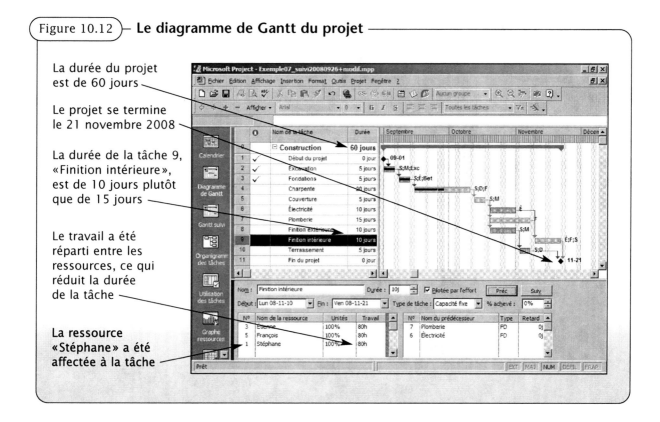

La durée du projet est de 60 jours

Le projet se termine le 21 novembre 2008

La durée de la tâche 9, «Finition intérieure», est de 10 jours plutôt que de 15 jours

Le travail a été réparti entre les ressources, ce qui réduit la durée de la tâche

La ressource «Stéphane» a été affectée à la tâche

- le pourcentage d'avancement global du projet;

- la prévision de la date de fin du projet, en tenant compte du retard anticipé.

10.3.1 Le diagramme de Gantt suivi

Le diagramme de Gantt suivi présente une comparaison entre la planification initiale et le projet tel qu'il est réalisé. L'utilisation de cet outil permet de constater les écarts et d'apporter les correctifs nécessaires à la planification des tâches à venir. La figure 10.13 présente le Gantt suivi du projet.

▶ Affichage/Gant suivi

10.3.2 La liste des tâches en cours et le pourcentage d'avancement

Lorsqu'on applique le filtre Tâches en cours de réalisation, la Table : Résumé présente l'information nécessaire à la production de cette section du rapport de suivi du projet. La figure 10.14 présente la Table : Résumé et le diagramme de Gantt suivi. Il est indiqué que le projet est complété à 24 %. C'est le logiciel qui fait le calcul du travail effectué pour l'ensemble du projet.

▶ Affichage/Table : Entrée/Résumé

Figure 10.13 – **Le diagramme de Gantt suivi du projet**

Les barres en couleurs représentent la planification actuelle

Les barres ombrées représentent la planification initiale

L'affichage Gantt suivi est sélectionné

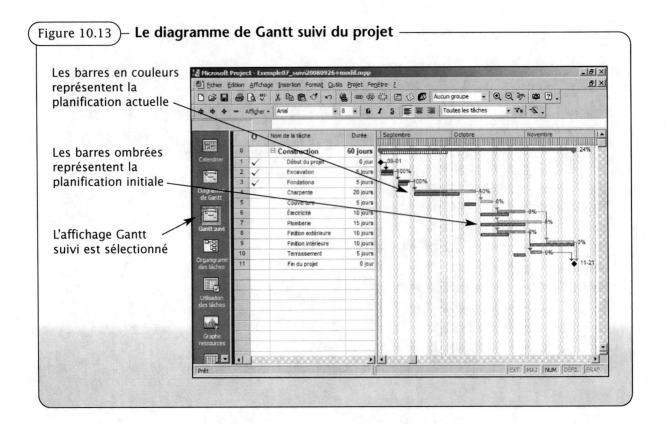

Figure 10.14 — **Le diagramme de Gantt suivi du projet** —

Application d'un filtre

La Table : Résumé est affichée

La tâche 4, «Charpente», est en cours de réalisation

L'affichage Gantt suivi est sélectionné

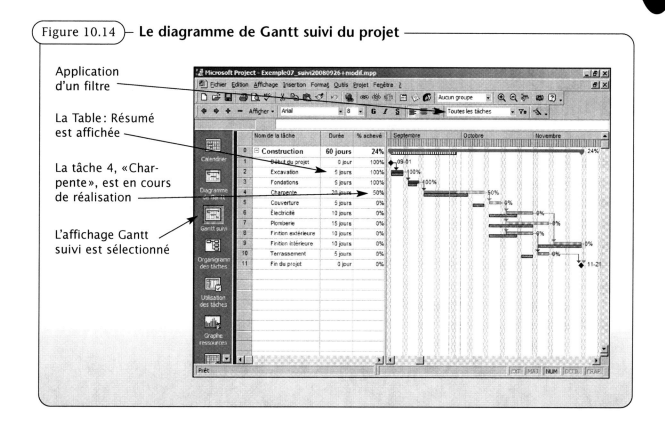

10.3.3 La prévision de la date de fin et le retard anticipé

La Table : Variation permet d'afficher la date de fin prévue et le retard accumulé pour chacune des tâches du projet.

▶ Affichage/Table : Variation

10.3.4 Le résumé du projet

Le rapport Résumé du projet présente une synthèse complète des renseignements du projet. Dans toutes les situations, il est avantageux d'imprimer ce rapport afin de le consulter et de l'analyser. Ce rapport présente en un coup d'œil l'information essentielle du projet et une comparaison entre la planification et la réalisation sur les plans de la durée, du travail et des coûts.

▶ Affichage/Rapports/Vue d'ensemble/Résumé du projet

Figure 10.15 — **La Table : Variation**

La Table : Variation
est affichée

L'affichage Gantt
suivi est sélectionné

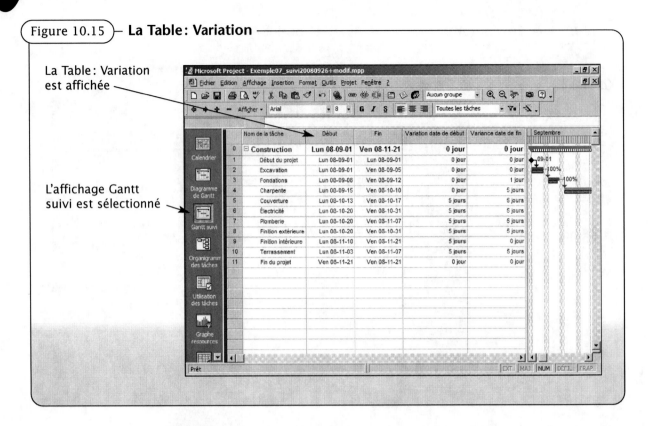

10.4 Résumé du chapitre

Dans ce chapitre, les opérations qui permettent de réaliser le suivi du projet ont été expliquées. Le suivi comprend six opérations successives :

1. **Enregistrer la planification initiale.** La planification initiale (Outils/ Suivi/Enregistrer la planification initiale) constitue un point de comparaison qui sert tout au long du projet. Les champs de la planification initiale conservent en mémoire les dates prévues de début et de fin des tâches, les ressources affectées et les coûts planifiés. Il est recommandé de conserver des copies de sauvegarde du fichier du projet à chaque étape du suivi, à commencer, bien sûr, par celle de la planification initiale.

2. **Ajuster la date actuelle.** Une fois la planification initiale enregistrée, il est essentiel d'indiquer au logiciel la date du jour (Projet/Informations sur le projet). Dans un contexte réel, *MS Project* utilise la date du système comme date actuelle.

3. **Mettre à jour le projet.** La fonction de mise à jour du projet (Outils/ Suivi/Mettre à jour le projet) permet d'indiquer à *MS Project* la date à laquelle le suivi est réalisé. Au moment de la mise à jour du projet, le logiciel calcule l'avancement du projet comme si la planification avait été

respectée. La mise à jour peut se faire selon deux options : 0 % à 100 % achevé ; 0 % ou 100 % achevé seulement. La seconde option est choisie par les chefs de projet qui considèrent qu'il est impossible de déterminer avec exactitude l'avancement réel d'une tâche.

4. **Mettre à jour les tâches complétées.** Le logiciel indique, pour les tâches complétées, un pourcentage d'avancement de 100 %. Lorsque certaines tâches complétées ont été réalisées différemment de ce qui était planifié, le chef de projet doit mettre à jour ces tâches (Outils/Suivi/Mettre à jour les tâches) dans le calendrier d'exécution. Pour y parvenir, il doit modifier le champ Durée réelle de la fenêtre Mettre à jour les tâches. Le diagramme de Gantt s'ajuste automatiquement aux modifications effectuées. Le chef de projet doit répéter cette opération autant de fois qu'il y a de tâches complétées à mettre à jour.

5. **Mettre à jour les tâches en cours.** Pour ce qui est des tâches en cours, la fenêtre Mettre à jour les tâches (Outils/Suivi/Mettre à jour les tâches) présente trois champs interdépendants : le pourcentage d'avancement, la durée réelle et la durée restante. Lors d'une mise à jour, l'utilisateur doit remplir deux champs et laisser *MS Project* calculer le troisième. En entrant le pourcentage d'avancement et la durée réelle, on oblige *MS Project* à calculer la durée restante. Même si l'un des trois champs contient déjà l'information exacte, l'utilisateur doit réécrire l'information de nouveau pour indiquer au logiciel qu'elle est correcte. Le chef de projet doit répéter cette opération autant de fois qu'il y a de tâches en cours à mettre à jour.

La modification du calendrier d'exécution peut avoir des conséquences importantes sur le chemin critique et ainsi retarder la date de fin du projet. Le chef de projet doit être attentif aux incidences des modifications et apporter les correctifs nécessaires. Dans la majorité des cas, ces correctifs occasionnent des coûts supplémentaires pour le projet.

6. **Enregistrer la planification temporaire.** La fonction de planification temporaire (Outils/Suivi/Enregistrer la planification initiale) permet d'enregistrer une planification intermédiaire pour le projet. Comme les champs de planification initiale, les champs de planification temporaire conservent en mémoire les dates prévues de début et de fin des tâches, les ressources affectées et les coûts planifiés. Grâce à la planification temporaire, il est possible de comparer l'avancement du projet à une planification réalisée lors d'une étape de suivi préalable. Il est recommandé de conserver des copies de sauvegarde du fichier du projet pour chacune des étapes du suivi.

Une fois les correctifs apportés, le chef de projet doit préparer certains documents afin d'alimenter le rapport de suivi du projet. Les documents généralement utilisés par les chefs de projet sont les suivants :

- le diagramme de Gantt suivi (Affichage/Gant suivi), qui présente une comparaison entre la planification initiale et les modifications apportées ;

- la liste des tâches en cours et le pourcentage d'avancement (Affichage/ Table : Entrée/Résumé), qui permet de suivre avec précision l'avancement du projet ;

- la prévision de date de fin du projet et le retard anticipé (Affichage/Table : Variation), qui permet d'afficher les variations entre la planification initiale et le calendrier d'exécution effectif ;

- le rapport Résumé du projet (Affichage/Rapports/Vue d'ensemble/Résumé du projet), qui présente une synthèse complète de l'information du projet.

10.5 Questions de révision

1   Cet exercice est un problème continu qui a été commencé au chapitre 8 et a été enregistré sous le nom « Exercice 81.mpp ». Il a été poursuivi au chapitre 9 et enregistré sous le nom « Exercice 91.mpp ». Il se termine au chapitre 10. Ouvrez le fichier « Exercice 91.mpp » et sauvegardez-le sous le nom « Exercice 101.mpp ».

Suivi du projet

D'abord, enregistrez la Planification initiale du projet. Réalisez ensuite les deux étapes de suivi demandées.

1er suivi : lundi 11 août 2008

- Tâches complétées : la tâche B a duré 9,5 jours plutôt que deux semaines.

- Tâches en cours : la tâche C est achevée à 20 % plutôt qu'à 25 % et sa durée réelle est de deux jours (la durée de la tâche devrait augmenter).

- Enregistrez cette planification temporaire. Affichez le pourcentage de travail achevé à l'aide du Gantt suivi et notez-le.

2e suivi : mardi 9 septembre 2008

- Tâches complétées : la tâche F s'est terminée en neuf jours, apportez les ajustements nécessaires (remarquez l'effet de cette modification sur la date de fin du projet : il s'agit d'une tâche critique).

- Enregistrez cette planification temporaire sans effacer la précédente, puis répondez aux questions suivantes :
  - Quelles sont les activités en cours ?
  - Quel est le coût total du projet à la suite des dernières modifications ?
  - Quel est le coût de la tâche C, « Atelier de découpage » ?

- Quel est le nombre total d'heures travaillées à rémunérer ?

- Imprimez :

  - le rapport Résumé du projet ;
  - la variation entre les dates planifiées et les dates temporaires.

2 Cet exercice est un problème continu qui a été commencé au chapitre 8 et enregistré sous le nom « Exercice 82.mpp ». Il a été poursuivi au chapitre 9 et enregistré sous le nom « Exercice 92.mpp ». Il se termine au chapitre 10. Ouvrez le fichier « Exercice 92.mpp » et sauvegardez-le sous le nom « Exercice 102.mpp ».

Suivi du projet

D'abord, enregistrez la Planification initiale du projet. Réalisez ensuite le suivi demandé.

Date de suivi : 12 septembre 2008

- **Tâches complétées :** la durée réelle de la tâche C, « Rechercher les auteurs », a été de six jours.

- **Tâches en cours :** la tâche E, « Signer les contrats », n'est pas complétée, il reste deux jours de travail.

- Répondez aux questions suivantes :
  - Quelles sont les tâches complétées ?
  - Quelles sont les tâches en cours ?
  - Quel est le coût total du projet ?
  - Quel est le coût de la tâche E, « Signer les contrats » ?
  - Quel est le nombre total d'heures travaillées à rémunérer ?

- Imprimez :
  - le diagramme de Gantt (vérifiez-en d'abord la mise en pages) ;
  - le rapport Tâches de niveau supérieur dans la section Vue d'ensemble ;
  - le rapport Jalons dans la section Vue d'ensemble ;
  - le rapport Résumé du projet.

3 Comme vous êtes chef de projet chez DEVTECH, on vous confie la gestion de la production d'un jeu de combat naval à l'ordinateur. Pour la réalisation de votre mandat, vous disposez de plusieurs ressources que vous devrez gérer le plus efficacement possible. Aidez-vous du logiciel *Microsoft Project* afin de calculer l'échéancier de production du jeu. Plus spécifiquement, on vous demande d'évaluer la date à laquelle il est raisonnable de croire que la production du logiciel sera terminée, en tenant compte du fait que les activités reliées à ce projet débutent le 1er septembre 2008.

1re étape : saisir les tâches

Vous savez que les caractéristiques de la semaine normale de travail chez DEVTECH sont les suivantes : cinq jours de travail de huit heures, soit du lundi au vendredi de 8 h à 17 h, avec une pause d'une heure pour le dîner. De plus, les jours chômés pour cette entreprise sont les suivants :

- 1er septembre 2008 : Fête du Travail
- 13 octobre : Action de grâces
- Du 24 décembre au 2 janvier : Vacances de Noël

Voici le tableau des tâches :

Tâches du projet	
Tâches	**Durée**
A : Mise en route du projet	10 jours
B : Analyse	20 jours
C : Conception	20 jours
D1 : Développement – cœur	30 jours
D2 : Développement – enveloppe	20 jours
D3 : Développement final	10 jours
E : Tests	10 jours
F : Correctifs	5 jours
G : Commercialisation	15 jours

Les durées spécifiées ici tiennent compte de l'affectation initiale des ressources réalisée à la cinquième étape. La durée des tâches ne devrait pas varier lors de l'affectation des ressources.

2e étape : créer les lots de travail

Il faut ajouter trois jalons :

- un événement marquant l'autorisation du développement (aucun prédécesseur) ;
- un événement marquant le lancement du jeu après la tâche G, «Commercialisation» ;
- un événement marquant la livraison de la première version après la tâche D3, «Développement final».

Il faut ajouter un lot Projet de niveau 0.

Il faut ajouter trois lots de niveau 1 :

- Faisabilité : tâches A à C ;
- Développement : tâches D1 à D3 ;
- Achèvement : tâches E à G.

3e étape : déterminer les prédécesseurs

Le tableau suivant présente les relations de précédence entre les tâches du projet :

Relations de précédence	
Tâches	**Prédécesseurs**
A : Mise en route du projet	Autorisation du développement
B : Analyse	A
C : Conception	5 jours avant la fin de B
D1 : Développement – cœur	C
D2 : Développement – enveloppe	C
D3 : Développement final	D1 ; D2
E : Tests	5 jours avant la fin de D3
F : Correctifs	E
G : Commercialisation	E

4e étape : déterminer les ressources

L'entreprise met à votre disposition les ressources suivantes pour l'exécution du projet :

Tableau des ressources					
Ressource	**Initiales**	**Groupe**	**Capacité**	**Coût**	**Heures sup.**
Whalid	W	INFO	100 %	85 $/h	170 $/h
Mike	M	INFO	100 %	85 $/h	170 $/h
Tony	T	INFO	100 %	90 $/h	180 $/h
Marie-Ève	ME	INFO	100 %	95 $/h	190 $/h
Stéphanie	S	INFO	100 %	110 $/h	220 $/h

À compter du 1er décembre 2008, Whalid et Mike ont droit à une augmentation de 10 $/h pour les heures régulières et de 20 $/h pour les heures supplémentaires.

5e étape: affecter les ressources

Les affectations planifiées sont les suivantes:

Affectation des ressources	
Tâches	**Ressources**
A: Mise en route du projet	Whalid
B: Analyse	Mike; Tony
C: Conception	Marie-Ève; Stéphanie
D1: Développement – cœur	Tony; Marie-Ève; Stéphanie
D2: Développement – enveloppe	Whalid; Mike
D3: Développement final	Whalid; Tony; Marie-Ève; Stéphanie
E: Tests	Mike
F: Correctifs	Tony; Marie-Ève; Stéphanie
G: Commercialisation	Whalid

Les coûts fixes du tableau suivant sont à considérer.

Coûts fixes du projet	
Description	**Coût**
Honoraires du chef de projet	25 000 $
Frais de développement	5 800 $
Tests	2 500 $
Commercialisation	55 000 $

6e étape: optimiser le calendrier d'exécution

1. Personnalisez le calendrier

   – Inscrivez l'information pertinente dans les Propriétés du document.

   – Utilisez l'Assistant Diagramme de Gantt afin de mettre en évidence le chemin critique.

   – Affichez uniquement les initiales de la ressource dans le Diagramme de Gantt, pour les tâches critiques et non critiques.

   – Imprimez le Diagramme de Gantt en respectant les contraintes suivantes:

a) l'échelle de temps doit permettre de voir chaque journée ;

b) les quatre premières colonnes de la Table : Entrée doivent être imprimées sur chaque page.

– Imprimez le rapport Résumé du projet dans la section Vue d'ensemble.

2. Répondez aux questions suivantes :

– Quelle est la durée du projet ?
– Quelle est la date de fin du projet ?
– Quel est le coût total du projet ?
– Quel est le nombre total d'heures travaillées ?

3. Ajustez l'affectation

– Quels ajustements proposez-vous à l'affectation de façon que le projet soit terminé avant le 31 janvier 2009 ?

– Vous autorisez Whalid à fournir 20 heures de temps supplémentaire sur la tâche G, « Commercialisation ». Enregistrez cette modification dans le fichier du projet. Quelles en sont les conséquences sur les trois contraintes du projet ?

4. Faites le suivi du projet

D'abord, enregistrez la planification initiale du projet. Réalisez ensuite les deux étapes de suivi demandées.

1ᵉʳ suivi : vendredi 14 novembre 2008

– Tâches en cours : la tâche D2, « Développement – enveloppe », est achevée à 50 % et sa durée restante est de huit jours (la durée de la tâche devrait diminuer).

– Enregistrez cette planification temporaire. Affichez le pourcentage de travail achevé à l'aide du Gantt suivi et notez-le.

2ᵉ suivi : mardi 16 décembre 2008

– Tâches complétées : la tâche D1, « Développement – cœur », n'est pas terminée : il reste deux jours de travail. Apportez les ajustements nécessaires (remarquez l'effet sur la date de fin du projet : il s'agit d'une tâche critique).

– Enregistrez cette planification temporaire sans effacer la précédente.

5. Répondez aux questions suivantes :

– Quelle est la durée du projet ?
– Quelle est la date de fin du projet ?
– Quel est le coût total du projet ?
– Quel est le nombre total d'heures travaillées ?
– Quelles sont les activités en cours ?
– Quel est le coût de la tâche D1, « Développement – cœur » ?

6. Imprimez :

– le rapport Résumé du projet ;
– la variation entre les dates planifiées et les dates temporaires.

Glossaire*

A

Action corrective / Corrective Action. Directive documentée sur l'*exécution* des *travaux du projet*, par laquelle la performance attendue de ces travaux doit respecter le *plan de management du projet*.

Activité / Activity. *Composant* du *travail* réalisé dans le cadre d'un *projet*.

Activité critique / Critical Activity. *Activité* située sur un *chemin critique* dans l'*échéancier du projet*. Généralement déterminée par la *méthode du chemin critique*. Bien que certaines activités soient « critiques » au sen littéral du terme, sans être sur le *chemin critique*, ce sens est rarement utilisé dans le contexte d'un *projet*.

Analyse qualitative des risques [processus] / **Qualitative Risk Analysis** [Process]. *Processus* de définition des priorités relatives aux *risques* pour leur analyse ou les actions ultérieures, par évaluation et combinaison de la probabilité qu'ils se produisent et de leur impact.

Analyse quantitative des risques [processus] / **Quantitative Risk Analysis** [Process]. *Processus* d'analyse numérique des effets des *risques* identifiés sur l'ensemble des *objectifs* du *projet*.

Appel d'offres / Invitation for Bid (IFB). Généralement équivalent à l'appel à proposition. Cependant, dans certains domaines d'application, l'appel d'offres peut avoir une signification plus restreinte ou plus spécifique.

Atténuation des risques [technique] / **Risk Mitigation** [Technique]. *Technique* de *planification des réponses aux risques* associée à des *menaces*, qui cherche à réduire la probabilité de l'occurrence ou de l'impact d'un *risque* en dessous d'un seuil d'acceptabilité.

B

Budget / Budget. *Estimation* approuvée du *projet*, d'un *composant* de la *structure de découpage du projet* ou d'une *activité de l'échéancier*.

C

Calcul au plus tard / Backward Pass. Calcul des *dates de fin* et *de début au plus tard* de toutes les *activités* inachevées de l'*échéancier*. Ces dates sont calculées à l'aide de la *logique du réseau* de l'échéancier, en partant de la date de fin du projet. Cette date de fin peut avoir été calculée au moyen d'un *calcul au plus tôt* ou avoir été imposée par le *client* ou le *commanditaire*.

Calcul au plus tôt / Forward Pass. Calcul des *dates de début et de fin au plus tôt* des parties inachevées de toutes les *activités* d'un réseau. Voir aussi *Calcul au plus tard*.

Chef de projet / Projet Manager (PM). Personne chargée par l'*entreprise réalisatrice* d'atteindre les *objectifs du projet*. Parfois appelé Manageur ou Directeur de projet. Aussi appelé *Gestionnaire de projet* dans certains pays francophones.

Chemin critique [données d'entrée/sortie] / **Critical Path** [Output/Input]. Le chemin critique correspond le plus souvent à la séquence d'*activités de l'échéancier* qui détermine la *durée* du *projet*. Il s'agit généralement du chemin le plus long du projet. Il est toutefois possible qu'un chemin critique se termine par exemple à un *jalon* situé au milieu de l'échéancier et soumis à une *contrainte* de *date imposée* du type « ne pas finir plus tard que ». Voir aussi *Méthode du chemin critique*.

Commanditaire / Sponsor. Personne ou groupe qui fournit au *projet* les *ressources* financières, en liquidités ou en nature. Parfois appelé *Parrain* dans certains pays francophones.

Contenu du projet / Project Scope. Ensemble du *travail* à effectuer pour fournir un *produit*, un *service* ou un *résultat* présentant les caractéristiques et les fonctions spécifiées.

Contrainte [données d'entrée] / **Constraint** [Input]. État, qualité ou sensation de restriction à une action déterminée ou à l'inaction. Restriction ou limitation, interne ou externe au projet, affectant les performances du *projet* ou d'un *processus*. Par exemple, une contrainte sur l'*échéancier*

---

* Ces définitions sont tirées du *Guide du Corpus des connaissances en management de projet (Guide PMBOK®)*, 3e édition, Newton Square, PMI Standard, 2004.

est une limitation ou une restriction imposée à l'*échéancier du projet* pour l'exécution d'une *activité*, généralement par des *dates imposées*. Une contrainte sur le *coût* limite ou restreint le *budget* du projet, par exemple selon le calendrier de disponibilité des *fonds*. Pour les *ressources* du projet, cette contrainte affecte l'utilisation de ressources et peut concerner la disponibilité ou non de *compétences* ou de spécialistes d'une *discipline*, ou la quantité disponible d'une ressource spécifique à un moment donné.

Coût estimé pour achèvement [données d'entrée/sortie] / **Estimate to Complete (ETC)** [Output/Input]. *Coût* nécessaire estimé pour l'achèvement de tout le travail restant d'une *activité de l'échéancier*, d'un *composant de la structure de découpage du projet*, voire du *projet* entier. Voir aussi *Coût final estimé*.

Coût final estimé [données d'entrée/sortie] / **Estimate at Completion (EAC)** [Output/Input]. *Coût* total estimé d'une *activité de l'échéancier*, d'un *composant de la structure de découpage du projet*, voire du *projet* entier lorsque le *contenu du travail* défini sera achevé. Ce coût final estimé est égal au total du *coût réel* (CR) et du *coût estimé pour achèvement* de l'ensemble du travail restant. Le coût final estimé peut être calculé d'après la performance à la date du calcul ou estimé par l'*équipe de projet* d'après d'autres facteurs, auquel cas on l'appelle souvent « dernière estimation révisée ». Voir aussi *Coût estimé pour achèvement*.

Coût réel (CR) / Actual Cost (AC). Total des *coûts* effectivement encourus et enregistrés pour l'accomplissement des *travaux* effectués sur une période donnée dans le cadre d'une *activité de l'échéancier* ou d'un *composant de la structure de découpage du projet*. Le coût réel peut selon le cas comporter uniquement des heures de travail ou d'autres coûts directs, ou bien l'ensemble des coûts y compris les coûts indirects. Également nommé Coût réel du travail effectué (CRTE).

Cycle de vie du projet / Project Life Cycle. Ensemble généralement séquentiel des *phases du projet*, dont le nom et le nombre sont déterminés en fonction des besoins de *maîtrise* par l'*organisation* ou les organisations impliquées dans le *projet*. La documentation du cycle de vie peut constituer la base de la *méthodologie*.

D

Date de début au plus tard / Late Start Date (LS). Dans la méthode du *chemin critique, date* ultime à laquelle une *activité* de l'*échéancier* peut commencer, compte tenu de la logique du *réseau*, de la date d'achèvement du *projet* et des *contraintes* imposées aux activités de l'échéancier ; au-delà de cette date, une contrainte de l'échéancier ne pourrait plus être respectée ou l'achèvement du projet serait retardé. Les dates de début au plus tard sont déterminées au cours du *calcul au plus tard* du *réseau* de l'échéancier du projet.

Date de début au plus tôt / Early Start Date. Dans la *méthode du chemin critique*, première *date* possible à laquelle les parties inachevées d'une *activité de l'échéancier* (ou le *projet* entier) peuvent commencer, compte tenu de la *logique du réseau*, de la *date des données* et des *contraintes* sur l'échéancier. Une date de début au plus tôt peut changer lorsque le projet progresse et que des modifications sont apportées au *plan de management du projet*.

Date de début planifiée / Planned or Scheduled Start Date (SS). Moment où a été prévu le début du *travail* pour une *activité de l'échéancier*. Cette *date* se situe normalement entre la *date de début au plus tôt* et la *date de début au plus tard*. Elle peut tenir compte du *nivellement de ressources* disponibles en faible quantité.

Date de début réelle / Actual Start Date (AS). *Date* à laquelle le *travail* d'une *activité de l'échéancier* a réellement commencé.

Date de fin au plus tard / Late Finish Date (LF). Dans la *méthode du chemin critique, date* ultime à laquelle une *activité* de l'*échéancier* peut être achevée, compte tenu de la logique du *réseau*, de la date d'achèvement du *projet* et des *contraintes* imposées aux activités de l'échéancier ; au-delà de cette date, une contrainte de l'échéancier ne pourrait plus être respectée ou l'achèvement du projet serait retardé. Les dates de fin au plus tard sont déterminés au cours du *calcul au plus tard* du réseau de l'échéancier du projet.

Date de fin au plus tôt / Early Finish Date (EF). Dans la *méthode du chemin critique*, première *date* possible à laquelle les parties inachevées d'une *activité de l'échéan-*

cier (ou le *projet* entier) peuvent être terminées, compte tenu de la *logique du réseau*, de la *date des données* et des *contraintes* sur l'échéancier. Une date de fin au plus tôt peut changer lorsque le projet progresse et que des modifications sont apportées au *plan de management du projet*.

Date de fin planifiée / Planned or Scheduled Finish Date (SF). Moment où a été prévu l'achèvement du *travail* pour une *activité de l'échéancier*. Cette *date* se situe normalement entre la *date de fin au plus tôt* et la *date de fin au plus tard*. Elle peut tenir compte du *nivellement de ressources* disponibles en faible quantité.

Date de fin réelle / Actual Finish Date (AF). *Date* de fin effective du *travail* d'une *activité de l'échéancier*. Remarque : dans certains *champs d'application*, l'activité de l'échéancier est considérée « terminée » lorsque le travail correspondant est « achevé pour l'essentiel ».

Diagramme à barres [outil] / **Bar Chart** [Tool]. Représentation graphique des informations relatives à l'*échéancier*. Dans le diagramme à barres classique, les *activités de l'échéancier* ou les *composants de la structure de découpage du projet* figurent sur la partie gauche du diagramme, les *dates* apparaissent horizontalement en haut, et les *durées des activités* sont représentées par des barres horizontales parallèles à l'axe des dates. Aussi appelé *Diagramme de Gantt*.

Diagramme de Gantt / Gantt Chart. Voir *Diagrammes à barres*.

Diagramme de réseau du projet [données d'entrée/sortie] /**Project Schedule Network Diagram** [Output/Input]. Représentation schématique des *liens logiques* entre les *activités de l'échéancier* du *projet*. Toujours tracé de la gauche vers la droite pour refléter la chronologie des *travaux* du projet.

Durée / Duration (DU ou DUR). Nombre de périodes de *travail* (hors jours fériés et autres jours d'inactivité) nécessaires à l'achèvement d'une *activité de l'échéancier* ou d'un *composant de la structure de découpage du projet*. Généralement exprimée en jours ou semaines de travail, et quelquefois confondue à tort avec le temps écoulé. Ne pas confondre avec un *effort*.

E

Échéancier du projet [données d'entrée/sortie] / **Project Schedule** [Output/Input]. Ensemble des *dates* planifiées pour l'exécution des *activités de l'échéancier* et pour la réalisation des *jalons de l'échéancier*.

Effort / Effort. Nombre d'unités de *travail* nécessaires à l'achèvement d'une *activité de l'échéancier* ou d'un *composant de la structure de découpage du projet*. Généralement exprimé en heures, jours ou semaines-personne. Ne pas confondre avec *Durée*.

Équipe de projet / Project Team. Ensemble des *membres de l'équipe de projet*, y compris l'*équipe de management de projet*, le *chef de projet* et, dans certains cas, le *commanditaire*.

Estimation à trois points [technique] / **Three-Point Estimate** [Technique]. *Technique* analytique qui utilise trois *estimations* du *coût* ou de la *durée* pour représenter le scénario optimiste, le scénario pessimiste et le scénario le plus probable. Cette technique est utilisée pour affiner la précision des *estimations* du coût ou de la durée en cas d'incertitude concernant l'*activité* sous-jacente ou le *composant* de coût sous-jacent.

Estimation ascendante [technique] / **Bottom-up Estimating** [Technique]. Méthode d'estimation d'un *composant du travail*. Ce travail est *décomposé* de manière plus détaillée. On estime ensuite comment satisfaire aux *exigences* de chacun des travaux plus détaillés à des niveaux inférieurs, et ces *estimations* sont cumulées pour obtenir le total de chaque composant du travail. La précision de cette méthode d'estimation est fonction de l'ampleur et de la complexité du travail identifié aux niveaux inférieurs : elle est donc généralement meilleure pour des travaux dont le *contenu* est moindre.

Estimation par analogie [technique] / **Analogous Estimating** [Technique]. *Technique d'estimation* basée sur les valeurs des paramètres d'une *activité* antérieure similaire (exemple : le *contenu*, le *coût*, le *budget*, la *durée*) ou les mesures d'échelle de cette activité (exemple : la dimension, le poids, la complexité) pour estimer les paramètres ou les mesures correspondants d'une activité future. Cette technique est souvent utilisée pour estimer un paramètre lorsqu'on ne dispose que d'informations limitées sur le *projet*, notamment dans ses premières *phases*. L'estimation par analogie est une forme de *jugement d'expert*. Sa *fiabilité* sera la plus forte si l'activité antérieure est similaire non seulement en apparence mais surtout dans les faits, et si les *membres de l'équipe de projet* qui effectuent l'estimation ont bien l'expertise nécessaire.

Estimation paramétrique [technique] / **Parametric Estimating** [Technique]. *Technique* d'estimation partant d'une relation statistique entre des données historiques et d'autres variables (exemple: superficie en construction, lignes de code en développement logiciel) pour calculer une *estimation* de paramètres d'une *activité* comme son *contenu*, son *coût*, son *budget* et sa *durée*. Le niveau de *fiabilité* de cette technique dépend de la sophistication du modèle utilisé et des données sous-jacentes. À titre d'exemple, le coût peut s'estimer en multipliant la quantité de *travail* planifiée par le coût unitaire standard de ce travail.

G

Gestion de projet. Application de *connaissances,* de compétences, d'*outils* et de *techniques* aux *activités du projet* afin d'en respecter les *exigences*. Aussi appelé *Management de projet* dans certains pays francophones.

I

Identifiant de l'activité / Activity Identifier. Courte identification alphanumérique attribuée à une *activité de l'échéancier* pour différencier cette *activité* du *projet* d'autres activités. Dans un *diagramme de réseau du projet*, chaque activité a en principe un identifiant unique.

J

Jalon / Milestone. Point ou *événement* significatif d'un *projet*. Voir aussi *Jalon de l'échéancier*.

Jalon de l'échéancier / Schedule Milestone. *Événement* significatif dans l'*échéancier du projet*, par exemple un événement contraignant un *travail* futur ou marquant l'achèvement d'un *livrable* important. Un jalon de l'échéancier a une *durée* égale à zéro. Parfois appelé *activité* jalon. Voir aussi *Jalon*.

L

Leçons apprises [données d'entrée/sortie] / **Lessons Learned** [Output/Input]. Enseignement profitable tiré de l'exécution du *projet*. On peut identifier les leçons apprises à tout moment dans le projet. Ces leçons sont aussi à considérer comme éléments du dossier du projet à inclure dans la *base de données des leçons apprises*.

Liaison début-début (DD) / Start-to-Start (SS). *Lien logique* où le démarrage du *travail* de l'*activité successeur* de l'*échéancier* dépend du démarrage du *travail* de l'*activité antécédente*.

Liaison début-fin (DF) / Start-to-Finish (SF). *Lien logique* où l'achèvement de l'*activité successeur* de l'*échéancier* dépend du démarrage de l'*activité antécédente*.

Liaison fin-début (FD) / Finish-to-Start (FS). *Lien logique* selon lequel le démarrage du *travail* d'une *activité successeur* dépend de l'achèvement du travail de l'*activité antécédente*.

Liaison fin-fin (FF) / Finish-to-Finish (FF). *Lien logique* selon lequel le *travail d'une activité successeur* ne peut s'achever tant que le travail de l'*activité antécédente* n'est pas achevé.

Liste d'activités [données d'entrée/sortie] / **Activity List** [Output/Input]. Tableau documenté des *activités de l'échéancier*, contenant la *description* de chaque *activité*, son *identifiant* et une présentation suffisamment détaillée du contenu du *travail* afin que les *membres de l'équipe de projet* comprennent le travail à effectuer.

Livrable [données d'entrée/sortie] / **Deliverable** [Output/Input]. *Produit*, *résultat* ou capacité de réaliser un *service*, de caractère unique et vérifiable, dont la production est nécessaire pour achever un *processus*, une *phase* ou un *projet*. Terme souvent employé dans un sens plus restreint pour désigner un *livrable* externe, à savoir un livrable soumis à l'*approbation* du *commanditaire* du projet ou du *client*. Voir aussi *Produit*.

Logiciel de gestion de projet [outil] / **Project Management Software** [Tool]. Catégorie d'applications informatiques spécialement conçues pour assister l'*équipe de management de projet* dans la planification, la *surveillance* et la *maîtrise* du projet. Ces logiciels comprennent les applications utilisées pour l'*estimation des coûts*, l'*échéancier*, les *communications*, la collaboration, la gestion de la configuration, la *maîtrise* de la documentation, la gestion des enregistrements et l'analyse des *risques*.

Lot de travail / Work Package. *Livrable* ou *composant* de *travail* du *projet* au niveau le plus bas de chaque branche de la *structure de découpage du projet*. Le lot de travail comprend les *activités de l'échéancier* et les *jalons de l'échéancier* nécessaires à l'achèvement des livrables du lot de travail ou du composant de travail du projet.

M

Marge libre / Free Float. Temps maximum dont une *activité de l'échéancier* peut être retardée sans retarder la *date de début au plus tôt* de l'une de ses *activités successeurs*. Voir aussi *Marge totale*.

Marge totale / Total Float. Temps maximum dont une *activité de l'échéancier* peut être retardée par rapport à sa *date de début au plus tôt* sans retarder la *date de fin* du *projet* ni transgresser une *contrainte* de l'*échéancier*. Elle se calcule à l'aide de la *méthode du chemin critique* en déterminant la différence entre la *date de fin au plus tôt* et la *date de fin au plus tard*. Voir aussi *Marge libre*.

Méthode du chemin critique [technique] / **Critical Path Method (CPM)** [Technique]. *Technique d'analyse du diagramme de réseau* utilisée pour déterminer le degré de flexibilité de l'*échéancier* (*marge* possible) sur divers *chemins de réseau* logiques du *diagramme de réseau du projet*, et pour déterminer la *durée* globale minimale du projet. Les *dates de début et de fin au plus tôt* sont calculées par *calcul au plus tôt*, en partant d'une *date de début* donnée. Les *dates de début et de fin ou plus tard* sont calculées par *calcul au plus tard*, en partant d'une date d'achèvement donnée qui correspond parfois à la *date de fin au plus tôt* du projet, elle-même déterminée lors du calcul au plus tôt.

N

Niveau d'effort / Level of Effort (LOE). *Activité* de soutien (liaison avec un *fournisseur* ou un *client*, analyse des *coûts* du *projet*, *management du projet*, etc.) qui ne se prête pas directement à une mesure de réalisation distincte. Le niveau d'*effort* est en général caractérisé par une productivité du *travail* uniforme pendant le laps de temps correspondant aux besoins des *activités* concernées.

Nivellement des ressources [technique] / **Resource Leveling** [Technique]. Toute forme d'*analyse du diagramme de réseau* dans laquelle les décisions concernant l'*échéancier* (*dates de début* et *de fin*) découlent des *contraintes* de *ressources* (par exemple disponibilité limitée de ressources, ou modifications des niveaux de disponibilité des ressources difficiles à gérer).

O

Opérations / Operations. Fonction organisationnelle consistant à assurer l'exécution en cours des *activités* qui produisent un même *produit* ou fournissent un *service* de nature répétitive. Exemples : opérations de production ou de fabrication, opérations comptables.

Organisation fonctionnelle / Functional Organization. *Organisation* hiérarchique dans laquelle chaque employé est sous l'autorité d'un seul supérieur hiérarchique, et le personnel groupé par domaine de spécialisation et dirigé par une personne dotée d'expertise dans ce domaine.

Organisation matricielle / Matrix Organization. Structure organisationnelle dans laquelle le *chef de projet* partage avec les *responsables fonctionnels* la responsabilité de fixer les priorités et de diriger le *travail* du personnel affecté à ce *projet*.

Organisation par projets / Projectized Organization. Structure organisationnelle dans laquelle le *chef de projet* a toute *autorité* pour fixer les priorités, affecter les *ressources* et diriger le *travail* des personnes affectées au *projet*.

P

Phase du projet / Project Phase. Ensemble d'*activités* du *projet* liées logiquement et aboutissant généralement à l'achèvement d'un *livrable* important. Les phases du projet (ou simplement les phases) s'achèvent en séquence pour l'essentiel mais peuvent se chevaucher dans certaines situations. Elles peuvent se subdiviser en *sous phases* puis en *composants*; si le projet (ou certaines de ses portions) est divisé en sous phases, cette hiérarchie se retrouve dans la *structure de découpage du projet*. Une phase du projet est un composant du *cycle de vie du projet*. Ne pas confondre une phase avec un *groupe de processus de management de projet*.

Pourcentage d'avancement / Percent Complete (PC ou PCT). *Estimation*, exprimée en pourcentage, du *travail* effectué pour une *activité* ou un *composant de la structure de découpage du projet*.

Prévisions / Forecasts. *Estimations* ou prédictions de situations ou d'*événements* à venir dans le déroulement du *projet*, à partir d'informations et de connaissances disponibles au moment où les prévisions sont effectuées. Les prévisions sont actualisées et ré-émises en fonction des *informations sur les performances du travail* dont on dispose au cours de l'*exécution* du projet. Ces informations sont tirées de la performance passée du projet et de celle attendue par la suite, et comprennent des éléments susceptibles d'avoir un impact sur ce projet à l'avenir, tels que son *coût final estimé* et son *coût estimé pour achèvement*.

Processus / Process. Ensemble d'actions et d'*activités* en relation les unes avec les autres, effectuées pour aboutir à un ensemble défini de *produits*, de *résultats* ou de *services*.

Produit / Product. Objet qui est produit et quantifiable, pouvant aussi bien être un produit final qu'un *composant*. Les termes *matériel* et *biens* sont similaires à produits. Voir aussi *Livrable*.

Professionnel en management de projet (PMP®) / Project Management Professional (PMP®). Professionnel certifié PMP® par le Project Management Institute (PMI®). Aussi appelé Professionnel en gestion de projet dans certains pays francophones.

Projet / Project. Entreprise temporaire initiée dans le but de fournir un *produit*, un *service* ou un *résultat* unique.

R

Rapports d'avancement [données d'entrée/sortie] / **Performance Reports** [Output/Input]. *Documents* et présentations contenant, sous forme structurée et récapitulative, les *informations sur la performance du travail*, les paramètres et calculs de *management par la valeur acquise*, et les analyses de l'avancement et de l'état du *travail du projet*. Ces rapports se présentent souvent sous forme de *diagrammes à barres*, de *courbes en S*, d'*histogrammes*, de tables, auxquels s'ajoute le *diagramme de réseau du projet* qui montre l'état actuel de l'*échéancier*.

Responsable fonctionnel / Functional Manager. Personne disposant de l'*autorité* managériale sur une unité de l'*organisation* au sein d'une *organisation fonctionnelle*. Responsable de tout groupe qui fabrique effectivement un *produit* ou fournit un *service*. Parfois appelé responsable hiérarchique.

Risque / Risk. *Événement* ou situation dont la concrétisation, incertaine, aurait un impact positif ou négatif sur les *objectifs* du *projet*

S

Structure de découpage du projet (SDP) [données d'entrée/sortie] / **Work Breakdown Structure (WBS)** [Output/Input]. Décomposition hiérarchique, axée sur les *livrables*, du *travail* que l'*équipe de projet* doit *exécuter* pour atteindre les *objectifs du projet* et produire les livrables voulus. La SDP organise et définit le *contenu* total du *projet*. En descendant d'un niveau, la définition du *travail du projet* devient plus détaillée qu'au niveau supérieur. La SDP est décomposée en *lots de travail*. L'orientation de la hiérarchie vers les livrables concerne les livrables internes et externes. Voir aussi *Lot de travail*.

T

Tâche / Task. Terme désignant le *travail*, dont la signification et l'emplacement à l'intérieur du plan structuré de travail du *projet* varient en fonction du *champ d'application*, du secteur d'*activité* et du concepteur du *logiciel de gestion de projet* utilisé.

Travail / Work. Effort physique ou mental soutenu, exercice approfondi des *compétences*, visant à surmonter les obstacles et atteindre un *objectif*.

U

Utilisateur / User. Personne ou *organisation* qui utilisera le *produit* ou le *service* du *projet*.

Index

A

Affectation
  des ressources 88, 174
  initiale 198, 202, 204
Allocation 146
Analyse de faisabilité 10
Approche ascendante 25, 74
Approche descendante 25, 74

B

Barres
  Style des 225
Bénéfices intangibles 43
Bénéficiaire 7
Besoin 19
Budget 4, 23
Budget de caisse 56
But 21

C

Calcul à rebours 86
Capacité max. 146
Chef de projet 7
Chemin critique 87, 155, 182
Clôture
  Rapport de 131
Code WBS 173
Contrainte 4
  de coûts 4
  de qualité 5
  de temps 4
  Type de 184
Contrôle
  de l'avancement 112
  de la qualité 116
Coûts
  Contrainte de 4
  Contrôle des 115
  en ressources 175
  Estimation des 24
  Évaluation des 46
  fixes 175, 212
  fixes non répartis 175, 212
  initiaux 47

récurrents 47
Critères de performance 28
Cycle de développement de
  l'équipe 107

D

Date
  actuelle 167, 243
  de début 167
  de début au plus tard 86
  de début au plus tôt 84
  de fin au plus tard 86
  de fin au plus tôt 84
Délai 23, 83, 182
  de récupération 48
Diagramme de Gantt 80, 142, 228
  suivi 112, 254
Durée 84
  Estimation de la 24, 174
  réelle, 249
  restante 249

E

Échelle de temps
Envergure 4, 10
Équipe
  Ajournement 107, 109
  Conflits 107, 108
  Cohésion 107, 108
  Fonctionnement 107, 108
  Formation 107, 108
  Gestion 253
Éthique 105
Étude de marché 38
Évaluation
  du personnel 131
  globale 208
  Méthode d' 209
Exécution
  Optimiser le calendrier d' 213
  Phase d' 98
Extrant 4, 6
  Acceptation de l' 125

F

Filtre 226
Financement 52
Fractionnement 171

G

Gestion
  Rapport de 253

H

Heures supplémentaires 219
Horizon d'évaluation 48

J

Jalon 148, 174

L

Leçon apprise 133
Liste des ressources 89
Lot 149, 177
Lotissement
  disciplinaire 79
  géographique 78
  organisationnel 78
  par étapes 79
  par livrables 79
Lots 78

M

Mandataire 6
Marge
  de sécurité 58
  libre 84, 87, 91, 182, 220
Méthode
  à durée fixe 211
  à travail fixe 209
  d'estimation à trois points 28
  d'évaluation globale
  des ratios 27, 75
  détaillée, 75
  par modèles 74
  proportionnelle 28

N

Numérotation des activités 79

O

Objectifs 21
Opérations 4
Organigramme
    des tâches 72
    technique 72

P

Pensée de groupe 110
Plan de contingence 55
Planification
    initiale 112, 132, 240
    temporaire 242
Pourcentage d'avancement 249, 254
Prédécesseur 150, 179
Priorité 173
Projet 3
    Administrateur du 126, 133
    Clore le 125
    Clôture 14
    Cycle de vie du 9
    Définition 9, 10
    de niveau 0 177
    Exécution 12
    Mettre à jour le 245
    pilote 55
    Planification 12
    Rapport de suivi du 111
    Rapport d'évaluation du 126
    Réseau du 144
    Résumé du 228, 255
    Suivi du 111, 244
    Tâche récapitulative du 149
Promoteur 6

R

Rapport 227
    de gestion 253
Relation
    début à début 82
    début à fin 82
    fin à début 81
    fin à fin 82
    Type de 180
Rencontre de démarrage 98
Rentabilité
    Évaluation de la 47
Réseau du projet 76
Ressources
    Affectation des 153
    Audit des 173, 213
    Capacité des 198
    Équilibrage de l'utilisation des 90, 173
    Équilibrage des 221
    humaines 89
    interchangeables 90, 211
    matérielles 89
    non interchangeables 90, 209
    Optimiser l'utilisation des 220
    Réaffectation des 130
    Surutilisation des 213, 217
    Tableau des 144, 195
Retard 83, 155, 180, 182, 220
Réunion 102
Revenus
    Évaluation des 40
Risques 10, 30
    Gestion des 53
    Techniques 54
    Organisationnels 56
    financiers 56
    Réduction des 59

T

Table 142
Tâche (s)
    à capacité fixe 206
    à durée fixe 205
    à travail fixe 207
    complétée 248
    Durée 198
    en cours 249
    Infomations sur la 150
    Méthode d'utilisation d'une
    Mettre à jour les 245
    Organigramme des 144
    pilotée par l'effort 207
    Priorité des 213
    récapitulative de projet
    répétitive 171
    Type de 205
Taux d'actualisation 50
Temps
    de travail 83, 155, 169, 182
    Échelle de 152
    réel (écoulé) 83, 155, 182
Travail 198
    Calendrier de 167, 194

U

Utilisateurs 7

V

Valeur actuelle nette 49

Z

Zoom 152